CONTES BARBARES

Rituels sanglants

Pour l'éditeur, le principe est d'utiliser des papiers composés de fibres naturelles, renouvelables, recyclables et fabriquées à partir de bois issus de forêts qui adoptent un système d'aménagement durable.

En outre, l'éditeur attend de ses fournisseurs de papier qu'ils s'inscrivent dans une démarche de certification environnementale reconnue.

www.lemasque.com

Craig Russell

CONTES BARBARES

Traduit de l'anglais par Aurélie Tronchet

ÉDITIONS DU MASQUE
17, rue Jacob 75006 Paris

Titre original
Brother Grimm
publié par Hutchinson (Royaume-Uni)

Ouvrage publié sous la direction de
Marie-Caroline Aubert

ISBN : 978-2-7024-3251-8

Pour Wendy

1

*Mercredi 17 mars, 9 h 30 – Plage de l'Elbstrand, Blankenese,
Hambourg.*

Fabel caressa doucement la joue de la jeune fille de sa
main gantée. Un geste stupide, probablement déplacé,
mais un geste qui lui semblait, pour une raison ou pour
une autre, nécessaire. Son doigt suivit la courbe de la joue
en tremblant. Quelque chose se resserra dans sa poitrine,
une pointe de panique peut-être, quand il prit conscience
qu'elle lui rappelait sa fille Gabi. Il eut un petit sourire,
forcé, crispé. Dans l'effort, les muscles de son visage se
tendirent et ses lèvres frissonnèrent. Elle levait ses grands
yeux vers lui. Des yeux azur, immobiles.

L'affolement enfla dans la poitrine de Fabel. Il voulait
l'entourer de ses bras et lui murmurer que tout allait bien
se passer. Mais c'était impossible, rien n'allait bien se passer.
Elle le fixait toujours de son regard absent, azur.

Fabel sentit la présence de Maria Klee à son côté. Il
retira sa main et se releva.

– Quel âge ? demanda-t-il sans même se tourner vers
sa collègue, ses yeux toujours rivés à ceux de la jeune fille.

– Difficile à dire. Quinze, seize ans, à mon avis. Nous
n'avons pas encore son identité.

La brise matinale cueillit le sable fin de la plage du
Blankenese qu'elle fit tourbillonner comme on agite un
liquide dans un verre. Des grains atterrirent dans les yeux
de la jeune fille, sur le blanc des globes. Pourtant elle ne

clignait toujours pas des paupières. Ne pouvant supporter plus longtemps cette vision, Fabel détourna le regard et, plongeant ses mains au fond des poches de son manteau, il leva la tête pour fixer le sommet du phare rayé rouge et blanc du Blankenese, sans aucune autre raison que de se remplir les yeux d'autre chose que du spectacle de la jeune fille assassinée. Pivotant vers Maria, il sonda ses yeux gris bleu et francs qui en disaient très peu sur elle, qui suggéraient même parfois une certaine froideur, une absence d'émotion, à moins de la connaître mieux. Fabel soupira comme si une grande douleur ou une grande tristesse lui avait ôté le souffle.

— Parfois je ne sais pas si je suis encore capable de faire ce boulot, Maria.

— Je comprends, répondit-elle en regardant la victime.

— Non... Je le pense vraiment, Maria. J'ai passé presque la moitié de ma vie à faire ce travail et parfois j'en ai vraiment ras le bol... Mon Dieu, elle ressemble tellement à Gabi...

— Pourquoi ne me laisserais-tu pas cette affaire ? Pour le moment, au moins. Je vais me charger du médecin légiste.

Fabel secoua la tête. Il fallait qu'il reste. Il fallait qu'il regarde. Il fallait qu'il souffre. Son attention se reporta de nouveau sur la morte. Ses yeux, ses cheveux, son visage. Il se souviendrait du moindre détail. Ce visage qui était trop jeune pour porter la mort resterait à jamais gravé dans le musée de sa mémoire, au milieu d'autres visages, certains jeunes, certains vieux, mais tous morts, des années d'enquêtes sur des meurtres. Ce n'était pas la première fois que Fabel souffrait de la relation à sens unique qu'il était obligé d'entretenir avec ces individus. Il savait que, tout au long des prochaines semaines, des prochains mois, il apprendrait à connaître cette adolescente : il parlerait à ses parents, ses frères et sœurs, ses amis ; il découvrirait ses habitudes, la musique qu'elle aimait, comment elle occupait ses loisirs. Ensuite il fouillerait plus profondément : il soutirerait de graves secrets à des amis intimes ; il lirait le journal qu'elle avait dissimulé au monde ; il partagerait les pensées qu'elle avait décidé de ne pas partager ; il lirait des noms de garçons qu'elle avait griffonnés en secret. Il construirait un paysage complet de ses espoirs et de ses rêves, l'esprit et la personnalité de la fille qui avait autrefois vécu derrière ces yeux azur.

Fabel la connaîtrait alors de façon si complète. Et pourtant, elle ne l'aura jamais connu, lui. Sa conscience d'elle commençait avec l'extinction totale de sa conscience à elle. Sa mort. C'était le boulot de Fabel de connaître les morts.

Pourtant elle continuait de le fixer, allongée sur le sable. Ses vêtements étaient vieux, pas des loques, mais ternes et élimés. Un sweat-shirt ample avec le fantôme d'un motif sur le devant et un jean délavé. Même neufs, ces habits avaient été de mauvaise qualité.

Elle reposait sur le sable, les jambes en partie relevées sous elle, les mains croisées sur ses cuisses. C'était comme si elle s'était agenouillée sur la plage avant de basculer, pétrifiée ainsi dans cette posture. Mais elle n'était pas morte ici, Fabel en était certain. Par contre, il ne savait pas si sa position était un arrangement accidentel de ses membres ou une pose délibérée imposée par quiconque l'avait abandonnée sur cette plage.

Fabel fut arraché de ses réflexions amères par l'apparition de Brauner, le chef de l'équipe médico-légale. Brauner traversa les planches posées sur des briques qui constituaient l'unique accès à la scène de crime. Fabel baissa la tête d'un air sombre en guise de salut.

– Qu'est-ce qu'on a, Holger ? demanda-t-il.

– Pas grand-chose, répondit Brauner, désolé. Le sable est sec et fin et le vent le balaie. Il souffle littéralement toute trace. Je ne crois pas que ce soit le lieu du crime. Qu'est-ce que tu en penses ?

Fabel secoua la tête. Brauner, une expression triste sur le visage, baissa les yeux sur le corps de la fille. Lui aussi avait une fille. Fabel reconnut la mélancolie qui assombrissait les traits de Brauner comme l'écho de la douleur sourde qu'il ressentait. Brauner inspira profondément.

– Nous allons faire un examen complet avant de la passer à Möller pour l'autopsie.

Fabel observa en silence les spécialistes en combinaison blanche s'emparer de la scène de crime. Tels des embaumeurs de l'Égypte ancienne enveloppant une momie, les techniciens de la SpuSi œuvraient sur le cadavre, couvrant chaque centimètre carré de bandelettes de Tesa, chacune d'elles étant numérotée et photographiée, puis transférée dans un sac en plastique.

Une fois la scène de crime examinée, on souleva le corps de la jeune fille avec précaution pour le glisser dans une housse mortuaire en vinyle, avant de le hisser sur un chariot qui fut à moitié poussé, à moitié porté sur le sable par deux employés de la morgue. Fabel garda le regard rivé à la housse, une tache indistincte contre un fond de couleurs pâles, le sable, les rochers et les uniformes des employés de la morgue, jusqu'à ce que le chariot disparaisse. Il se tourna alors pour contempler le sable blond et propre en direction du phare élancé du Blankenese, plus loin, de l'autre côté de l'Elbe, vers les lointaines rives verdoyantes de l'Altes Land, puis de nouveau vers les terrasses vertes entretenues du Blankenese, parsemées de villas luxueuses et élégantes.

Il n'avait jamais vu un paysage aussi désespéré.

2

Mercredi 17 mars, 9 h 50 – Hôpital Mariahilf, Heimfeld, Hambourg.

L'infirmière en chef, qui l'observait depuis le couloir, sentit son cœur s'alourdir. Il était assis, ignorant le regard de la femme, penché en avant sur la chaise près du lit, sa main reposant sur la topographie ridée, d'un blanc grisé, du front de la vieille dame. De temps à autre, la main parcourait doucement et lentement les cheveux blancs. Et cependant, il lui glissait à l'oreille de doux murmures uniquement perceptibles par la vieille femme. L'infirmière en chef prit conscience de la présence d'une de ses subalternes derrière elle. La deuxième infirmière affichait elle aussi un sourire d'une amère compassion en découvrant le fils et la vieille mère enveloppés dans leur univers privé. L'infirmière en chef désigna la scène d'un mouvement du menton.

– Il ne manque jamais un jour, dit-elle en souriant sans joie. Aucun de mes enfants ne se souciera de moi comme ça quand j'aurai son âge, je peux te l'assurer.

L'autre femme laissa échapper un petit rire entendu. Les deux infirmières se tinrent ainsi pendant quelques minutes, toutes deux absorbant le spectacle qui s'offrait à leur regard, chacune enfermée dans des pensées légèrement terrifiantes concernant leur propre avenir.

– Elle entend ce qu'il lui dit ? demanda la subalterne.

– Aucune raison de penser le contraire. L'attaque l'a

paralysée, l'a rendue muette mais, pour autant que nous sachions, elle possède encore toutes ses facultés.

— Mon Dieu... je préférerais être morte. Imaginez-vous : emprisonnée dans votre propre corps.

— Au moins, elle a son fils, répondit l'infirmière en chef. Il lui apporte des livres chaque jour et lui fait la lecture avant de passer une heure, simplement assis là, à lui caresser les cheveux et à lui parler doucement. Au moins, elle a ça.

L'autre infirmière acquiesça et émit un long soupir attristé.

Dans la chambre, la vieille femme et son fils ignoraient complètement qu'ils étaient observés. Elle reposait sur le dos, inerte, incapable du moindre mouvement, présentant à son fils, penché en avant sur la chaise, son profil d'une certaine noblesse, front haut et bombé et nez aquilin. De temps à autre, un filet de salive dégoulinait à la commissure de ses lèvres minces et le fils, d'un geste plein de sollicitude, l'essuyait à l'aide d'un mouchoir plié. Il repoussa encore une fois les cheveux blancs du front de sa mère et s'inclina au-dessus d'elle, ses lèvres lui effleurant presque l'oreille. Tandis qu'il lui parlait à voix basse, son souffle faisait frémir les mèches argentées sur la tempe de la vieille femme.

— J'ai encore parlé au médecin aujourd'hui, mère. Il m'a assuré que ton état s'était stabilisé. C'est une bonne nouvelle, non, *Mutti* ?

Il n'attendit pas une réponse dont elle était incapable.

— Le médecin m'a dit qu'à la suite de ta première attaque, tu as été victime d'une série d'attaques « bégayantes », et ce sont ces minuscules attaques qui ont causé tous les dégâts. Selon lui, il n'y en aura pas d'autres et ton état n'empirera pas si je m'assure qu'on t'administre bien tes médicaments.

Il fit une pause et expira lentement.

— Ce qui veut dire que je vais pouvoir m'occuper de toi à la maison. Au début, le médecin n'était pas trop d'accord. Mais tu n'aimes pas que des étrangers s'occupent de toi, n'est-ce pas, *Mutti* ? C'est ce que j'ai dit au médecin. Je lui ai dit que tu serais mieux avec moi, avec ton fils, à la maison. Je lui ai assuré que je serais capable de trouver quelqu'un qui prendra soin de toi quand je travaillerai, et le reste du temps... Eh bien, le reste du temps, tu m'auras, moi, n'est-ce pas ? Je lui ai confirmé qu'une infirmière pouvait venir rendre ses visites dans ce petit appartement confortable que j'ai acheté. D'après le médecin, je vais pouvoir te ramener à la fin du mois. N'est-ce pas fantastique ?

Il laissa la pensée sombrer en sondant les yeux gris pâle qui bougeaient lentement dans le visage immobile. S'ils renfermaient une quelconque émotion, elle ne parvenait pas à percer afin qu'il puisse la lire. Il se rapprocha encore, tirant à la hâte la chaise contre le lit en la faisant crisser sur le sol ciré de la chambre.

– Bien sûr, nous savons tous les deux que cela ne se passera pas comme je l'ai expliqué au médecin, n'est-ce pas, mère ?

La voix était toujours douce et apaisante.

– Mais encore une fois, je ne pouvais lui parler de cette autre maison... notre maison. Ni lui dire que ce que j'allais faire, c'était te laisser couchée dans ta merde pendant des journées entières ? Je ne pouvais pas, non. Ou bien que j'allais passer des heures à explorer ta capacité à endurer la douleur. Non, non, ça n'aurait pas été convenable, n'est-ce pas, *Mutti* ?

Il eut un petit rire puéril.

– Je ne pense pas que le médecin aurait été d'accord pour te laisser habiter avec moi s'il avait su, n'est-ce pas ? Mais ne t'en fais pas, je ne lui dirai rien si tu te tais... Mais bien sûr, tu ne diras rien, hein ? Tu vois, mère, Dieu t'a bâillonnée et ligotée. C'est un signe. Un signe qui m'est adressé.

La tête de la vieille femme demeurait immobile, mais une larme suinta du coin de son œil et se faufila dans les crevasses de la peau sur sa tempe. La voix du fils prit un ton de conspirateur.

– Toi et moi, on sera ensemble. Seuls. Et nous pourrons parler du bon vieux temps dans notre bonne vieille maison. De mon enfance. Quand j'étais faible et que tu étais forte.

La voix n'était à présent qu'un sifflement, du venin soufflé dans l'oreille de la vieille femme.

– J'ai recommencé, *Mutti*. Une autre. Comme il y a trois ans. Mais cette fois, parce que Dieu t'a ligotée dans la prison de ton corps hideux, tu ne peux rien faire. Cette fois, tu ne peux pas m'arrêter, et je vais continuer encore et encore. Ce sera notre petit secret. Tu seras là, à la fin, mère, je te le promets. Mais ça ne fait que commencer...

Dans le couloir, les deux infirmières, dont aucune n'aurait pu deviner la nature de ce qui venait de se passer entre le fils et sa mère, se détournèrent de ce tableau pathé-tique, celui d'une vie qui se détériorait et de la dévotion d'un fils. En cet instant, elles mirent un terme à leur intru-sion dans la triste vie d'autrui et s'en allèrent retrouver les aspects pratiques des tableaux, des courbes et des distribu-tions de médicaments.

3

Mercredi 17 mars, 16 h 30 – Polizeipräsidium, Hambourg.

Le froid piquant et vif de la matinée avait laissé place à un ciel humide couleur sodium qui s'était frayé avec indolence un chemin depuis la mer du Nord. Un léger crachin piquetait à présent les vitres du bureau de Fabel. La vue vers le Winterhuder Stadtpark semblait avoir été vidée de toute vie, de toute couleur.

Deux personnes étaient assises en face de Fabel : Maria et un homme massif à l'air dur, dans la cinquantaine, et dont le crâne luisait au travers des épis noir et gris qui le couvraient.

Le Kriminaloberkommissar Werner Meyer travaillait avec Fabel depuis plus longtemps que n'importe quel autre membre de l'équipe. Junior en grade mais senior en années de service, Werner Meyer n'était pas seulement le collègue de Fabel : c'était son ami et souvent son mentor. Werner et Maria Klee, de même grade, étaient le renfort immédiat de Fabel dans l'équipe. Pourtant, Werner était le bras droit de Fabel. Il avait bien plus d'expérience pratique en qualité d'officier de police que Maria, bien qu'elle ait été une élève exceptionnelle à la fac où elle avait étudié le droit, puis plus tard à l'école supérieure de la Police et dans les académies de police. En dépit de son air de dur et de sa corpulence considérable, l'approche de Werner concernant le travail de policier se caractérisait par une minutie méthodique et une attention particulière au moindre détail. Werner, qui appliquait le règlement à la lettre, avait souvent réfréné son chef quand Fabel s'était laissé porter trop loin par une de ses intuitions. Werner s'était toujours considéré comme l'équipier de Fabel et il avait fallu du temps, ainsi que quelques événements dramatiques, pour qu'il s'habitue à travailler avec Maria.

Mais cela avait fonctionné. Fabel les avait associés en raison de leurs différences : parce qu'ils incarnaient deux générations d'officiers de police et parce qu'ils combinaient et opposaient expérience et expertise, théorie et pratique. Mais c'était ce qu'ils partageaient qui en faisait vraiment une équipe : un dévouement total et sans complaisance à leur fonction d'officiers de la Mordkommision.

Ils venaient de tenir leur réunion préliminaire habituelle. Les meurtres se présentaient sous deux aspects : il y avait la piste brûlante, quand le cadavre était retrouvé très peu de temps après la mort, ou bien quand il existait des preuves fortes et évidentes qui désignaient la direction à suivre ; puis il y avait la piste glacée, quand le tueur avait déjà mis de la distance en temps, en espace et en traces entre lui et le crime, ne laissant à la police que des bribes à assembler, un procédé qui demandait beaucoup de temps et d'efforts. Le meurtre de la jeune fille sur la plage était un crime à piste glacée : sa forme était vague. Il leur faudrait beaucoup de temps et de travail d'enquête avant de pouvoir lui donner des contours définis. La réunion d'après-midi avait par conséquent été typique des réunions initiales : ils avaient passé en revue les maigres faits dont ils disposaient et avaient prévu d'autres réunions pour examiner les rapports du médecin légiste et de l'équipe scientifique. Le corps serait le point de départ : plus une personne mais une boutique d'informations physiques concernant l'heure, la cause et le lieu du décès. Et, d'un point de vue moléculaire, avec l'ADN et les autres données prélevées sur le cadavre commencerait le processus d'identification. La majeure partie de la réunion avait été consacrée à la répartition des différentes tâches d'investigation, dont la première était l'identification de la jeune morte. La jeune morte. Fabel était fermement résolu à découvrir son identité, mais c'était ce moment qu'il redoutait le plus : quand le corps devenait une personne et que le numéro de dossier devenait un nom.

Après la réunion, Fabel demanda à Maria de rester dans le bureau. Werner acquiesça d'un air entendu et parvint ainsi à accentuer le caractère embarrassant de la situation. Maintenant, Maria Klee, vêtue d'un coûteux chemisier noir et d'un pantalon gris, assise les jambes croisées et ses longs doigts entrelacés autour de son genou, attendait, imperturbable et quelque peu cérémonieuse, que son supérieur prenne la parole. Comme toujours, sa position était retenue, réservée et contrôlée, et ses yeux bleu gris demeuraient impassibles sous l'arc interrogateur de ses sourcils. Tout en Maria Klee respirait la confiance, le contrôle de soi et l'autorité. Pourtant une relation qui frisait la gêne s'était installée entre Maria et Fabel. Cela faisait un mois qu'elle avait repris son poste, mais c'était leur première grosse affaire depuis son retour. Fabel voulait que soit dit ce qui était tu.

Les deux officiers avaient été amenés, par les circonstances, à partager une intimité unique. Plus grande encore que s'ils avaient couché ensemble. Neuf mois plus tôt, ils avaient passé quelques minutes seuls, sous un ciel étoilé, dans un champ désert de l'Altes Land, sur la rive sud de l'Elbe ; leurs souffles s'étaient enchevêtrés tandis que Maria Klee, habituellement si sûre d'elle, s'était transformée en une petite fille pour la bonne raison qu'elle avait peur de mourir. Fabel avait pris le visage de Maria entre ses mains et avait maintenu avec elle un contact permanent du regard, lui parlant sans interruption avec douceur, ne lui laissant pas l'occasion de dériver vers un sommeil sans réveil, ne lui permettant pas de détourner les yeux pour les baisser sur le manche hideux du couteau à lame épaisse qui était fiché sous ses côtes. Cela avait été la pire nuit de sa carrière. Ils avaient coincé le plus dangereux psychopathe que Fabel ait jamais pourchassé : un monstre, coupable d'une série de meurtres rituels particulièrement pervers. Deux policiers avaient péri dans la poursuite : un membre de l'équipe de Fabel, un jeune officier intelligent du nom de Paul Lindemann, et un policier en uniforme de la SchuPo du commissariat local. Maria avait été le dernier officier que le psychopathe avait rencontré dans sa fuite : au lieu de la tuer, il l'avait abandonnée après lui avoir infligé une blessure potentiellement fatale, sachant que Fabel devrait choisir entre continuer sa chasse et sauver la vie de son officier. Fabel avait opté pour l'unique décision possible.

Aujourd'hui, Fabel et Maria arboraient des cicatrices de types différents. Jusque-là, Fabel n'avait jamais perdu d'officier en service et, cette nuit-là, deux avaient été tués, presque trois. Maria, victime d'une importante hémorragie, avait frôlé la mort sur la table d'opération. Puis il y eut deux semaines sur le fil en soins intensifs, au cours desquelles elle était demeurée dans ce no man's land précaire entre la conscience et l'inconscience, entre la vie et la mort. S'ensuivirent sept mois de retour lent à la pleine forme et à la force. Fabel savait que Maria avait passé les deux derniers mois dans une salle de gym, à reconstruire non seulement son potentiel physique mais à retrouver également quelque chose de cette résolution d'acier qui avait fait d'elle un officier de police efficace et déterminé. Aujourd'hui, elle était assise, les doigts verrouillés autour de son genou, en face de Fabel, la même Maria au regard insensible et fixe. Pourtant, malgré le message de robustesse envoyé par le corps de Maria, Fabel ne pouvait s'empêcher de voir au-delà, de retourner à cette nuit où il avait tenu la main glacée de cette femme, avait écouté ses respirations saccadées pendant qu'elle le suppliait, d'une voix d'enfant, de ne pas la laisser mourir. C'était un moment qu'ils devaient dépasser tous les deux.

– Tu sais de quoi je veux te parler, n'est-ce pas, Maria ?

– Non, chef... Cela a-t-il rapport avec cette affaire ?

Mais son regard bleu gris et grave vacilla et elle déploya beaucoup d'énergie à balayer une poussière sur son pantalon impeccable.

– Je crois que tu sais, Maria. J'ai besoin de savoir si tu es prête pour une grosse enquête.

Maria commença à protester, mais Fabel la fit taire d'un geste de la main.

— Écoute, Maria, je suis franc avec toi. Je pourrais aussi bien ne rien dire et te charger de missions périphériques sur n'importe quelle affaire jusqu'à être certain que tu es prête. Mais ce n'est pas ma manière d'agir. Et tu le sais.

Fabel se pencha en avant, les coudes appuyés sur le bureau.

— Je t'estime trop en tant qu'officier pour te manquer à ce point de respect. Mais je t'estime également trop pour mettre en danger ton bien-être à long terme, et ton efficacité au sein de l'équipe, pour te pousser en première ligne d'une enquête pour laquelle tu ne serais pas prête.

— Je suis prête, répondit Maria d'une voix froide comme l'acier. J'ai affronté tout ce que je devais affronter. Je n'aurais pas repris ma place si j'avais pensé que je pouvais compromettre l'efficacité de l'équipe.

— Bon sang, Maria, je ne te remets pas en question. Je ne doute pas de tes capacités...

Fabel lui adressa un regard d'une égale franchise.

— Je t'ai presque perdue cette nuit-là. J'ai perdu Paul et j'ai failli te perdre. Je t'ai laissée tomber. J'ai laissé tomber l'équipe. Il est de ma responsabilité de m'assurer que tu te sens bien.

L'expression sévère de Maria sembla s'adoucir.

— Ce n'était pas ta faute, chef. D'abord, j'ai pensé que c'était la mienne. Que je n'avais pas réagi assez vite ou de la bonne manière. Mais cet homme était d'une espèce que nous n'avions jamais rencontrée. Il était d'un genre unique en matière de mal. Je sais qu'il est fort peu probable que nous rencontrions quelqu'un d'autre, ou autre chose, de la même teneur.

— Et que penses-tu du fait qu'il est toujours en liberté ? demanda Fabel qui le regretta immédiatement.

C'était une pensée qui lui avait ôté le sommeil plus d'une nuit.

— Il est loin de Hambourg à l'heure qu'il est, répondit Maria. Même plus en Allemagne, ni en Europe probablement. Mais, dans le cas contraire, si nous devions retrouver sa piste, je serais prête.

Fabel savait qu'elle le pensait vraiment. Il ignorait s'il serait lui-même capable d'affronter de nouveau le tueur de l'Aigle sanglant[1]. Maintenant et jamais. Il se garda bien d'exprimer cette pensée.

— Il n'y a aucune honte à reprendre du service en douceur, Maria.

Elle eut un sourire que Fabel ne lui connaissait pas : le premier signe que quelque chose avait en effet changé chez Maria.

— Je vais bien, Jan, je t'assure.

Jamais elle ne l'avait appelé par son prénom au bureau. La première fois qu'elle l'avait prononcé, c'était quand elle était allongée entre la vie et la mort dans l'herbe haute du champ de l'Altes Land. Fabel sourit.

— C'est bon de te retrouver, Maria.

Elle allait répondre quand Anna Wolff frappa à la porte et entra sans attendre l'autorisation.

— Désolée de vous interrompre, mais je viens d'avoir le légiste au téléphone. Il a quelque chose à nous montrer tout de suite.

Holger Brauner ne ressemblait pas à un scientifique, ni, même de loin, à un universitaire. De taille moyenne, les cheveux blonds comme le sable, il avait l'enveloppe rude d'un homme vivant en plein air. Athlète dans sa jeunesse, il avait gardé un corps massif et puissant. Fabel travaillait depuis dix ans avec le chef de l'unité de médecine légale. Leur respect professionnel mutuel s'était transformé en une véritable amitié. Brauner était employé par le LKA3, la division de la police criminelle de Hambourg responsable de toutes les investigations en matière de médecine légale. Il passait beaucoup de son temps à travailler hors des murs de l'institut, mais il occupait également un bureau près des laboratoires au sein même du Präsidium. À l'arrivée de Fabel, Brauner, penché sur son bureau, examinait

---

1. Voir *Rituels sanglants*, chez le même éditeur.

quelque chose à l'aide d'une loupe éclairée et montée sur un bras articulé. Il leva les yeux mais n'accueillit pas Fabel de son habituel sourire. Non, il l'invita à s'approcher.

– Notre tueur communique avec nous, dit-il d'un air sombre en tendant à Fabel une paire de gants chirurgicaux.

Puis il recula d'un pas pour permettre à l'Hauptkommissar d'examiner à son tour l'objet sur le bureau. C'était un morceau rectangulaire de papier jaune, d'environ dix centimètres sur cinq, posé sur une petite feuille de plastique. Brauner avait aplati la note sous une plaque de Plexiglas pour la protéger de toute contamination. L'écriture à l'encre rouge était serrée, régulière, nette et minuscule.

– Nous avons trouvé ce papier dans le poing de la fille. Je suppose qu'il y a été placé, puis que les doigts ont été refermés dessus avant que la rigidité ne s'installe.

Bien que minuscule, l'écriture était lisible à l'œil nu. Pourtant Fabel examina la note en utilisant la loupe lumineuse de Brauner. L'écriture devenait alors plus que des mots sur du papier : le moindre trait rouge se transformait en une large bande courbe sur un paysage jaune granité. Il repoussa la loupe sur le côté pour lire le message.

Maintenant on m'a trouvée. Je m'appelle Paula Ehlers. J'habite Buschberger Weg, Harksheide, Norderstedt. J'étais sous terre mais maintenant il est temps de revenir à la maison.

Fabel se redressa.

– Quand as-tu trouvé cela ?

– On a transporté le corps à Burtenfeld ce matin afin que Herr Doktor Möller procède à l'autopsie.

Les policiers désignaient la morgue du nom de la rue d'Eppendorf où se trouvait l'institut médico-légal.

– Nous procédions à notre examen préliminaire habituel quand nous avons trouvé cette note froissée dans son poing. Comme tu sais, nous ensachons séparément chaque main et chaque pied pour nous assurer qu'aucun indice ne soit perdu durant le transfert, mais cette note était restée collée à la paume de la main bien après la disparition de la rigidité.

Fabel relut la note et éprouva une sensation stagnante, vaguement nauséeuse. *Paula*. Elle avait un nom à présent.

Les yeux azur levés vers lui avaient appartenu à *Paula*. Il sortit un carnet de sa poche et nota le nom et l'adresse. Fabel ne doutait pas une seconde que c'était le tueur et non la victime qui avait écrit ce message. Si le tueur avait forcé sa victime à écrire, Fabel ne pouvait imaginer qu'elle ait pu trouver la force de tracer des caractères aussi nets et précis. Il se tourna vers Brauner.

— *J'étais sous terre...* Est-ce que cela signifie qu'elle a été enterrée quelque part avant d'être excavée, déplacée, puis balancée sur la plage du Blankenese ?

— C'est ce que j'ai pensé quand j'ai lu la note... mais non, je peux assurer que ce corps n'a pas été enterré au préalable. De toute façon, d'après la lividité post-mortem et le relâchement de la rigidité, ma première estimation est qu'elle n'était morte que depuis un jour. Peut-être est-ce une référence au fait qu'elle a été séquestrée dans une cave ou un autre endroit souterrain avant d'être tuée. Nous examinons ses vêtements à la recherche de poussière ou tout autre contaminant qui puisse nous donner une idée de l'environnement dans lequel elle a été gardée durant les dernières vingt-quatre heures.

— Ça pourrait coller en effet, dit Fabel. Tu as trouvé autre chose ?

— Non, répondit Brauner en prenant un dossier sur son bureau. Bien sûr, Herr Doktor Möller enrichira mon rapport de détails pathologiques, mais nos premières constatations montrent que la plage n'est pas l'endroit où la victime a été tuée. Elle a été assassinée ailleurs, puis abandonnée plus tard là où nous l'avons trouvée.

— Non, Holger..., intervint Fabel qui se repassait les images de la plage dans la tête. Pas abandonnée. *Disposée*. Cela me travaille depuis ce matin. Elle semblait se reposer. Ou attendre. Ce cadavre n'a pas été abandonné au hasard. C'était une sorte de déclaration... mais je ne sais tout simplement pas ce que nous sommes censés y lire.

Brauner réfléchit aux propos de Fabel.

— Je suppose, dit-il enfin. Je dois admettre que je ne considère pas cela de la même façon. Je reconnais qu'elle a été disposée avec un certain soin. Mais je n'y vois aucune posture particulière. Sans doute le meurtrier a-t-il éprouvé du remords après ce qu'il a fait. Ou peut-être est-il tellement dérangé qu'il n'admet pas totalement qu'elle soit morte.

Fabel sourit.

— Tu pourrais bien avoir raison. Peu importe, je t'ai interrompu. Tu disais ?

Brauner reporta son attention sur le dossier.

— Pas grand-chose à ajouter. Les vêtements de la fille n'étaient pas de bonne qualité, ni récents. De plus, ils n'étaient pas très frais... Je dirais qu'elle devait porter les mêmes habits et sous-vêtements depuis au moins trois ou quatre jours.

— A-t-elle été violée ?

— Eh bien, tu sais, Möller me démolirait si j'anticipais ses conclusions et, pour être honnête, il n'y a que lui qui puisse te donner une réponse définitive à cette question, mais non... Je n'ai trouvé aucune trace de traumatisme sexuel. En fait, je n'ai décelé aucune autre marque de violence en dehors des traces de ligature autour du cou. Et rien non plus sur les vêtements.

— Merci, Holger, dit Fabel. Je suppose que tu vas te pencher sur le type de papier et d'encre utilisés sur cette note ?

— Oui. Je l'ai déjà scannée pour étudier le filigrane. Rien. Je serai en mesure de te communiquer le grammage et le type de papier, et cetera, mais il faudra du temps pour identifier une marque particulière.

Brauner aspira l'air entre ses dents.

— J'ai le curieux sentiment que nous avons affaire à un papier ordinaire grand public, ce qui veut dire qu'il sera difficile de remonter jusqu'à un point de vente spécifique.

— Ce qui signifie également que notre ami y a réfléchi et efface ses traces, soupira Fabel, et il tapa sur l'épaule de Brauner. Vois ce que tu peux faire, Holger. Pendant que tu t'occupes du support, je vais me charger du message... Tu peux me faire passer des photocopies à la Mordkommission ? Agrandi trois fois serait idéal.

— Pas de problème, Jan.

– Et je vais m'assurer qu'on te transmette une copie du rapport d'autopsie de Möller.

Les manières caustiques de Möller tapaient sur les nerfs de Brauner, bien plus encore que sur ceux de Fabel.

– Juste au cas où quelque chose d'important te saute aux yeux...

De retour à la Mordkommission, Fabel s'arrêta dans le bureau d'Anna Wolff. Il lui communiqua le nom et l'adresse inscrits sur la note. Le sourire d'Anna s'effaça à la lecture du message.

– Il s'agit de la jeune morte ?

– C'est ce que j'ai besoin de savoir, répondit Fabel d'un air lugubre. Le tueur a caché ça dans la main de la victime, comme si c'était son identité.

– Je m'en occupe tout de suite, chef.

Fabel pénétra dans son bureau. Assis, il regarda, derrière la paroi vitrée qui remplaçait un mur, l'espace ouvert du bureau de la Mordkommission. Il ne s'était jamais vraiment habitué aux nouveaux locaux du Präsidium ; il préférait de loin les anciens sur Beim Strohhause, près de la Porte de Berlin. Mais il y avait du changement dans la police de Hambourg. Dont la majeure partie déplaisait à Fabel. Ils se trouvaient à présent dans un bâtiment neuf de cinq étages, en forme d'étoile à cinq branches se déployant autour d'un atrium central. Tout ne s'était pas déroulé comme prévu. À l'origine, l'atrium avait accueilli un bassin au-dessus duquel des nuées de moustiques avaient élu domicile. Quand le Präsidium avait, à son tour, été infesté par les araignées qui prospéraient grâce au généreux bassin, on avait décidé de le remplir de graviers. Il y avait d'autres changements : les uniformes de la branche SchuPo de la police de Hambourg étaient passés du vert et moutarde, le standard de toutes les polices d'Allemagne, au bleu et blanc. Mais la nouveauté que Fabel avait le plus de mal à digérer était la militarisation de certains services de la police de Hambourg : le MEK, Mobile Einsatz Kommando, qui regroupait les unités d'intervention armées de surveillance, était un mal nécessaire selon les supérieurs de Fabel.

Ce dernier avait déjà eu recours à ces sections en renfort, particulièrement après la perte d'un membre de son équipe, mais il nourrissait de sérieuses réserves quant à l'attitude de certains officiers du MEK.

Fabel observa son équipe au travers de la vitre. Voilà la machine qui allait se mettre en branle afin de pourchasser le tueur de Paula. Les individus qu'on enverrait dans différentes directions pour accomplir les missions qui leur seraient allouées, jusqu'à l'instant final de la résolution de l'enquête qui les rassemblerait tous. Il revenait à Fabel de maintenir une vue d'ensemble, de voir au-delà des détails. C'était son jugement, la manière dont il agencerait les éléments disparates de l'enquête qui détermineraient s'ils mettraient ou non la main sur le tueur de Paula. Une responsabilité à laquelle il évitait de penser, parce que, quand il y réfléchissait, il la trouvait insupportable. C'était dans ces moments qu'il doutait des choix qu'il avait faits. Aurait-ce été une mauvaise solution de s'installer comme universitaire en province pour toute la vie ? Ou comme professeur d'anglais ou d'histoire dans une école frisonne ? Son mariage avec Renate aurait sans doute survécu. Sans doute aurait-il dormi chaque nuit sans être hanté par des rêves de morts.

Anna Wolff frappa à la porte et entra. Son joli visage aux yeux sombres et aux lèvres trop rouges s'était assombri. Elle acquiesça avec gravité à la question silencieuse de Fabel.

– Oui. Paula Ehlers a disparu sur le chemin de son école. J'ai interrogé la base de données puis j'ai parlé à quelqu'un de la Polizeidirektion de Norderstedt. Son âge correspond également. Mais il y a un point qui ne colle vraiment pas.

– À savoir ?

– Comme je vous dis, son âge collerait avec celui de la fille morte... aujourd'hui. Paula Ehlers a été portée disparue il y a trois ans, à l'âge de treize ans.

4

Mercredi 17 mars, 19 h 50 – Norderstedt, nord de Hambourg.

Normalement, il ne fallait qu'une demi-heure de route depuis le Präsidium pour rejoindre Norderstedt, mais Fabel et Anna Wolff s'arrêtèrent en chemin pour dîner. Le café Rasthof était vide à l'exception de deux routiers à qui devaient appartenir, supposa Fabel, le poids lourd et la grosse camionnette garés devant l'établissement. Les deux hommes, attablés ensemble, l'air sinistre, dévoraient en silence une montagne de nourriture. Fabel nota vaguement leur silhouette au ventre affaissé, signe d'une quarantaine indolente mais, en passant près d'eux, il se rendit compte que l'un d'eux ne pouvait avoir plus de trente ans. Ce gâchis de la jeunesse déprimait Fabel. Il pensa à ce qui les attendait, Anna et lui : une jeunesse pas gâchée, mais volée, et une famille brisée et incomplète. De toutes les choses qu'il devait traiter en qualité de détective de la police criminelle, celle qui lui pesait le plus était la visite au domicile des disparus. Surtout quand la personne disparue était un enfant. Il émanait de certaines de ces familles un sentiment d'incomplétude, d'irrésolu. Et plus souvent que l'inverse, simplement un écrasant sentiment d'attente : l'attente qu'un mari, une épouse, un fils ou une fille revienne à la maison. Ou que quelqu'un y mette un terme en leur annonçant que le disparu était mort. Quelqu'un comme Fabel.

Fabel et Anna s'installèrent à une table au fond du café, le plus loin possible des routiers, là où on ne pourrait entendre leur discussion. Anna commanda une Bratwurst et un café, Fabel un sandwich également accompagné d'un café. Anna posa le dossier qu'elle avait apporté sur la table, le tournant de façon à ce que Fabel puisse lire.

– Paula Ehlers. Elle avait treize ans quand elle a disparu. En fait, elle a disparu le lendemain de son treizième anniversaire. Elle devrait avoir seize ans aujourd'hui. Comme le mentionne le message, elle habitait Buschberger Weg, dans le quartier Harksheide de Norderstedt. À environ dix minutes à pied de son école. D'après le rapport de la KriPo de Norderstedt, elle a disparu sur ce court trajet.

Fabel ouvrit le dossier. Le visage qui lui souriait depuis la photographie était celui d'une fillette aux taches de rousseur. Une enfant. Fabel fronça les sourcils. Il repensa au corps sur la plage ; au visage qui l'avait fixé d'un regard vide depuis le sable froid. Il compara les Paula pré- et post-pubères. Les deux visages présentaient une architecture identique, mais les yeux semblaient différents. Était-ce juste la différence entre l'androgynie de l'enfance et les seize ans d'une presque femme ? Étaient-ce les changements provoqués par trois années de Dieu sait quelles épreuves ? Les yeux. Il avait sondé si longuement les yeux de la jeune fille alors qu'elle reposait, morte mais comme vivante, sur la plage du Blankenese. C'étaient les yeux qui ennuyaient Fabel.

– La police de Norderstedt a fait tout ce qu'il fallait, poursuivit Anna. Ils ont même procédé à une reconstitution de son trajet vers sa maison. Après un mois, comme ils n'avaient aucune piste, ils ont attribué à l'affaire le double statut de disparition et de meurtre éventuel.

Fabel parcourut le reste du dossier. Brauner avait envoyé une douzaine de photocopies agrandies du message. L'une d'elles était à présent collée au tableau récapitulatif de l'enquête dans le bureau principal de la Mordkommission, une autre se trouvait dans le dossier sous les yeux de Fabel.

– Au bout d'un an, ils ont relancé le dossier, reprit Anna. Ils ont arrêté et interrogé toutes les personnes se déplaçant à pied ou en voiture dans le quartier à la date anniversaire de la disparition de Paula. Encore une fois, malgré tous leurs efforts, rien. C'était le Kriminalkommissar Klatt, de la KriPo de Norderstedt, qui était chargé de l'enquête. Je l'ai appelé cet après-midi... Il s'est mis à notre disposition et m'a même donné l'adresse de son domicile si nous voulons passer le voir après avoir parlé aux Ehlers. À en croire Klatt, ils n'avaient aucune piste sérieuse, bien qu'il ait affirmé s'être intéressé de très près à un des professeurs de Paula.

Anna fit légèrement pivoter vers elle le rapport que la police de Norderstedt avait faxé au Präsidium.

— C'est ça... Herr Fendrich. Klatt a admis ne rien pouvoir retenir contre lui, sinon une étrange intuition concernant la relation qu'il entretenait avec Paula.

Fabel observa le visage aux taches de rousseur.

— Mais elle n'avait que treize ans...

L'expression d'Anna disait : « Réfléchissez un peu. » Fabel soupira, sa remarque avait été naïve, voire stupide. Après plus de dix ans passés à la tête d'une équipe de police criminelle, rien de ce dont les gens étaient capables ne devait plus l'étonner, surtout pas l'éventualité d'un professeur pédophile obsédé par l'une de ses élèves.

— Mais Klatt n'a rien trouvé de concret sur quoi baser ses soupçons ? demanda Fabel.

Anna secoua la tête.

— Il l'a interrogé plusieurs fois. Et Fendrich a commencé à parler de harcèlement. Klatt a dû battre en retraite. Pour rendre justice à Fendrich, j'ai l'impression que Klatt, n'ayant pas d'autre piste, se raccrochait un peu à n'importe quoi.

Fabel fixa sur la vitre l'image double du parking illuminé et du reflet sombre de son propre visage. Une Mercedes se gara et un couple trentenaire en sortit. L'homme ouvrit la portière arrière et une fillette d'environ dix ans descendit avant de prendre la main de son père. C'était un geste instinctif et habituel : l'attente innée de protection chez les enfants. Fabel se tourna vers Anna.

— Je ne suis pas persuadé que ce soit la même.

— Quoi ?

— Je ne dis pas que ce n'est pas elle. C'est juste que je n'en suis pas certain. Il y a des différences. En particulier dans les yeux.

Anna s'appuya contre le dossier de sa chaise et pinça les lèvres.

— Eh bien, c'est une sacrée coïncidence alors, chef. Si ce n'est pas Paula Ehlers, alors c'est une fille qui lui ressemble drôlement. Et quelqu'un qui avait son nom et son adresse dans la main. Ce serait une sacrée coïncidence... et s'il y a bien une chose en quoi j'ai appris à ne pas croire, ce sont les coïncidences.

— Je sais. C'est juste que quelque chose ne colle pas.

La B433 traverse Norderstedt en se dirigeant au nord vers le Schleswig-Holstein et le Danemark. Harksheide se trouve au nord du centre-ville et Buschberger Weg, sur la droite de la B433. En approchant de la sortie de Buschberger Weg, Fabel remarqua que l'école jadis fréquentée par Paula était située plus loin sur la route principale, sur la gauche. Paula avait dû traverser cette voie très fréquentée pour rentrer chez elle, et même la longer pendant un certain temps. C'était là qu'elle avait été enlevée. D'un côté ou de l'autre : très probablement dans la direction de Hambourg.

C'était comme Fabel l'avait prévu. La famille Ehlers dégageait une électricité sombre : un sentiment entre l'anticipation et la terreur. La demeure en elle-même était on ne peut plus ordinaire : une petite maison de plain-pied avec un toit de tuiles rouges, le genre de maison que l'on voit des Pays-Bas à la côte Balte, de Hambourg à la pointe nord du Jutland danois. Un jardin impeccable, bien planté mais sans originalité, entourait la maison.

Frau Ehlers avait la petite quarantaine. Ses cheveux avaient été de toute évidence aussi blonds que ceux de sa fille, mais les décennies avaient atténué leur lustre. Elle avait le physique pâle et nordique des femmes du Schleswig-Holstein, les habitants de l'isthme de l'Allemagne : des yeux bleu clair et une peau vieillie prématurément par le soleil. Son mari, auquel Fabel donna la cinquantaine, était un homme d'aspect sérieux. Grand, un poil trop mince, dégingandé, *schlaksig* comme on disait dans le nord de l'Allemagne. Il avait lui aussi les cheveux clairs, mais un peu moins que ceux de sa femme. Ses yeux étaient d'un bleu plus foncé, contrastant avec sa peau pâle. Le temps des présentations, Fabel compara les images qu'il avait sous les yeux à celles de sa mémoire : les Ehlers, la photographie de la fillette dans le dossier, la jeune fille dans le sable. De nouveau, quelque chose accrocha son esprit : une incohérence à peine perceptible.

— Avez-vous retrouvé notre petite fille ? demanda Frau Ehlers en cherchant à déchiffrer le visage de Fabel avec une avidité et une intensité presque insupportables.

— Je ne sais pas, Frau Ehlers. C'est possible. Mais nous avons besoin que vous ou Herr Ehlers identifiiez le corps de manière positive.

— Il y a donc une possibilité que ce ne soit pas Paula ?

La voix de Herr Ehlers était teintée de défi. Fabel capta le regard d'Anna du coin de l'œil.

— Je le pense en effet, Herr Ehlers, quoique tout semble indiquer qu'il s'agit bien de Paula. La victime est plus grande que votre fille n'était quand elle a disparu, mais sa taille concorde avec une croissance de trois années. Et nous avons également une preuve en notre possession qui semblerait lier le corps à cette adresse.

Fabel refusait de révéler que le tueur avait étiqueté sa victime.

— Comment est-elle morte ? demanda Frau Ehlers.

— Je ne pense pas qu'il soit raisonnable de poursuivre cette discussion avant de s'être assuré qu'il s'agit bien de Paula, déclara Fabel.

Le désespoir visible dans l'expression de Frau Ehlers s'intensifia. Sa lèvre inférieure se mit à trembler. Fabel se laissa attendrir.

— La victime que nous avons découverte a été étranglée.

Le corps de Frau Ehlers fut alors secoué de sanglots silencieux. Anna s'avança et lui passa le bras autour des épaules, mais la mère s'écarta. Il y eut un silence embar-

rassé. Fabel balaya la pièce des yeux. Une grande photographie était accrochée au mur, prise de toute évidence
avec un appareil ordinaire puis agrandie excessivement.
La texture en était granuleuse et la très jeune fille au centre
contemplait le vide de ses pupilles rougies par le flash.
C'était Paula Ehlers, elle souriait à l'objectif derrière un
gros gâteau d'anniversaire décoré d'un 13. Fabel frissonna
en prenant conscience qu'elle le regardait depuis la veille
du jour où elle avait été arrachée à sa famille.

— Quand pouvons-nous la voir ? demanda Herr Ehlers.

— Nous nous sommes arrangés pour que des policiers
vous accompagnent ce soir, si cela vous convient, répondit
Anna. Nous vous retrouverons là-bas. Une voiture passera
vous prendre vers vingt et une heures trente. Je sais que
c'est tard...

— Ça va, l'interrompit Herr Ehlers. Nous serons prêts.

En retournant à la voiture, Anna était tendue et silencieuse.

— Ça va ? demanda Fabel.

— Pas vraiment, répondit-elle en jetant un regard derrière elle, vers la triste petite maison avec son jardin bien
entretenu et son toit rouge. C'était dur. Je ne sais pas comment ils ont fait pour tenir aussi longtemps. Toute cette
attente. Tout cet espoir. Ils comptaient sur nous pour retrouver leur petite fille et, quand enfin nous la retrouvons, nous
ne la leur ramenons même pas vivante.

Fabel déverrouilla la voiture et attendit qu'ils soient
tous deux installés pour répondre.

— Je crains pourtant que ce ne soit souvent l'issue de
ces histoires. Il n'y a que dans les films que tout finit bien,
pas dans la vraie vie.

— Mais on avait l'impression qu'ils nous haïssaient.

— C'est le cas, en effet, répondit Fabel d'un air résigné.
Et qui peut leur en vouloir ? Comme vous dites, nous étions
supposés la leur ramener vivante, et pas leur dire que nous
avions trouvé son corps abandonné quelque part. Ils comptaient sur nous, ils attendaient de nous une fin heureuse.

Fabel démarra la voiture.

— Bon, restons concentrés sur l'affaire. Il est temps de rendre visite au Kriminalkommissar Klatt.

Norderstedt bénéficie officiellement d'une double identité. Elle fait partie du Grand Hambourg, ses numéros de téléphone partagent le préfixe 040 de Hambourg et, quand Fabel et Anna traversèrent Fuhlsbüttel et Langenhorn pour atteindre Norderstedt, ils éprouvèrent un sentiment de continuum métropolitain ininterrompu. Et pourtant Norderstedt n'appartient pas à la juridiction de la police de Hambourg : c'est la police du Schleswig-Holstein qui y opère. Cependant, en raison de la proximité et du chevauchement perpétuel des affaires, les policiers de Norderstedt ont plus de contact avec la Polizei de Hambourg qu'avec leurs collègues des doux paysages et des petites villes du Schleswig-Holstein. Anna avait appelé le Kommissar Klatt afin qu'il les rejoigne au poste de police de Norderstedt-Mitte dans la rue de l'hôtel de ville.

À leur arrivée au poste de police, on ne les conduisit pas, comme ils s'y étaient attendus, aux bureaux principaux. Une jeune femme en uniforme les précéda jusqu'à une austère salle d'interrogatoire sans fenêtres. La SchuPo leur demanda s'ils désiraient du café, qu'ils acceptèrent tous deux. Anna inspecta la pièce d'un air sombre et, après le départ de la SchuPo, échangea avec Fabel un regard éloquent.

— Maintenant je sais ce que ça fait d'être un suspect, dit Anna.

Fabel lui adressa un sourire ironique.

— Presque. Vous croyez qu'on veut nous faire comprendre quelque chose ?

Anna n'eut pas l'occasion de répondre. La porte de la salle d'interrogatoire s'ouvrit sur un homme d'une trentaine d'années, de petite taille mais puissamment bâti. Son visage amical bien qu'ordinaire était encadré par des cheveux sombres et une barbe de plusieurs jours. Il adressa un large sourire aux officiers de Hambourg et se présenta comme étant le Kriminalkommissar Klatt. Ayant posé le dossier qu'il tenait coincé sous son bras, il invita Anna et Fabel à s'asseoir.

— Je suis désolé de vous recevoir ici. Mais ce n'est pas mon poste habituel. Normalement, je travaille au poste de Europaallee, mais j'ai pensé qu'il vous serait plus facile de venir ici. Ils me rendent service... cependant j'ai peur que nous ayons été reçus plus modestement que je ne l'avais pensé.

Il s'assit à son tour. La cordialité de son visage fut balayée par une expression plus sombre.

— Je crois que vous avez trouvé Paula...

— En vérité, Kommissar Klatt, nous n'en savons rien tant que ses parents n'ont pas identifié le corps de manière positive... mais, oui, cela m'en a tout l'air.

— Ce n'est chaque fois qu'une question de temps, soupira Klatt, une tristesse résignée peinte sur son visage. Mais on espère toujours que ce sera celle que vous retrouverez vivante.

Fabel acquiesça. Les sentiments de Klatt faisaient écho aux siens. À cette différence près que Klatt avait la chance, en général, de traiter les problèmes des vivants tandis que le travail de Fabel à la Criminelle impliquait que quelqu'un devait mourir pour qu'il entre en scène. Pendant un bref moment, Fabel envisagea de rejoindre un service général de la KriPo. La SchuPo revint avec les cafés.

— Vous pensiez avoir une chance de la retrouver vivante ? demanda Anna.

Klatt réfléchit.

— Non, je suppose que non. Vous connaissez les statistiques. Si on ne les trouve pas au cours des vingt-quatre premières heures, il y a de fortes chances pour qu'on ne les revoie jamais. C'est juste que Paula était ma première disparition d'enfant. Je me suis impliqué. Peut-être trop. C'était dur de voir une famille souffrir autant.

— Elle était fille unique ? demanda Anna.

— Non, il y a un frère... Edmund. Plus âgé.

— Nous ne l'avons pas vu chez les Ehlers, dit Fabel.

— Non. Il est de trois ans son aîné. Il a dix-neuf ou

vingt ans aujourd'hui. Il fait son service militaire dans l'armée fédérale.

— Je suppose que vous avez tout vérifié de ce côté, déclara Fabel d'un ton neutre.

Chaque fois qu'il y a meurtre, les premiers suspects potentiels sont la famille immédiate de la victime. Fabel ne voulait surtout pas suggérer que Klatt ne connaissait pas son boulot. Si Klatt fut ennuyé par cette remarque, il n'en montra rien.

— Bien sûr. Nous avons un rapport complet de ses déplacements ce jour-là. Tout a été corroboré. Et nous avons vu et revu son emploi du temps. De plus, il était véritablement malade d'inquiétude pour sa sœur. On ne peut pas feindre à ce point.

Bien sûr qu'on peut, pensa Fabel. Il avait été en présence d'innombrables amoureux, amis ou membres de familles de victimes, tous sincèrement affligés et qui s'étaient révélés être leur assassin. Il ne doutait pourtant pas que Klatt ait soigneusement vérifié les emplois du temps de la famille.

— Mais vous aviez des soupçons concernant un professeur de Paula, déclara Anna en consultant le dossier.

— Fendrich. C'était le professeur d'allemand. Je n'irais pas jusqu'à le qualifier de suspect... Simplement il y avait quelque chose qui ne collait pas avec lui. Mais, encore une fois, il a été rapidement blanchi pour ce qui est de son alibi.

Klatt parcourut le rapport avec Fabel et Anna. Une grande partie de l'enquête était de toute évidence encore gravée dans l'esprit du policier. Fabel savait ce qu'il en était de traiter un tel dossier : des nuits durant lesquelles il avait désespérément cherché le sommeil, des questions sans réponse tourbillonnant avec les images des morts, des affolés et des suspects dans le vortex d'un esprit agité et épuisé. Quand Klatt eut terminé et que Fabel et Anna n'eurent plus de questions à lui poser, ils se levèrent en le remerciant.

— On se verra ce soir, dit Klatt. Je suppose que vous serez présents quand les Ehlers identifieront le corps ?

Anna et Fabel échangèrent un regard.

– Oui, nous serons là, dit Fabel. Vous aussi ?

Klatt leur adressa un sourire triste.

– Oui, si vous n'y voyez pas d'inconvénient. Je vais emmener les parents à Hambourg. Si c'est la conclusion de l'affaire Paula Ehlers, alors j'aimerais être présent. Je voudrais lui dire au revoir.

– Bien sûr, répondit Fabel.

Mais il pensa : ce n'est en aucun cas la conclusion de l'affaire Paula Ehlers. Ce n'est que le commencement.

5

Mercredi 17 mars, 22 h 10 – Institut médico-légal, hôpital universitaire d'Eppendorf, Hambourg.

L'Universitätsklinikum de Hambourg-Eppendorf, qui réunit l'essentiel des activités et des équipements de l'université de Hambourg, s'étend, telle une petite ville, en retrait de Martinistrasse. Il offre au regard un mélange de bâtiments de toutes tailles et d'époques différentes, sillonné par un réseau d'allées entremêlées. Le plus vaste des parkings est situé au cœur même du complexe mais, en raison de l'heure tardive, Fabel savait qu'il pourrait se garer plus près de l'institut médico-légal. Il connaissait bien l'endroit qui était devenu le siège de toute forme de science ayant une application légale : sérologie et tests ADN, médecine légale et un service d'experts psycho-forensiques. Il n'y avait pas que par le biais de son travail que Fabel était lié à l'établissement : depuis un an, il avait une liaison avec une psychologue criminologue, Susanne Eckhardt. Susanne, qui travaillait officiellement dans le bâtiment de treize étages de la clinique de psychiatrie et de psychothérapie, passait la plupart de son temps à l'institut médico-légal voisin.

Fabel n'emprunta pas l'entrée principale. Il continua sur Martinistrasse et prit Lokstedter Steindamm puis Butenfeld. Comme il s'y était attendu, il y avait des places libres devant le grand pavillon sur deux niveaux. Étant donné la réputation de l'institut, le bâtiment avait été récemment agrandi de manière à pouvoir accueillir des cours pour les anatomopathologistes et les chimistes en herbe du monde entier. Chaque année, trois mille examens médico-légaux et mille autopsies y étaient pratiqués. C'était là que le corps de la jeune fille reposait, dans le noir et le froid, dans un compartiment en acier, en attendant qu'elle soit identifiée.

Fabel remarqua la Porsche de Susanne parmi les voitures en stationnement. Pour une fois, ils semblaient avoir les mêmes horaires, ce qui signifiait, il l'espérait, qu'ils parviendraient à se voir un peu plus.

Fabel et Anna furent accueillis par un agent de sécurité d'un certain âge, en qui Fabel reconnut un ancien Obermeister. Dans le hall d'entrée, un agent en uniforme de la police de Hambourg attendait avec Klatt et les Ehlers. Fabel les salua et demanda à Klatt s'ils patientaient depuis longtemps. Ils n'étaient là que depuis dix minutes. Un infirmier se présenta pour conduire le petit groupe à la salle d'identification. Le chariot mortuaire sur lequel reposait le cadavre était couvert d'un drap bleu foncé et un linge blanc masquait le visage. Fabel précéda Klatt et les Ehlers. Anna s'avança et passa son bras autour des épaules de Frau Ehlers en lui parlant d'une voix apaisante avant de faire signe au garçon de tirer le drap. Frau Ehlers laissa échapper un cri étouffé et vacilla légèrement sous le bras d'Anna. Elle se raidit, comme si un courant électrique avait verrouillé simultanément tous ses muscles.

Le silence fut de courte durée. Pas même une seconde. Mais durant ce vide minuscule, cristallin, Fabel comprit que la jeune fille sur le chariot n'était pas Paula Ehlers. Et lorsque Frau Ehlers fit exploser ce silence d'un long sanglot bas et douloureux, ce ne fut pas un cri de deuil ni de perte, mais de désespoir renouvelé.

Ils s'installèrent ensuite dans le hall d'entrée pour boire du café. Le regard de Frau Ehlers, vague, fixé sur personne et sur rien, semblait perdu dans un passé lointain. Contrastant avec l'attitude de son épouse, Herr Ehlers arborait une expression de colère et d'incompréhension.

— Pourquoi, commissaire ? demanda-t-il en cherchant le regard de Fabel. Pourquoi nous faire ça ? Elle ressemblait tellement à Paula... tellement. Comment peut-on être aussi cruel ?

— Vous êtes certain que ce n'est pas votre fille ?

— Cela fait longtemps. Et comme je vous ai dit, elle ressemble beaucoup à Paula, mais...

— Cette fille n'est pas la mienne, déclara Frau Ehlers, devançant la réponse de son époux.

Ses yeux étaient toujours vitreux et vagues, mais sa voix était lourde d'une détermination dure et sans complaisance. C'était bien plus qu'un simple avis : c'était une certitude irrécusable et incontestable. Fabel sentit cette volonté de fer le pénétrer comme un poinçon. La fureur et la haine gonflèrent en lui comme une bile acide. Non seulement quelqu'un avait ôté la vie d'une enfant, mais ce quelqu'un avait enfoncé vicieusement et profondément un couteau dans le cœur d'une autre famille. Et ce n'était que le début : il y avait à présent toute raison de penser que l'assassin de l'adolescente de la plage avait, en effet, enlevé et tué Paula Ehlers trois ans auparavant. Pour quel autre motif cet homme ou cette femme aurait impliqué la famille Ehlers dans ce jeu malsain ? Un corps, deux affaires de meurtre. Fabel se tourna vers la douleur brute et ravivée des parents de Paula Ehlers : une famille qui était de nouveau aux prises avec la torture de l'incertitude, de la déraison, de l'espoir non fondé.

— Nous avons apparemment affaire à une personnalité très dérangée et perverse, déclara Fabel d'une voix qui n'était qu'un pâle reflet de la frustration et de la colère des Ehlers. Quiconque a tué cette enfant a voulu que nous nous trouvions tous dans la situation que nous vivons en ce moment. En colère et blessés, à nous interroger. C'est une autre scène de crime, au même titre que la plage sur laquelle a été abandonné le corps de cette fille.

Herr Ehlers regardait Fabel sans comprendre, comme si ce dernier venait de s'exprimer en japonais. Son épouse le fixait elle aussi, d'un regard perçant.

— Je veux que vous le coinciez.

Son regard laser passa de Fabel à Klatt, puis revint sur Fabel, comme si elle distribuait la charge de ses paroles de manière égale sur les deux hommes.

— Ce que je vous demande vraiment, c'est de le trouver et de le tuer. Je sais que je ne peux exiger une telle chose... mais je peux vous demander de le coincer et de le faire châtier. C'est le minimum que je puisse attendre de vous.

— Je vous promets de faire tout ce que je pourrai afin de trouver ce monstre, répondit Fabel.

Et il le pensait vraiment.

Fabel et Anna raccompagnèrent Klatt et les Ehlers sur le parking. Les Ehlers s'installèrent à l'arrière de l'Audi de Klatt. Quand ce dernier se tourna vers Fabel, la tristesse que l'Hauptkommissar avait remarquée sur son visage avait réapparu mais, cette fois, elle était plus vive, aiguisée par le tranchant plus affûté de la colère.

— Cette jeune fille est votre affaire, Herr Kriminal-hauptkommissar. Mais il y a un lien évident entre sa mort et le dossier de Paula Ehlers. Je vous serais obligé si vous me teniez au courant des développements qui pourraient avoir un impact sur l'affaire Ehlers.

D'un ton qui frôlait le défi. Klatt avait des intérêts dans cette affaire et il n'avait clairement pas l'intention qu'on l'oublie. Fabel l'observa : un officier plus jeune que lui dans un autre service de police, pas trop grand, un peu trop gros. Pourtant, son visage sans prétention et banal révélait une détermination calme et une intelligence vive. Là, sur le parking de l'institut médico-légal, Fabel prit une décision.

— Kommissar Klatt, il se pourrait bien que l'assassin de cette fille ait choisi l'identité de Paula Ehlers parce qu'il avait eu vent de cette affaire. Peut-être a-t-il lu des articles sur sa disparition. Le seul lien entre les deux dossiers pourrait tout simplement être que nous avons affaire à un psychopathe qui lit les journaux.

Klatt sembla évaluer les propos de Fabel.

— J'en doute. Que faites-vous de l'étonnante ressemblance entre les deux jeunes filles ? Tout au moins, il a dû se livrer à une étude très détaillée de l'affaire Ehlers. Mais je suis convaincu que celui qui a choisi cette fille comme victime et lui a attribué l'identité de Paula Ehlers a dû voir Paula en vrai. Je n'ai pas votre expérience ou votre expertise en matière d'enquêtes criminelles, Herr Hauptkommissar, mais je connais le dossier Ehlers. J'y ai consacré trois années de ma vie. Je sens juste que le lien est plus important que le simple choix de l'identité de la fille assassinée.

— Alors, vous souhaiteriez que nous vous transmettions tous les détails de notre enquête ? demanda Fabel.

— Non... juste ce que vous considérez comme pertinent pour le dossier Ehlers, répondit Klatt en conservant une attitude calme et détendue.

Fabel s'autorisa un petit sourire. Il n'était pas si facile de déstabiliser Klatt. Il n'avait pas l'air intimidé par l'ancienneté d'un autre officier de police.

— En fait, Kommissar Klatt, je pense que vous avez raison. Mon intuition me dit que nous cherchons tous deux le même criminel. C'est pourquoi j'aimerais que vous considériez une affectation provisoire à mon équipe pour la durée de cette enquête.

Pendant quelques instants, le large visage de Klatt exprima la surprise, puis le Kommissar afficha un franc sourire.

— Je ne sais quoi vous répondre, Herr Fabel. Je veux dire, je serais enchanté... mais je ne vois pas bien comment cela pourrait se faire...

— Je me charge de la paperasse. J'aimerais que vous poursuiviez vos recherches sur l'affaire Ehlers et que vous assuriez la liaison entre la police de Nordstedt et nous. Mais je souhaite aussi que vous soyez directement impliqué dans l'enquête sur notre meurtre. Il se peut qu'elle produise un élément qui pourrait nous échapper mais qui risque d'attirer votre attention en raison de votre connaissance précise du dossier Ehlers. Aussi aimerais-je que vous vous joigniez à la Mordkommission de Hambourg pour le moment. Je vais demander qu'on vous prépare un bureau. Mais j'insiste sur le fait qu'il s'agit juste d'un arrangement provisoire, exclusivement basé sur la durée de cette enquête.

— Bien sûr, Herr Kriminalhauptkommissar. Je vais devoir en parler à mon chef, Hauptkommissar Pohlmann, afin de changer les assignations de deux enquêtes en cours...

— Je parlerai à votre chef pour préparer le terrain et encaisser ses critiques.

— Il n'y en aura aucune, répondit Klatt. Herr Pohlmann sera ravi qu'on me donne l'opportunité de suivre cette enquête jusqu'à son terme.

Les deux hommes se serrèrent la main. Klatt désigna d'un mouvement de tête le couple, assis en silence, dans l'Audi.

— Puis-je informer Frau et Herr Ehlers que nous allons travailler ensemble ? Je pense qu'ils trouveront ça.... rassurant.

Fabel et Anna ne s'adressèrent pas la parole avant que l'Audi de Klatt ne se soit engagée sur Butenfeld.

— Alors nous avons un nouveau membre dans l'équipe, déclara Anna d'une voix neutre, entre l'interrogation et le constat.

— Juste pour la durée de l'enquête, Anna. Il ne remplace pas Paul.

Paul Lindemann, l'officier abattu l'année précédente, avait été le coéquipier d'Anna. La blessure, qui affectait encore profondément l'équipe, était plus virulente chez Anna.

— Je sais ça, répondit Anna, un peu agacée. Vous le trouvez très bon ?

— Oui, dit Fabel. Je crois que ses intuitions sont justes concernant cette affaire et il a une longueur d'avance sur nous. Je pense qu'il nous sera utile. Mais, pour le moment, on en reste là.

Il tendit les clés de sa BMW à Anna.

— Ça vous ennuie de m'attendre dans la voiture ? Je dois retourner à l'institut, je n'en ai pas pour longtemps.

— D'accord, chef, répondit Anna avec un sourire entendu.

Dans son bureau, Susanne lisait d'un air sombre un rapport sur l'écran de son ordinateur. Ses cheveux de jais étaient tirés en arrière. Derrière ses lunettes, ses yeux étaient cernés de fatigue. En voyant Fabel, elle lui adressa un sourire las mais chaleureux. Elle se leva, traversa le bureau et l'embrassa.

— Tu as l'air aussi fatigué que moi... J'ai presque fini ici. Et toi ? Tu passes chez moi un peu plus tard ?

Fabel afficha un air contrit.

— Je vais essayer. Mais ce sera tard, ne m'attends pas.

Il se laissa tomber dans le fauteuil en face de celui de Susanne. Elle comprit et retourna s'installer derrière son bureau.

— Bon... je t'écoute.

Fabel lui narra les événements de la journée. Il parla d'une très jeune fille disparue depuis longtemps, du corps d'une autre, d'une famille réunie dans la mort pour être déchirée à nouveau. Le récit terminé, Susanne resta silencieuse pendant un moment.

— Alors, tu veux savoir si, à mon avis, la personne qui a tué l'adolescente découverte ce matin a également tué celle qui a disparu il y a trois ans ?

— Juste ton avis. Je ne te prendrai pas au mot.

Susanne laissa échapper un long soupir.

— C'est certainement possible. Si l'intervalle n'était pas si grand, je dirais que c'est probable. Mais trois ans, cela fait beaucoup. Comme tu le sais, le premier pas franchi dans le comportement de l'agresseur est l'étape détermi- nante... le saut du fantasme à la perpétration.

— Quand ils commettent leur premier crime.

— Exactement. Ensuite, cela devient de plus en plus facile. Et l'agresseur monte très vite en flèche. Mais, là encore, ce n'est pas toujours le cas. Parfois, le premier meurtre est commis au cours de l'enfance ou pendant les premières années de l'âge adulte et plusieurs décennies peuvent s'écouler avant qu'un second meurtre soit commis.

Trois ans, c'est un intervalle étrange, dit Susanne en fronçant les sourcils. Cela m'inciterait à croire que nous avons affaire à deux tueurs distincts, mais la très forte ressemblance entre les deux filles et le fait que l'identité de la première ait été donnée par le tueur m'intriguent vraiment.

— Très bien, dit Fabel. Supposons pour le moment que nous avons affaire au même tueur. Que nous dit cet intervalle de trois ans ?

— S'il s'agit en effet du même meurtrier, étant donné la cruauté préméditée de la confusion d'identité entre les deux filles, il est fort peu probable que l'assassin se soit imposé ce délai. Je ne crois pas que cette interruption soit le résultat d'une quelconque culpabilité, d'un trouble intérieur ou d'un dégoût de ce qu'il ou elle a fait. Selon moi, il est plus probable que cela résulte d'une pression externe... une contrainte ou un obstacle qui a mis un frein à l'escalade de sa psychose.

— Par exemple ?

— Eh bien... cela pourrait être une contrainte physique, géographique ou personnelle. Par physique, j'entends qu'il a pu être enfermé, en prison ou bien dans un hôpital à cause d'une maladie. L'obstacle géographique pourrait être qu'il a travaillé ou vécu au loin pendant cette période de trois ans et qu'il n'est revenu dans la région que récemment. Si cela devait être le cas, et si l'opportunité devait s'être présentée, on pourrait s'attendre à ce que le sujet ait commis des agressions similaires ailleurs. Et ce que j'entends par contrainte personnelle, c'est qu'il y ait eu quelqu'un dans l'entourage du sujet qui a eu le pouvoir d'empêcher une nouvelle occurrence du comportement homicide. Quelqu'un de dominant, capable de contenir la psychose homicide du sujet... peut-être même sans rien savoir du premier meurtre.

— Et aujourd'hui cette personne serait hors jeu ?

— Peut-être. Cela peut être un parent dominateur ou une épouse qui serait décédée... ou peut-être un mariage qui a échoué. À moins, tout simplement, que la psychose de notre tueur ne se soit développée au point d'échapper à ce contrôle externe. Si c'est le cas, alors, que Dieu vienne en aide à la personne qui le retenait.

Susanne ôta ses lunettes. Ses yeux étaient sombres sous ses paupières lourdes, sa voix traînante, son accent du Sud plus prononcé, et elle avalait la fin de ses mots tant elle était fatiguée.

– Il existe une autre explication, bien sûr...

Fabel la devança.

– C'est que notre tueur n'a pas été inactif pendant les trois dernières années... que nous n'avons simplement pas trouvé ses victimes ou même établi un lien entre elles.

6

Réveillé tôt, Fabel était resté allongé à fixer le plafond sur lequel la lumière blafarde du matin s'était épanouie lentement et comme à regret. Susanne dormait déjà quand il était revenu du Präsidium. Leur relation avait atteint ce stade embarrassant où chacun d'eux possédait les clés de l'appartement de l'autre. Fabel avait donc pu pénétrer dans celui de Susanne à Övelgönne et se glisser en silence dans son lit pendant son sommeil. L'échange de clés avait entériné l'exclusivité de leur relation et l'intimité de leur confiance mutuelle. Mais ils n'avaient pas encore pris la décision de vivre ensemble. En fait, ils n'en avaient tout bonnement jamais discuté. Ils étaient tous deux des individus extrêmement réservés qui avaient, pour des raisons différentes, creusé des fossés autour d'eux et de leurs vies. Ni l'un ni l'autre n'était encore complètement prêt à abaisser le pont-levis.

Au réveil, Susanne lui adressa un sourire ensommeillé de bienvenue et ils firent l'amour. Pour eux, ces matins étaient un moment précieux où ils ne parlaient pas de leur travail mais bavardaient et plaisantaient, et partageaient le petit déjeuner comme s'ils travaillaient tous les deux dans un secteur inoffensif et peu exigeant, sans la moindre répercussion sur leurs vies personnelles. Ils n'avaient rien planifié. Ils n'avaient pas établi de règles concernant les endroits et les moments où ils devaient parler de leur travail. Mais ils avaient pris pour habitude d'aborder avec innocence chaque nouvelle journée. Ensuite ils descendraient chacun de leur côté, en suivant des chemins séparés mais parallèles, vers le monde de la folie, de la violence et de la mort qui était leur environnement professionnel quotidien.

Fabel avait quitté l'appartement peu après Susanne. Arrivé au Präsidium vers huit heures, il revit les dossiers de l'affaire ainsi que les notes qu'il avait prises la veille. Il passa une demi-heure à ajouter des détails à l'esquisse qu'il avait déjà en tête. Fabel tenta d'objectiviser son point de vue mais, malgré tous ses efforts, le visage abasourdi et las de Frau Ehlers s'insinua au premier plan de ses réflexions. À cette pensée, la colère de Fabel retrouva toute sa vigueur : les braises de la fureur de la veille repartirent de plus belle dans l'air froid et vif de cette nouvelle journée. Quel genre de bête tirait une quelconque gratification à infliger pareille torture psychologique à une famille ? Et particulièrement à une famille dont il avait déjà tué la fille ? Fabel savait également qu'il allait devoir prolonger leurs souffrances. Il ne pouvait s'en tenir à l'identification négative d'une victime portée disparue depuis trois ans. Il existait toujours une chance lointaine que le temps et les traumatismes et abus dont elle avait souffert durant cette période aient provoqué de subtils changements dans son apparence.

À neuf heures, Fabel appela l'institut médico-légal et demanda à parler à Herr Doktor Möller. C'était l'anatomopathologiste auquel Fabel avait eu affaire lors d'un grand nombre d'enquêtes. Les manières arrogantes et corrosives de l'anapath lui avaient valu l'antipathie de presque tous les policiers de Hambourg, mais Fabel éprouvait un grand respect pour son expertise.

– Möller...

La voix à l'autre bout du fil semblait distraite, comme si ce coup de téléphone était une interruption malvenue perturbant une tâche infiniment plus importante.

– Bonjour, Herr Doktor Möller. Ici, le Kriminalhauptkommissar Fabel.

– Qu'est-ce qu'il y a, Fabel ?

– Vous êtes sur le point de pratiquer une autopsie sur la jeune fille que nous avons trouvée sur la plage du Blankenese. Il y a quelque confusion autour de son identité.

Fabel lui exposa les faits, y compris ce qui aurait dû être une identification de routine la veille à l'institut.

– Je crains qu'il y ait encore une chance que la fille assassinée soit Paula Ehlers, bien que les probabilités soient faibles. Je ne veux pas affliger encore plus cette famille, mais j'ai besoin d'établir l'identité de la jeune morte.

Möller demeura silencieux un moment. Quand il reprit la parole, sa voix était moins impérieuse que d'habitude.

– Comme vous le savez, je devrais être capable de déterminer son identité d'après les dossiers dentaires. Mais je crains que la manière la plus rapide et la plus sûre ne soit d'obtenir un prélèvement buccal de la mère de la fille disparue. Je ferai procéder aux comparaisons d'ADN au laboratoire de l'institut.

Fabel remercia Möller avant de raccrocher. Il passa un autre coup de fil à Holger Brauner et, sachant qu'il pouvait se fier au tact de ce dernier, il lui demanda s'il pouvait procéder en personne au prélèvement sur la mère.

Après cette discussion, Fabel vit, au travers de la paroi vitrée qui séparait son bureau de l'espace ouvert de la Mordkommission, qu'Anna Wolff et Maria Klee étaient là. Il demanda à Anna de le rejoindre. Quand elle entra, il lui fit voir la photographie du cadavre de l'inconnue.

– Je veux savoir qui est cette fille, Anna. Et j'aimerais le savoir avant la fin de la journée. Qu'avez-vous appris jusqu'à présent ?

– J'ai lancé une recherche dans la base de données du BKA[1] concernant les personnes disparues. On a des chances qu'elle fasse partie de la liste. J'ai centré la recherche sur des femmes âgées de dix à vingt-cinq ans et j'ai mis la priorité sur les disparitions dans un périmètre de deux cents kilomètres autour de Hambourg. Il ne peut pas y en avoir tant que ça.

---

1. Bundeskriminalamt (BKA) : office fédéral de la police criminelle. (*Toutes les notes sont de la traductrice.*)

– C'est votre mission aujourd'hui, Anna. Vous laissez tomber tout le reste et vous consacrez votre temps à la recherche de l'identité de cette fille.

Anna acquiesça.

– Chef..., commença-t-elle avant de marquer une pause.

Sa posture était embarrassée comme si elle n'était pas sûre de ce qu'elle s'apprêtait à dire.

– Qu'est-ce qu'il y a, Anna ?

– C'était dur. Hier soir, je veux dire. Je n'ai pas pu dormir après ça.

Fabel lui adressa un sourire attristé en lui faisant signe de s'asseoir.

– Vous n'êtes pas la seule. Vous voulez que je vous affecte à une autre affaire ?

– Non, répondit-elle avec emphase en s'asseyant face à Fabel. Non... Je veux rester sur cette enquête. Je veux découvrir qui est cette fille et je veux aider à retrouver la véritable Paula Ehlers. C'est seulement que c'était pénible de voir une famille déchirée pour la seconde fois. Autre chose, et je sais que cela peut paraître fou, mais je pouvais presque sentir Paula... c'est-à-dire, pas sa présence, mais plutôt son absence de présence dans cette maison.

Fabel demeura silencieux. Anna poursuivait une pensée et il souhaitait la laisser aller jusqu'au bout de sa réflexion.

– Quand j'étais gamine, il y avait une fille dans mon école. Helga Kirsch. Elle avait à peu près un an de moins que moi et elle était plutôt du genre effacé. Ce type de visage qu'on ne remarque jamais mais dont on sait qu'il appartient à une personne qu'on connaît si on la rencontre hors contexte. Vous voyez, si on la croise le week-end en ville ou ailleurs.

Fabel acquiesça.

– Peu importe, poursuivit Anna. Un jour, on nous a tous rassemblés dans le hall de l'école et on nous a annoncé que Helga avait disparu.... qu'elle avait pris son vélo et que plus personne ne l'avait revue. Je me rappelle qu'après ça j'ai commencé à remarquer, eh bien, qu'elle n'était pas là. C'était quelqu'un à qui je n'avais même jamais parlé, mais qui avait pris sa place dans mon monde. Ils ont mis une semaine à retrouver son vélo, puis son corps.

– Je m'en souviens, dit Fabel.

Il était alors jeune Kommissar et avait été impliqué de manière périphérique dans cette affaire. Mais il se souvenait du nom de la victime. Helga Kirsch, treize ans, violée et étranglée dans un petit champ, près de la piste cyclable. Il avait fallu un an pour retrouver l'assassin, et seulement après qu'il eut mis fin à la vie d'une autre jeune fille.

– De l'annonce de sa disparition jusqu'au jour de la découverte de son corps, un drôle de sentiment a plané dans l'école. Comme si quelqu'un avait enlevé un petit morceau du bâtiment qu'on ne pouvait identifier mais qu'on savait ne plus être là. Après la découverte du corps, il y a eu ce chagrin, je suppose. Et la culpabilité aussi. Je restais allongée la nuit dans mon lit et j'essayais de me rappeler si j'avais déjà adressé la parole à Helga, ou si je lui avais souri, ou si j'avais eu un quelconque contact avec elle. Et, bien sûr, ça n'était pas le cas. Mais le chagrin et la culpabilité étaient presque un soulagement après ce sentiment d'absence.

Anna regarda au travers de la fenêtre le ciel cabossé de nuages.

– Je me rappelle en avoir parlé à ma grand-mère. Elle m'a raconté comment c'était, quand elle était petite fille du temps de Hitler, avant que ses parents et elle ne soient obligés de se cacher. Eh bien, cela y ressemblait tout à fait : une personne de leur connaissance pouvait être emmenée la nuit par les nazis, parfois même une famille entière, et il restait ensuite cet espace vide inexplicable dans le monde. Sans même le soulagement de la mort pour le remplir.

– J'imagine, dit Fabel, bien qu'il en fût incapable.

Anna était juive mais cela n'avait joué en rien, de façon positive comme négative, dans le fait qu'elle ait intégré son équipe. Le radar de Fabel ne l'avait tout simplement pas pris en compte. Cependant, de temps à autre, il se retrouvait assis en face d'elle et prenait conscience qu'il était un policier allemand et qu'elle était juive. Le poids d'une histoire insupportable s'abattait sur lui.

Anna détourna son regard de la fenêtre.

– Je suis désolée. Je n'ai aucune raison précise de parler de ça, vraiment, c'est juste que ça m'a touchée.

Elle se leva en lançant à Fabel un regard d'une franchise déconcertante.

– Je vais trouver son identité, chef.

Après le départ d'Anna, Fabel sortit son carnet d'esquisses du tiroir de son bureau et l'ouvrit. Il passa un moment à fixer la grande page de papier blanc. Vide. Immaculée. Un autre symbole d'une nouvelle affaire qui commençait. Fabel utilisait ces carnets de croquis pour ses enquêtes criminelles depuis plus de dix ans. C'était sur ces feuilles épaisses et veloutées, destinées à des travaux plus créatifs, que Fabel synthétisait le contenu du tableau récapitulatif de l'affaire, qu'il notait en abréviation les personnes, les lieux et les faits, et qu'il les reliait par des lignes. C'étaient ses esquisses : les contours qu'il donnait à une enquête criminelle dans laquelle il s'attacherait à préciser les lumières et les ombres avant de passer aux détails. D'abord, il détermina les lieux : la plage de Blankenese et la maison de Paula à Norderstedt. Puis il inscrivit les noms des personnes qu'il avait rencontrées au cours des dernières vingt-quatre heures. Il dressa la liste des quatre membres de la famille Ehlers et donna ainsi forme à l'absence qu'Anna avait décrite : trois membres de la famille, père, mère et frère, représentés ; trois personnes qu'on pouvait localiser, à qui on pouvait parler et dont l'esprit pouvait former une image vivante. Puis il y avait le quatrième membre. La fille. Pour Fabel, elle n'était encore qu'un concept, une collection sans substance d'impressions et de souvenirs émanant d'autres individus ; l'image capturée sur un film d'une très jeune fille soufflant les bougies d'un gâteau d'anniversaire.

Si Paula était un concept sans forme, il y avait également l'adolescente trouvée sur la plage ; une forme sans concept, un corps sans identité. Fabel écrivit « Yeux bleus » au centre de la feuille. Il aurait pu, bien sûr, utiliser le numéro de dossier mais, en absence de nom, « Yeux bleus » était ce qui lui semblait le plus approprié. Cela semblait faire davantage référence à un être humain qu'à une chose morte sur laquelle on aurait apposé un numéro. Fabel tira une ligne entre « Yeux bleus » et Paula, en interrompant sa ligne à mi-chemin. Dans l'espace vacant, il glissa deux points d'interrogation. Fabel était convaincu que le tueur de la fille sur la plage ainsi que le kidnappeur et meurtrier probable de Paula Ehlers se terrait dans ce vide. Bien sûr, il pouvait s'agir de deux personnes distinctes. Mais pas de deux individus ou plus œuvrant de manière indépendante. Qu'il s'agisse d'une seule personne, d'un duo ou d'une équipe, quiconque avait tué « Yeux bleus » avait également enlevé Paula Ehlers.

Le téléphone sonna.

7

C'était l'endroit qu'il considérait être chez lui. Un endroit dont il avait toujours pensé qu'il l'avait défini. Mais aujourd'hui, debout au milieu de ce paysage qui n'était qu'horizon, il savait qu'il appartenait à ailleurs. Hambourg était le véritable lieu qui définissait Jan Fabel. Ce qu'il était maintenant. Ce qu'il était devenu. Fabel s'était détaché de ce paysage en deux étapes : la première, quand il avait quitté la maison de famille pour s'installer dans l'arrière-pays, à Oldenburg, où il avait étudié l'anglais et l'histoire à la nouvelle université Carl von Ossietzky. Puis, après son diplôme, quand il avait rejoint l'université de Hambourg pour étudier l'histoire européenne. Et vivre une nouvelle vie.

Fabel gara sa BMW derrière la maison. Il descendit de voiture et attrapa à l'arrière le sac qu'il avait rempli à la hâte. Il se redressa et s'immobilisa un instant, en silence, pour absorber les formes et les bruits qui avaient été les constantes de son enfance : le pouls continu et lent de la mer cachée par le rideau d'arbres, derrière la maison, et la digue et les dunes au loin ; la géométrie simple, sérieuse de la demeure de ses parents, trapue et déterminée sous son vaste toit de tuiles rouges ; les herbes d'un vert pâle qui ondulaient comme l'eau sous la fraîche brise frisonne ; et le ciel massif qui pesait durement sur le paysage plat. La panique consécutive au coup de téléphone reçu au Präsidium s'était adoucie jusqu'à se transformer en une douleur sourde mais constante au cours des trois heures et demie de route sur la A28. Cette panique avait reflué quand il avait vu sa mère assise dans le lit de l'hôpital de Norden. Elle lui avait demandé de cesser de s'inquiéter et de s'assurer que son frère Lex ne se mettrait pas non plus dans tous ses états.

Mais maintenant, au milieu des éléments familiers de son enfance, la peur se ravivait avec plus de virulence. Il fouilla dans la poche de son manteau à la recherche de la clé qui ouvrait la lourde porte en bois de la cuisine. Malgré les années passées, les éraflures sombres que Fabel et son frère, chargés de leurs livres de classe, avaient creusées en la poussant du pied étaient encore visibles. Même aujourd'hui, avec un sac de voyage en cuir et un coûteux manteau Jaeger en lieu et place d'un cartable, il eut le réflexe de pousser la porte du pied en tournant la poignée.

Il pénétra dans la cuisine. La maison était vide et silencieuse. Il posa son manteau et son sac sur la table et resta un moment à regarder tout ce qui n'avait pas changé dans la pièce : les torchons à motif fleuri pliés sur la barre de chrome de la cuisinière, les vieilles chaises et table en bois, le tableau en liège sur lequel étaient punaisées des strates de notes et de cartes postales, le vaisselier massif contre le mur. L'enfant en lui fut choqué par les minuscules changements que sa mère avait apportés : une nouvelle bouilloire, un four à micro-ondes, un placard de style IKEA dans un coin. C'était comme si, quelque part au fond de lui, il voyait en ces incursions modernes autant de petites trahisons ; la maison de son enfance n'aurait pas dû changer avec les années comme lui l'avait fait.

Il prépara du thé. Il ne lui serait pas venu à l'esprit de se faire du café : il était de retour à la maison, dans la Frise de l'est où boire le thé était le nerf même de la vie. Sa mère, bien qu'elle ne fût pas frisonne, avait embrassé avec enthousiasme les rituels locaux du thé de trois tasses, jusqu'à la pause en fin de matinée connue sous le nom de *Elfürtje* en frysk, l'hermétique dialecte local, croisement d'allemand, de néerlandais et de vieil anglais. Il chercha dans les placards, avec des gestes automatiques, chaque ingrédient se trouvant à sa place, à portée de main connue : le thé, les traditionnels *Kluntjes* de sucre cristallisé, les tasses blanc et bleu ciel. Assis à table pour boire son thé, il écouta les échos des voix de son père et de sa mère, enterrées profondément dans le calme de la maison. La sonnerie de son téléphone portable déchira le silence. C'était Susanne, la voix tendue par l'inquiétude.

– Jan... Je viens juste d'avoir ton message. Tu vas bien ? Comment se porte ta mère ?

– Ça va. Bon, elle a eu une petite crise cardiaque, mais son état est stable maintenant.

– Tu es encore à l'hôpital ?

– Non, je suis à la maison... Je veux dire, chez ma mère. Je vais passer la nuit ici pour attendre mon frère. Il devrait arriver demain.

– Tu veux que je vienne ? Je peux partir maintenant et être là dans deux ou trois heures...

Fabel la rassura, elle n'avait pas besoin de venir. Il allait bien et sa mère rentrerait certainement chez elle d'ici deux jours.

– C'était juste un coup de semonce, expliqua-t-il.

Pourtant, après avoir raccroché, il se sentit soudain très seul. Il avait acheté des sandwichs mais, se rendant compte qu'il était incapable de manger, il les mit au réfrigérateur. Il finit son thé et monta l'escalier pour rejoindre son ancienne chambre sous la vaste soupente. Il jeta son sac et son manteau dans un coin et s'allongea sur le lit simple sans allumer la lumière. Il resta couché dans le noir en essayant de se rappeler la voix de son père, depuis longtemps défunt, qui, dans la cage d'escalier, criait à Fabel et à son frère, Lex, de se lever. Il ne parvenait à se rappeler la voix de son père qu'incarnée dans un seul mot : *Traan-köppe*. C'était ce qu'il disait tous les matins : « bande d'endormis » en frysk. Fabel soupira dans l'obscurité. Voilà ce qui arrivait avec l'âge : les voix qu'on avait entendues quotidiennement s'effaçaient de votre mémoire jusqu'à se réduire à un ou deux mots.

Fabel prit son portable sur la table de nuit et, toujours sans allumer, chercha dans le répertoire le numéro personnel d'Anna Wolff. Au bout de plusieurs sonneries, le répondeur se mit en marche. Il ne laissa pas de message et, sur une intuition, composa la ligne directe d'Anna au Präsidium. Elle répondit d'une voix assourdie par la fatigue.

— Chef, je n'espérais pas de vos nouvelles... Votre mère...

— Ça va aller. Juste une crise cardiaque mineure, ou du moins est-ce ce qu'ils disent. J'ai passé une partie de l'après-midi à l'hôpital. J'y retournerai plus tard. Vous avez avancé concernant l'identité de la fille ?

— Désolée, chef, non. J'ai reçu les résultats de ma recherche au BKA. Aucune personne disparue ne correspond. J'ai élargi la recherche : elle vient peut-être d'une autre région d'Allemagne, ou peut-être même d'un autre pays. On ne sait jamais avec tout ce trafic de femmes de l'Est.

Fabel grogna. Le trafic de jeunes filles venant de Russie, des Balkans et d'autres endroits le long des frontières orientales du riche Occident était devenu un problème majeur à Hambourg. Attirées par des promesses allant des contrats de cover-girls à des boulots de domestiques, ces femmes et ces filles étaient réduites à un esclavage virtuel et le plus souvent vendues à la prostitution. Ce nouveau siècle avait redonné naissance à un ancien mal : l'esclavage.

— Restez sur le coup, Anna, dit-il, bien qu'il n'eût pas besoin de le préciser, pour la même raison qu'il avait su qu'il la trouverait au Präsidium.

Une fois qu'Anna se concentrait sur une mission, elle ne ménageait pas ses efforts.

— Autre chose ?

— Le Kommissar Klatt est arrivé cet après-midi. Je lui ai expliqué que votre mère avait eu des problèmes de santé et que vous aviez dû vous absenter. Je lui ai fait faire le grand tour du Präsidium et je l'ai présenté à tout le monde. Il m'a paru impressionné. Sans ça, rien d'autre. Oh, si ! Holger Brauner a appelé. Il a dit qu'il s'était arrangé pour les tests ADN et qu'il les enverrait à Möller à l'institut demain matin.

— Merci, Anna, j'appellerai demain pour vous tenir au courant de mes déplacements.

— Alors, à votre place, je parlerais aussi à Werner. Il s'inquiète pour vous et pour votre mère.

— Je n'y manquerai pas.

Fabel raccrocha, coupant net le lien avec le monde moderne, et s'enfonça dans les ténèbres et le silence du passé.

Quand Fabel retourna à la Kreikrankenhaus Norden, le médecin à qui il avait parlé plus tôt n'était plus de service, mais l'infirmière en chef était toujours là. Une femme dans la quarantaine, au visage rond, franc et honnête. Elle sourit à l'approche de Fabel et lui fit un rapport sur l'état de sa mère sans qu'il ait besoin de le demander.

— Votre mère va bien, dit-elle. Elle a un peu dormi après votre visite de cet après-midi et nous lui avons fait un électrocardiogramme. Il n'y a aucun sujet d'inquiétude si elle prend bien les choses.

— Risque-t-elle d'avoir une autre attaque ?

— Eh bien, une fois que vous en avez fait une, les chances que cela se reproduise sont plus grandes. Mais non, pas nécessairement. L'important, c'est que votre mère se lève et se déplace, de façon raisonnable, dans les prochains jours. Elle sera en mesure de rentrer chez elle demain. Ou peut-être après-demain.

— Merci beaucoup, dit Fabel en se dirigeant vers la chambre de sa mère.

— Vous ne vous souvenez pas de moi, Jan, n'est-ce pas ? demanda l'infirmière.

Fabel fit volte-face. Le sourire de l'infirmière était à présent empreint d'hésitation et de timidité.

— Hilke. Hilke Tietjen.

Il mit une seconde ou deux pour enregistrer le nom et que celui-ci se fraye un chemin turbulent parmi tous les autres qui emplissaient ses souvenirs.

— Mon Dieu, Hilke, cela fait bien vingt ans ! Comment vas-tu ?

— Plutôt vingt-cinq. Je vais bien, merci. Et toi ? J'ai entendu dire que tu étais Kommissar à la police de Hambourg.

— Erster Hauptkommissar maintenant, répondit Fabel en souriant.

Il scruta le visage rond de la femme en quête des vestiges de celui plus jeune, plus fin, plus joli qu'il avait toujours associé au nom de Hilke Tietjen. Les vestiges étaient là, dans la structure même du visage, comme des traces archéologiques, recouvertes par les années et les kilos accumulés.

— Tu vis toujours à Norddeich ?

— Non, j'habite ici, à Norden. Je m'appelle Hilka Freericks maintenant. Tu te rappelles Dirk Freericks, à l'école ?

— Bien sûr, mentit Fabel. Tu as des enfants ?

— Quatre, s'esclaffa-t-elle. Que des garçons. Et toi ?

— Une fille, Gabi.

Fabel se sentit soudain embarrassé, il ne tenait pas à admettre qu'il avait divorcé. Il eut un sourire gêné.

— C'était bien de te revoir, Jan, dit Hilke. Tu dois être pressé de voir ta mère.

— C'est sympa de te retrouver, répondit Fabel.

Il la regarda s'éloigner dans le couloir de l'hôpital. Une petite femme de quarante ans aux hanches larges du nom de Hilke Freericks qui, vingt-quatre ans plus tôt, avait été Hilke Tietjen, jeune fille élancée au joli visage tacheté de son, encadré d'une magnifique et longue chevelure blond vénitien, et qui avait partagé des minutes impatientes et haletantes avec Fabel dans les dunes de la côte du Norddeich. Les durs changements infligés par le passage d'un quart de siècle semblèrent aux yeux de Fabel d'une tristesse intolérable et déprimante. Lui vint alors l'envie de fuir au plus vite Norddeich et Norden.

La mère de Fabel était assise sur la chaise près de son lit. Quand il entra, elle regardait *Wetten, Dass....* ? à la télévision. Le son était coupé et Thomas Gottschalk souriait et bavardait en silence. Ella adressa un grand sourire à son fils avant d'éteindre avec la télécommande.

– Bonjour, mon fils, tu as l'air fatigué.

Sa voix combinait de manière comique son accent écossais et le lourd dialecte frysk qu'elle utilisait pour parler en allemand à son fils. Il se pencha pour l'embrasser sur la joue et elle lui tapota le bras.

– Je vais bien, *Mutti*. Ce n'est pas de moi qu'il faut se soucier. Mais il me semble qu'il n'y a que de bonnes nouvelles... L'infirmière m'a dit que l'électrocardiogramme était normal et que tu pourrais sortir dès demain.

– Tu as parlé à Hilke Freericks ? Vous avez eu une petite histoire tous les deux, si je me souviens bien.

Fabel s'assit sur le bord du lit.

– Cela fait bien, bien longtemps, *Mutti*. Je l'ai à peine reconnue.

Alors qu'il parlait, la vision de Hilke, ses longs cheveux blond vénitien brillants et sa peau transparente sous le soleil éclatant d'un lointain été, vint percuter l'image de la femme de quarante ans mal fagotée avec qui il avait discuté dans le couloir.

– Elle a changé, dit-il avant de marquer une pause. Est-ce que j'ai autant changé, *Mutti* ?

La mère de Fabel éclata de rire.

– Ce n'est pas à moi qu'il faut demander cela. Lex et toi êtes toujours mes bébés. Mais, à ta place, je ne m'inquiéterais pas. Nous changeons tous.

– C'est juste que, quand je reviens ici, je m'attends à ce que rien n'ait changé.

– C'est parce que c'est un concept pour toi, un endroit de ton passé, plus qu'une réalité. Tu reviens ici pour te concentrer à nouveau sur les détails de tes souvenirs. Je faisais de même chaque fois que je retournais en Écosse. Mais les choses changent, les lieux changent. La Terre continue de tourner.

Elle sourit en passant doucement sa main sur la tempe de Fabel, peignant ses cheveux de ses doigts comme elle faisait quand il était encore écolier.

– Comment va Gabi ? Quand vas-tu m'amener ma petite-fille ?

– Bientôt, j'espère, répondit Fabel. Elle doit venir passer un week-end.

– Et comment va sa mère ?

Depuis leur séparation, elle n'avait jamais plus prononcé le prénom de Renate. C'était comme s'il entendait la glace se cristalliser dans la voix de sa mère.

– Je n'en sais rien, *Mutti*. Nous ne parlons pas beaucoup et, quand cela arrive, ça ne se passe jamais très bien. Peu importe, ne pensons pas à Renate, ça ne fait que t'agacer.

– Et qu'en est-il de ta nouvelle petite amie ? Plus si nouvelle maintenant. Tu la fréquentes depuis un moment. C'est sérieux ?

– Quoi... Susanne ?

Fabel eut l'air abasourdi pendant quelques secondes. Ce n'était pas tant la question qui l'avait surpris que la soudaine prise de conscience qu'il ne savait comment y répondre. Il haussa les épaules.

– Ça va. On s'entend bien.

– Je m'entends très bien avec Herr Heermans, le boucher, mais cela ne veut pas pour autant dire que nous puissions envisager un quelconque avenir commun.

Fabel éclata de rire.

– Je n'en sais rien, *Mutti*. C'est tout neuf encore. Peu importe, raconte-moi ce que t'a dit le médecin sur ta convalescence...

Fabel passa les deux heures suivantes à bavarder avec sa mère. Tout en discutant, il l'observa de façon plus appuyée que d'habitude. Quand avait-elle vieilli d'un coup ? Quand ses cheveux étaient-ils devenus blancs et comment cela se faisait-il qu'il n'ait rien remarqué ? Il réfléchit à ce qu'elle lui avait dit concernant le Norddeich, comme quoi ce n'était qu'un concept pour lui. Il eut soudain conscience qu'elle était également un concept, une constante qu'il ne s'était jamais attendu à voir changer, vieillir. Mourir...

Fabel revint à la maison de sa mère à 22 h 30. Il prit une bière Jever aux herbes dans le réfrigérateur et sortit la boire dehors, dans la fraîcheur de la nuit. Il marcha jusqu'au bout du jardin, passa le portillon et la ligne d'arbres, il escalada l'abrupt remblai herbeux de la digue et, à son sommet, il s'assit, les coudes appuyés sur les genoux, levant parfois la bouteille de bière frisonne jusqu'à ses lèvres. La nuit était vive et claire, et le vaste ciel frison parsemé d'étoiles. Les dunes s'étiraient devant lui et, à mi-chemin de l'horizon, les lumières du ferry du soir scintillaient. C'était une autre constante : cet endroit où il était assis, dominant la terre plate derrière lui et la mer plate devant. Il s'était assis à cet endroit tant de fois par le passé. Garçon, jeune homme ou adulte. Fabel inspira profondément, s'efforça de balayer les pensées qui l'assaillaient, mais elles continuaient à bourdonner au hasard et sans cesse dans sa tête. L'image de la Hilke Tietjen de jadis sur les dunes du Norddeich vint se superposer à celle de la fille morte sur la plage de Blankenese. Il pensa à la maison de son enfance qui changeait durant son absence et à la maison de Paula Ehlers pétrifiée depuis le jour de sa disparition. Le ferry, le dernier de la nuit, se rapprochait du rivage du Norddeich. Fabel but une gorgée de sa bière et tenta de se rappeler la Hilke Tietjen d'aujourd'hui, mais il n'y parvint pas : c'était le visage de Hilke adolescente qui l'emportait. Comment pouvait-on changer à ce point ? Et avait-il tort concernant la fille morte ? Avait-elle pu changer autant en si peu de temps ?

— Je savais que je te trouverais là...

Fabel sursauta au son de la voix. Se tournant à moitié, il vit son frère Lex qui se tenait derrière lui.

— Seigneur, Lex, tu m'as fichu une peur bleue !

Lex éclata de rire et balança un bon coup de genou dans le dos de Fabel.

— Tu passes trop de temps avec des voyous, Jannik, déclara Lex en usant du diminutif frison du prénom de Fabel. Tu t'attends toujours à ce qu'on t'attaque par surprise. Il faut que tu te détendes un peu.

Il s'assit à côté de Fabel. Il avait apporté deux autres bouteilles de Jever et en colla une contre le torse de son frère.

— Je ne t'attendais pas avant demain, dit Fabel souriant.

— Je sais, mais je suis parvenu à convaincre mon sous-chef de prendre mon service. Entre Hanna et le personnel, ils s'en sortiront bien jusqu'à mon retour.

Fabel acquiesça. Lex possédait un hôtel-restaurant sur l'île de Sylt, au nord de la Frise, près de la frontière du Danemark.

— Comment va *Mutti* ?

— Bien, Lex. Honnêtement, elle va bien. Elle sortira probablement demain. Selon les médecins, c'était vraiment une attaque mineure.

— Il est trop tard pour que j'aille la voir ce soir. J'irai à la première heure demain.

Fabel dévisagea Lex.

« Plus âgé en années mais plus jeune de cœur » était la phrase qui venait à l'esprit de Fabel pour décrire son frère aîné. Ils ne se ressemblaient en rien : Fabel avait le type allemand du nord et Lex rappelait les racines celtes de leur mère. Beaucoup plus petit que Fabel, les cheveux épais et sombres. Et leurs différences étaient bien plus que physiques. Fabel avait longtemps envié le sens de l'humour spontané de son frère ainsi que son exubérance naturelle. Le sourire venant plus facilement et plus rapidement à Lex qu'à Fabel, cela avait laissé des traces sur le visage du frère aîné, spécialement autour des yeux qui semblaient toujours rieurs.

— Comment vont Hanna et les enfants ? demanda Fabel.

— Bien. En fait, tu sais, le chaos habituel. Mais nous allons tous très bien et nous avons fait une bonne année à l'hôtel. Quand vas-tu nous amener ta psychologue sexy ?

— Bientôt, j'espère. Mais j'ai une saleté d'affaire sur les bras en ce moment, et je sais que Susanne est elle aussi assez surchargée de travail... mais, avec un peu de chance, cela ne durera pas trop. Dieu sait combien j'ai besoin de prendre des vacances.

Lex but une autre gorgée de bière avant de se tourner vers son frère et de poser la main sur son épaule.

— Tu as l'air fatigué, Jan. L'attaque de *Mutti* t'a secoué, n'est-ce pas ? Je sais que je ne me sentirai pas mieux avant de l'avoir vue demain.

Fabel plongea son regard dans celui de son frère.

— Ça a été un tel choc pour moi, Lex. Cela m'a rappelé ce coup de téléphone que j'avais reçu pour *Papi*. C'est juste que je n'avais pas envisagé la vie sans *Mutti*.

— Je sais. Mais, au moins, ce n'est pas trop grave.

— Cette fois-ci, dit Fabel.

— La vie est parsemée de ponts que nous devons traverser quand nous les rencontrons, Jan. Tu as toujours été le plus anxieux, s'esclaffa Lex. Tu étais un enfant tellement grave.

— Et toi, tu ne l'étais jamais, Lex. Et tu es toujours un enfant, répondit Fabel sans une once d'amertume.

— Il n'y a pas que *Mutti*, n'est-ce pas ? Tu es vraiment tendu, je le sens. Plus tendu que d'habitude, en fait.

Fabel haussa les épaules. Les lumières du ferry avaient disparu derrière le cap et les étoiles s'étaient emparées de la nuit.

— Je te l'ai dit, Lex, l'affaire sur laquelle je suis est difficile.

— Pour une fois, Jan, pourquoi ne m'en parles-tu pas ? Tu ne parles jamais de tes enquêtes. Tu ne l'as jamais fait avec Renate, non plus. Je crois que cela faisait partie du problème entre vous.

Fabel laissa échapper un petit ricanement.

— Le problème entre nous était qu'elle a commencé à baiser avec quelqu'un d'autre. Et, pour finir, j'ai perdu ma fille, dit-il en se tournant vers Lex. Mais peut-être as-tu raison. C'est juste que je vois des choses, j'apprends à connaître ce que les gens sont capables de se faire entre eux. Des choses que tu devrais pouvoir éviter de savoir ou de voir tout au long d'une vie. Si je n'en parle pas, ce n'est pas que je tiens à me couper des autres, c'est que j'essaie de les protéger. Renate n'a jamais compris cela. Et elle n'a jamais compris que, parfois, je devais donner toute ma personne, toute mon attention, tout mon temps dans une affaire. Je le dois aux victimes et à leur famille. Peut-être est-ce pour cela que Susanne et moi nous comprenons. Parce qu'elle est psychologue forensique, elle doit patauger dans la même vermine que moi. Elle sait quel boulot merdique peut être le mien et les dégâts qu'il peut faire. Renate disait que c'était comme un jeu pour moi. Moi contre les méchants. Un combat pour savoir qui va gagner. Ce n'est pas comme ça que ça se passe, Lex. Je ne me mesure pas avec quelque adversaire fourbe : je fais une course contre la montre et contre un esprit malade et j'essaie de mettre la main dessus avant qu'il ne choisisse sa prochaine victime. Ce qui importe, ce n'est pas simplement de coincer un criminel, c'est de sauver des vies.

Lex soupira.

— Je ne sais pas comment tu peux faire ce boulot, Jan. Je comprends pourquoi, je suppose, mais je n'arrive pas à comprendre comment tu peux supporter toute cette douleur et cette horreur.

— Parfois, je n'y arrive pas, Lex. Cette affaire, par exemple. Elle a commencé avec une gamine... de quinze, peut-être seize ans, étranglée et balancée sur une plage. Une ado comme Gabi. Une ado comme ta Karin. Une vie toute fraîche qui s'éteint. C'est déjà assez dur, mais le malade qui a fait ça a laissé l'identité d'une autre fille sur la victime. L'identité d'une fille qui a disparu il y a trois ans. C'est malsain. C'est malsain et incroyablement cruel... comme s'il avait délibérément planifié de dévaster une famille déjà disloquée.

— Et ce n'était définitivement pas la même ?

— Nous en sommes quasiment certains. Mais j'ai dû faire passer des tests ADN à cette pauvre famille pour en avoir confirmation.

— Seigneur, fit Lex qui regarda les dunes et au loin les vagues de velours sombre. Alors, tu crois que le tueur de cette fille sur la plage a peut-être tué l'autre, celle qui a disparu ?

Fabel haussa les épaules.

– Il y a en effet de grandes chances.

– Alors tu es de nouveau dans ta course contre la montre. Tu dois le trouver avant qu'il ne s'attaque à une autre encore.

– C'est en gros ce qui m'attend.

Lex laissa échapper un long soupir.

– Il commence à faire froid et j'ai besoin d'une autre bière, dit-il en se levant et en claquant l'épaule de Fabel. Rentrons.

Fabel lança un dernier regard par-dessus les dunes, vers la mer, avant de se lever et de suivre son frère au bas de la digue, vers la maison de leur enfance commune.

8

Fabel n'avait pas bien dormi. Il avait rêvé de Hilke Tietjen adolescente qui l'invitait à la suivre en courant sur la plage du Norddeich. Elle avait disparu derrière une dune mais, quand Fabel l'avait rejointe, ce n'était pas Hilke qui reposait sur le sable mais une autre adolescente sur une autre plage qui levait vers Fabel un regard azur et figé.

Ce matin-là, Lex et Fabel s'étaient rendus à Norden pour rendre visite à leur mère. On leur avait annoncé qu'elle était en état de sortir le jour même mais qu'une visite quotidienne à domicile était prévue. Comme ils retournaient vers la voiture, Fabel eut soudain douloureusement conscience de la fragilité de sa mère. Lex lui avait suggéré de rentrer à Hambourg, se portant volontaire pour rester quelques jours, et il avait expliqué à leur mère que Fabel s'occupait d'une affaire très importante. Fabel était reconnaissant envers son frère de l'avoir soulagé de cette pression supplémentaire, mais il se sentait coupable de partir.

— Ne t'en fais pas, avait dit sa mère. Tu sais comme je déteste ça. Tout va bien se passer. Tu peux venir me voir le week-end prochain.

Dès qu'il s'engagea sur l'autoroute A28, Fabel appela Werner au Präsidium. Après que Werner eut pris des nouvelles de sa mère, ils se mirent à discuter de l'affaire.

— Nous avons reçu confirmation de l'institut médico-légal, dit Werner. L'ADN de la fille de la plage ne correspond pas aux prélèvements faits sur Frau Ehlers. Elle n'est définitivement pas Paula Ehlers.

– Anna a-t-elle progressé dans la recherche de sa véritable identité ?

– Non. Elle a élargi sa recherche et elle a détecté deux identités probables, mais il s'est avéré qu'elles ne correspondaient pas. Anna y travaille fermement depuis que tu es parti... Dieu sait à quelle heure elle a quitté le Präsidium cette nuit. Oh, au fait, quand Möller a appelé avec les résultats ADN, il voulait discuter avec toi des conclusions de l'autopsie. Cet enfoiré prétentieux ne voulait pas en parler avec moi, tu sais comment il est. Il a déclaré que le rapport serait sur ton bureau à ton retour. Mais je lui ai dit que tu voulais que je t'en transmette les grandes lignes.

– Et qu'est-ce qu'il t'a donné ?

Le ton de Werner laissait supposer qu'il était en train de parcourir ses notes.

– La fille avait environ quinze ou seize ans selon Möller. Il y a des signes de maltraitance datant de l'enfance : mauvaises dents, des traces de vieilles fractures, ce genre de choses.

– Donc, elle aurait pu être victime d'abus de longue date, déclara Fabel. Ce qui pourrait signifier que le tueur était un parent ou un tuteur.

– Et cela expliquerait pourquoi Anna rencontre autant de difficultés dans sa recherche en tant que personne disparue, ajouta Werner. Si c'était un parent, il aurait pu repousser le moment de déclarer la disparition, ou même décider de ne pas la déclarer du tout, pour qu'on ne retrouve pas sa piste.

– Pour l'instant, ça colle, dit Fabel, marquant une pause pour analyser toutes les informations que Werner venait de lui transmettre. Le seul problème, c'est que les enfants existent en dehors des limites de leur famille. Il doit bien y avoir une école quelque part où l'on s'interroge sur son absence. Elle avait forcément des amis ou des connaissances à qui elle manque.

– Anna a une longueur d'avance sur toi, chef. Elle est en train de ratisser tous les registres de présence des écoles.

Là encore, rien pour le moment. Et tu peux ajouter un éventuel petit ami à la liste des relations. Möller a mentionné que la fille était sexuellement active, mais il n'y a aucune trace de rapport sexuel dans les deux jours précédant sa mort.

Fabel soupira. Il se rendit compte qu'il venait de traverser Ammerland et qu'un panneau indiquait la sortie vers Oldenburg. Sa vieille ville universitaire. Il venait à peine de quitter l'est de la Frise, mais s'immergeait déjà dans la fange de ce que les humains étaient capables de se faire, ou de faire à leurs enfants.

— Autre chose ?

— Non, chef. Rien d'autre, sinon que d'après Möller la fille n'a pas beaucoup mangé pendant les quarante-huit heures qui ont précédé sa mort. Tu reviens au Präsidium ?

— Oui. Je serai là dans environ deux heures.

Ayant raccroché, Fabel alluma la radio, programmée sur NDR Eins. Un universitaire se répandait en injures contre un auteur qui avait écrit un roman fortement controversé. Fabel avait manqué une bonne partie du débat mais, pour ce qu'il en comprenait, l'auteur avait développé une hypothèse fictive accusant un personnage historique connu d'avoir été un assassin d'enfants. Comme le débat avançait, Fabel saisit que le personnage en question était un des frères Grimm, les philologues du dix-neuvième siècle qui avaient compulsé les contes populaires, mythes et légendes allemands. L'universitaire était de plus en plus scandalisé alors que l'auteur demeurait d'un calme inébranlable. Fabel capta le nom de l'auteur, Gerhard Weiss, et le titre de son livre, *La Route des contes*. Le roman se présentait sous la forme d'un carnet de voyages imaginaire de Jacob Grimm. L'animateur de l'émission expliqua que, dans cette narration fictive, Jacob Grimm accompagnait son frère Wilhelm pour l'aider à rassembler les contes qu'ils publieraient ensuite sous le titre de *Contes de Grimm* et *Mythes allemands*. Le roman se détachait des faits dans sa manière de décrire Jacob Grimm comme un tueur en série de fillettes et de femmes, commettant ses crimes dans les villes et les villages qu'il visitait en compagnie de son frère, chaque assassinat étant la réplique d'un conte qu'ils auraient collecté. Dans le roman, Grimm est motivé par le raisonnement fou qu'il doit préserver la vérité de ces contes en vie. Le personnage de fiction en arrive à croire que les mythes, légendes et fables sont essentiels dans le sens où ils donnent voix à la noirceur de l'âme humaine.

– C'est une allégorie, expliqua l'auteur, Gerhard Weiss. Un procédé littéraire. Il n'y a, il n'y a jamais eu, de preuve ou même de supposition selon laquelle Jacob Grimm ait été un pédophile ou aucune sorte de meurtrier. Mon roman, *La Route des contes*, est une histoire, un conte imaginé. J'ai choisi Jacob Grimm parce que son frère et lui étaient impliqués dans le rassemblement et l'étude du conte populaire allemand, ainsi que dans l'analyse des mécanismes de la langue allemande. Si des personnes ont tenté de comprendre le pouvoir du mythe et du folklore, ce sont bien les frères Grimm. Aujourd'hui, nous avons peur de laisser nos enfants jouer hors de notre vue. Nous voyons la menace et le danger dans chaque élément de la vie moderne. Nous allons au cinéma pour nous faire peur avec des mythes modernes dont nous sommes convaincus qu'ils reflètent notre vie et notre société actuelles. Le fait est que le danger a toujours été là. Le tueur d'enfants, le violeur, le meurtrier fou ont toujours été des constantes dans l'expérience humaine. La seule différence, c'est qu'alors que nous nous amusions à nous faire peur avec l'histoire orale du grand méchant loup, de la méchante sorcière, du mal qui guette dans l'obscurité des bois, nous nous effrayons aujourd'hui avec les mythes cinématographiques du tueur en série super intelligent, du désaxé malveillant, de l'extraterrestre, du monstre créé par la science... Tout ce que nous avons fait, c'est réinventer le grand méchant loup. Nous avons simplement trouvé des allégories modernes pour nos terreurs éternelles...

– Et cela vous donne-t-il le droit de calomnier la réputation d'un grand personnage allemand ? demanda l'universitaire.

Son ton était tendu par la colère et l'incrédulité. La voix de l'auteur était, quant à elle, toujours calme. De manière très troublante, pensa même Fabel. Presque sans émotion.

— Je suis conscient d'avoir exaspéré une grande partie de l'establishment littéraire allemand ainsi que les descendants de Jacob Grimm, mais je ne fais que remplir mon devoir d'auteur de fables modernes. En cela, il est de ma responsabilité de perpétuer la tradition qui consiste à effrayer le lecteur avec le danger extérieur et les ténèbres intérieures.

Ce fut l'animateur qui posa la question suivante.

— Mais ce qui a particulièrement exaspéré les descendants de Jacob Grimm, c'est la manière, bien que vous ayez clairement exprimé que le portrait de Jacob Grimm en meurtrier était totalement fictif, dont vous avez utilisé votre roman pour véhiculer votre théorie de « fiction comme vérité ». Qu'est-ce que cela signifie ? Est-ce que c'est de la fiction ou non ?

— Comme vous le dites, répondit Weiss du même ton égal et sans émotion, mon roman n'a aucune racine dans les faits. Mais, comme dans bien d'autres ouvrages de fiction, je ne doute pas que les générations futures croiront qu'il y avait là quelque vérité. Une génération moins cultivée, plus paresseuse, se souviendra de la fiction et l'acceptera en tant que fait. C'est un processus qui existe depuis des siècles. Prenez le portrait du roi écossais Macbeth par William Shakespeare. En réalité, Macbeth était un roi aimé, respecté et couronné de succès. Mais à cause du désir de Shakespeare de contenter le monarque anglais de l'époque, Macbeth a été diabolisé dans une œuvre de fiction. Aujourd'hui, Macbeth est un personnage monumental, une icône de l'ambition sans pitié, de l'avarice, de la violence et de la soif de sang. Mais ce sont les caractéristiques du personnage de Shakespeare, et pas la réalité historique de Macbeth. Nous ne passons simplement pas de l'histoire à la légende, puis au mythe, nous inventons, nous élaborons, nous fabriquons. Le mythe et la fable deviennent la vérité persistante.

L'universitaire répondit en ignorant la remarque de l'auteur et en s'évertuant à condamner ce roman qui portait gravement atteinte à la réputation de Jacob Grimm. Le débat fut écourté par la fin de l'émission. Fabel éteignit la radio et se mit à réfléchir aux propos de l'auteur. À l'idée que le mal avait toujours existé parmi les hommes, qu'il y avait toujours eu cette violence et des mort cruelles et hasardeuses. Le monstre fou qui avait étranglé la jeune fille avant d'abandonner son corps sur la plage était juste une manifestation récente dans une longue tradition d'esprits psychotiques. Bien sûr, Fabel avait toujours su que c'était vrai. Il avait autrefois lu des textes sur Gilles de Rais, le gentilhomme français du seizième siècle, dont le pouvoir absolu sur son fief lui avait permis d'enlever, violer et tuer des jeunes garçons en toute impunité pendant des années. On comptait ses victimes par centaines, et on imaginait qu'il ait pu y en avoir des milliers. Mais Fabel avait également tenté de se convaincre que le tueur en série était un phénomène moderne : le produit d'un ordre social qui se désintégrait, d'esprits malades issus des abus et nourris par l'accessibilité du porno violent dans les rues ou sur Internet. Une telle conviction, d'une certaine manière, était porteuse d'espoir : si notre société moderne créait ces monstres, alors il était possible de régler ce problème. Accepter que ce phénomène soit une constante fondamentale dans la condition humaine, c'était abandonner tout espoir.

Fabel glissa un CD dans le lecteur. La voix de Herbert Groenemeyer emplit la voiture. Au fil des kilomètres, Fabel détourna ses pensées de ce mal perpétuel tapi dans les bois.

La première chose qu'il fit en arrivant à son bureau fut d'appeler sa mère. Elle lui assura qu'elle allait toujours bien et que Lex s'affairait pour lui préparer un succulent repas. La voix maternelle rétablit l'équilibre de l'univers de Fabel. Au téléphone, son accent distinct et son timbre correspondaient à ceux d'une mère plus jeune. Une mère dont il avait toujours considéré la présence comme une constante immuable et inébranlable de sa vie. Après avoir raccroché, il appela Susanne pour lui annoncer son retour et ils tombèrent d'accord pour qu'elle vienne chez lui après le travail.

Anna Wolff frappa à la porte du bureau avant d'entrer. Son visage paraissait encore plus pâle en contraste avec la tignasse de cheveux sombres et les traits d'eye-liner noir. Le rouge à lèvres trop rouge s'embrasait comme sous le coup de la colère sur la blancheur fatiguée de sa peau. Fabel l'invita à s'asseoir.

— Vous n'avez pas l'air d'avoir beaucoup dormi, dit-il.

— Ni vous, chef. Comment va votre mère ?

Fabel sourit.

— Elle va mieux, merci. Mon frère reste avec elle quelques jours. J'ai cru comprendre que vous aviez fait de votre mieux pour déterminer l'identité de la fille.

— J'ai déduit du rapport d'autopsie qu'elle avait souffert de négligences et probablement d'abus dans son enfance. Elle pourrait être une fugueuse de longue date, partie de n'importe quel endroit d'Allemagne, ou même de l'étranger. Mais je continue mes recherches.

Elle marqua une pause comme si elle n'était pas certaine de ce qu'elle allait dire.

— J'espère que cela ne vous dérange pas, chef, mais je me suis également intéressée de près au dossier Paula Ehlers. J'ai cette forte intuition que nous cherchons le même type pour ces deux filles.

— Votre intuition se base-t-elle sur la fausse identité qu'il a laissée dans la main du cadavre ?

— Ça et aussi, comme vous l'avez relevé, que les deux filles se ressemblaient tellement qu'on pouvait croire qu'il avait vu Paula Ehlers en vie, plutôt qu'une simple photo dans les journaux. Je veux dire, comme nous avons dû avoir recours aux tests ADN pour s'assurer que la fille morte n'était pas Paula Ehlers.

— Je comprends votre point de vue. Eh bien, qu'avez-vous regardé en particulier ? demanda Fabel.

— J'ai parcouru les notes du dossier avec Robert Klatt.

— Bon sang, j'avais complètement oublié le Kommissar Klatt. Comment s'intègre-t-il ?

Anna haussa les épaules.

— Bien. C'est un brave type, j'imagine. Et il me semble assez excité de travailler à la Mordkommission.

Elle ouvrit le dossier avant de poursuivre :

— Peu importe, j'ai revu ces notes avec lui. Nous nous sommes penchés de nouveau sur Fendrich. Vous vous rappelez ? Heinrich Fendrich, le professeur d'allemand de Paula ?

Fabel acquiesça. Il se souvenait qu'Anna l'avait briefé sur Fendrich au café de la station-service, en allant chez les Ehlers.

— Eh bien, vous vous rappelez, Klatt avait des soupçons. Il admet que leur fondement était léger... que cela tenait plus d'un mélange d'intuition viscérale, de préjugés et d'une absence totale d'autres pistes.

— Des préjugés ? demanda Fabel en fronçant les sourcils.

— Fendrich est un peu solitaire. Il a la trentaine... bon, presque quarante ans maintenant, je suppose. Il est toujours célibataire et vit avec sa mère. Bien qu'apparemment il avait à l'époque une relation décousue avec une fille. Mais je crois que cette histoire s'est terminée à peu près au moment de la disparition de Paula.

— Ainsi, le Kommissar Klatt était à court de suspects et il a déniché un personnage au profil de Norman Bates, dit Fabel.

Anna lui lança un regard intrigué.

— Le personnage du film américain *Psychose*.

— Ah oui, bien sûr. Eh bien, oui, je suppose que c'est ce qu'il a fait dans une certaine mesure. Mais qui pourrait le lui reprocher ? Cette fille avait disparu, elle est sans doute morte aujourd'hui, et il y avait ce professeur avec lequel elle semblait avoir eu quelque chose et qui, il faut l'admettre, ne semblait pas avoir de relation normale établie. Ajoutez à cela que des élèves de la classe de la jeune fille affirmaient que Fendrich consacrait un temps disproportionné à Paula en cours. Pour être honnête, nous nous serions certainement intéressés à Fendrich de plus près.

— Je suppose en effet, mais le ravisseur et probable meurtrier de Paula peut également être un père de famille au passé sans histoires. Peu importe, quelle est l'opinion de Klatt concernant Fendrich aujourd'hui ?

– Eh bien..., dit Anna, manifestement hésitante. J'ai le sentiment qu'il pense maintenant qu'il aboyait sous le mauvais arbre. Après tout, Fendrich semble avoir un alibi solide pour le moment présumé de la disparition de Paula.

– Mais ?

– Mais Klatt maintient qu'il a toujours une intuition étrange concernant Fendrich. Qu'il y a peut-être quelque chose de pas très convenable dans sa relation avec Paula. Il a suggéré que Fendrich valait peut-être le coup qu'on y regarde à deux fois, tout en demandant de ne pas être associé à cette démarche. Apparemment, Fendrich a tout simplement menacé Klatt d'une ordonnance restrictive et de poursuites pour harcèlement.

– Alors où le trouve-t-on ? Est-il toujours dans cette école ?

– Non, répondit Anna. Il a été muté dans un autre établissement. À Hambourg cette fois.

Elle consulta le dossier.

– À Rahlstedt. Mais il semble toujours habiter dans la même maison qu'il y a trois ans. À Rahlstedt également.

– Parfait, dit Fabel en consultant sa montre et en se levant. Herr Fendrich doit être rentré de l'école à cette heure-ci. J'aimerais savoir s'il a un alibi pour l'heure présumée de la mort de la fille de la plage. Allons lui rendre visite.

La maison de Fendrich à Rahlstedt était une assez grande et robuste villa d'avant-guerre, alignée en retrait de la rue parmi cinq maisons identiques. Ces villas avaient, à une époque, aspiré à une fraction du prestige des demeures plus imposantes de Rotherbaum et Eppendorf mais, aujourd'hui, après avoir survécu aux bombardements anglais et aux urbanistes des années 1950, elles détonnaient tout simplement au milieu des immeubles d'après-guerre du quartier. Rahlstedt avait été urbanisé à la hâte et développé pour loger la population du centre de Hambourg que les bombardements avaient privée de logements.

Fabel se gara de l'autre côté de la rue. En approchant avec Anna de la rangée de villas, il se rendit compte que si les autres avaient été divisées en deux appartements ou plus, la maison de Fendrich était restée en l'état. La bâtisse à l'apparence morne et mélancolique comportait, sur le devant, un petit jardin qui n'était pas entretenu et avait recueilli les détritus indésirables des passants.

Fabel posa une main sur le bras d'Anna alors qu'elle commençait à gravir les six marches de pierre menant à la porte d'entrée. Il lui indiqua l'endroit où la maison touchait le jardin envahi de mauvaises herbes : il y avait deux petites fenêtres peu enfoncées dont les vitres étaient crasseuses. Fabel apercevait la silhouette vague de trois barres derrière chaque vitre.

— Un sous-sol, dit Anna.

— Un endroit où on peut garder une personne sous terre...

En haut des marches, Fabel appuya sur un vieux bouton de sonnette en porcelaine. Le bruit d'une sonnerie résonna dans les profondeurs de la maison.

— Tu mènes la discussion, Anna. Je poserai des questions si j'ai besoin d'avoir une information supplémentaire.

La porte s'ouvrit. Aux yeux de Fabel, Fendrich semblait plus approcher la cinquantaine que la fin de la trentaine. Il était grand et mince, avait le teint gris. Ses cheveux d'un blond terne étaient fins et raides. Son crâne allongé luisait au travers sous le lustre de l'entrée. Son regard passa d'Anna à Fabel pour revenir sur la jeune femme avec une expression de curiosité détachée. Anna présenta son insigne ovale de la Kriminalpolizei.

— KriPo de Hambourg, Herr Fendrich. Pourrions-nous discuter ?

L'expression de Fendrich se durcit.

— C'est à quel sujet ?

— Nous sommes de la Mordkommission, Herr Fendrich. Le corps d'une jeune fille a été retrouvé sur la plage de Blankenese avant-hier...

— Paula ? l'interrompit Fendrich. Est-ce que c'est Paula ?

Son expression changea de nouveau, cette fois plus difficile à lire, mais Fabel y reconnut un sentiment voisin de la terreur.

– Peut-être pourrions-nous en parler à l'intérieur, Herr Fendrich..., suggéra Fabel d'une voix calme et rassurante.

Pendant un moment, Fendrich eut l'air déboussolé, puis il se résolut à s'effacer sur le côté pour laisser entrer les deux policiers. Après avoir fermé la porte d'entrée, il leur indiqua la première porte sur la gauche.

– Suivez-moi dans mon bureau.

La vaste pièce en désordre était austère sous la lumière glaciale de deux néons trop vifs fixés de manière incongrue à une rosace au plafond. Des bibliothèques occupaient tous les murs à l'exception de celui de la fenêtre donnant sur la rue. Un grand bureau était installé au centre de la pièce. Son plateau était encombré d'encore plus de livres et de papiers et une cascade de câbles et de fils dégringolait d'un ordinateur et d'une imprimante. Sous la fenêtre, s'empilaient des magazines et des documents attachés par des ficelles tels des sandwichs. Cela tenait du chaos absolu mais, après considération de la pièce dans son ensemble, Fabel eut le sentiment d'un désordre organisé. Fendrich était probablement capable de localiser n'importe quoi instantanément et avec plus de facilité que si tout était soigneusement indexé et rangé. Quelque chose dans cette pièce suggérait la concentration, comme si la majeure partie de l'existence de Fendrich, une existence tristement fonctionnelle, se déroulait là. Fabel fut soudain envahi par le désir de fouiller le reste de cette vaste maison, pour voir ce qui se cachait derrière ce noyau vital.

– Asseyez-vous, dit Fendrich en libérant deux chaises de leur charge de livres et de documents. La fille que vous avez trouvée, c'était Paula ?

– Non, Herr Fendrich, ce n'était pas elle, dit Anna.

La tension du visage de Fendrich se relâcha, mais Fabel ne l'aurait pas analysé comme une marque de soulagement.

– Mais nous avons des raisons de croire que la mort de cette fille et la disparition de Paula sont liées, poursuivit Anna.

Fendrich eut un sourire amer.

– Alors vous êtes venus pour me harceler de nouveau. J'ai eu ma dose avec vos collègues de Norderstedt, dit-il en s'asseyant derrière son bureau. J'espère que vous au moins me croirez : je n'ai absolument rien à voir avec la disparition de Paula. Je souhaite juste que vous me fichiez enfin la paix.

Anna leva la main dans un geste apaisant et lui adressa un sourire désarmant.

– Écoutez, Herr Fendrich. Je sais que vous avez eu, disons, des problèmes au cours de l'enquête de la police de Norderstedt il y a trois ans, mais nous sommes de la police de Hambourg, et nous sommes des détectives de la police criminelle. Nous n'enquêtons sur l'affaire de Paula Ehlers que pour découvrir s'il existe un lien avec la jeune fille retrouvée morte sur la plage. Si nous souhaitons discuter avec vous, c'est pour étayer une enquête toute différente. Vous pourriez détenir des informations susceptibles d'être pertinentes dans le cadre de cette nouvelle affaire.

– Vous êtes en train de me dire que je ne suis en aucun cas suspect dans ces deux affaires ?

– Vous savez que nous ne pouvons vous affirmer une telle chose, Herr Fendrich, dit Fabel. Nous ne savons même pas encore ce que nous cherchons. Mais nous nous intéressons à vous aujourd'hui en qualité de témoin, pas de suspect.

Fendrich haussa les épaules et se laissa aller contre le dossier de sa chaise.

– Que voulez-vous savoir ?

Anna passa en revue les éléments de base de la vie de Fendrich. Quand elle lui demanda si sa mère vivait toujours avec lui, il fut piqué au vif.

– Ma mère est morte, dit-il en détournant pour la première fois le regard. Elle est morte il y a six mois.

– Je suis désolé, déclara Fabel qui, en observant Fendrich, éprouva une réelle empathie pour l'homme, revivant la frayeur dont il avait fait l'expérience avec sa mère.

– Elle était malade depuis des années, dit Fendrich en soupirant. Je vis seul à présent.

– Vous avez changé d'école après la disparition de Paula, poursuivit Anna qui veillait à ne pas perdre le fil de la discussion. Pourquoi avez-vous éprouvé le besoin de changer ?

Un autre rire amer.

– Après que votre collègue, Klatt, c'est son nom, après que Klatt a clairement fait comprendre que j'étais un suspect, cette suspicion ne m'a pas quitté. Les parents, les élèves, même mes collègues... Je le voyais dans leurs yeux. Ce doute sombre. J'ai même reçu quelques appels de menaces. Alors je suis parti.

– Vous n'avez pas pensé que cela pouvait aggraver les soupçons ? demanda Anna, en souriant avec sympathie.

– Je n'en avais rien à fiche. J'en avais ma claque de tout ça. Personne n'a jamais pensé que je pouvais moi aussi être profondément bouleversé. J'aimais beaucoup Paula. Je pensais qu'elle avait d'énormes capacités. Personne ne semblait en tenir compte. À l'exception de votre collègue Klatt qui est, d'une certaine manière, parvenu à faire croire que mon intérêt était...

Fendrich batailla pour prononcer le mot.

– ... dépravé.

– Vous enseigniez à Paula l'allemand et la littérature, n'est-ce pas ? demanda Anna.

Fendrich acquiesça.

– Vous dites qu'elle était particulièrement prometteuse dans ces matières... que c'était la raison de votre intérêt pour elle.

Fendrich rejeta sa tête en arrière d'un air de défi.

– En effet, oui.

– Et pourtant aucun de ses professeurs ne semblait en avoir conscience. Et ses bulletins ne montrent que des notes moyennes dans toutes les matières.

– Dieu sait combien de fois j'ai déjà parlé de ça. J'ai vu ses capacités. Elle avait un talent naturel pour l'allemand. C'est comme la musique. Vous pouvez avoir l'oreille pour ça. Paula avait une bonne oreille. Elle s'exprimait merveilleusement quand elle s'en donnait la peine.

Il se pencha en avant, appuyant ses coudes sur le bureau en désordre et fixant Anna d'un regard grave.

— Paula était le cas typique de l'élève en échec scolaire. Elle avait le potentiel pour devenir une véritable personne et risquait de n'être rien, de se perdre dans le système. J'admets que les autres professeurs de l'école n'ont pas détecté ses capacités. Et ses parents étaient incapables de les voir non plus. C'est pour cette raison que j'ai consacré tellement de temps à m'occuper d'elle. J'ai vu une réelle chance pour elle d'échapper aux espérances limitées de sa famille.

Fendrich, enfoncé dans sa chaise, ouvrit les deux mains, paumes visibles, comme s'il avait fini un discours devant la cour. Puis ses mains retombèrent lourdement sur le bureau, il semblait avoir épuisé toute son énergie à parler. Fabel, silencieux, le dévisagea. Quelque chose dans le sérieux, presque la passion, avec lequel Fendrich avait évoqué Paula l'avait perturbé.

Anna changea de sujet pour aborder les détails de l'alibi de Fendrich au moment de la disparition de Paula. Ses réponses furent identiques à celles qu'il avait données trois ans plus tôt et qui figuraient dans le dossier. Mais, au fil des questions d'Anna, l'impatience de Fendrich s'accentua.

— Je croyais que vous veniez me parler de la nouvelle affaire, dit-il une fois qu'Anna eut fini. Tout ce que vous avez fait pour l'instant, c'est me parler de cette vieille histoire. Je croyais que cela concernait une autre fille. Un meurtre.

Fabel fit signe à Anna de lui passer le dossier. Il sortit une grande photographie du corps de la jeune fille découverte sur la plage. Il la posa carrément devant Fendrich, fixant le visage du professeur pour sonder sa réaction. Et cette réaction fut significative.

— Oh, Seigneur ! marmonna Fendrich, une main sur la bouche.

Puis il se figea, les yeux rivés à la photo. Il se pencha en avant et son regard balaya le cliché comme pour en examiner chaque pixel. Ensuite son visage se détendit, soulagé, et il leva la tête vers Fabel.

— J'ai cru...

— Vous avez cru que c'était Paula ?

Fendrich acquiesça.

— Je suis désolé. Ça m'a fait un choc, dit-il sans quitter la photo des yeux. Mon Dieu, elle lui ressemble tellement. Plus âgée, évidemment, mais elle lui ressemble tellement. C'est pour cette raison que vous pensez qu'il existe un lien avec Paula ?

— C'est plus que ça, expliqua Anna. Le tueur a laissé un indice pour nous mettre sur la mauvaise piste concernant l'identité de cette victime. Pour nous faire croire qu'il s'agissait de Paula.

— Pouvez-vous nous donner un compte rendu de vos déplacements entre lundi après-midi et mardi matin, Herr Fendrich ?

Le professeur, les lèvres pincées, souffla comme s'il réfléchissait à la question de Fabel.

— Pas grand-chose à dire. Je suis allé travailler comme d'habitude, les deux jours. Lundi soir, je suis rentré directement à la maison, j'ai corrigé des devoirs, j'ai lu. Mardi... j'ai fait quelques courses au MiniMarkt en rentrant chez moi. Je suis arrivé ici vers cinq heures, cinq heures et demie... Et j'ai passé la soirée à la maison.

— Quelqu'un peut confirmer votre emploi du temps ?

Comme un éclat de silex dans les yeux de Fendrich.

— Je vois... Vous n'avez pu me coincer pour la disparition de Paula, alors maintenant vous essayez de me mêler à cette histoire.

— Ce n'est pas ça, Herr Fendrich, déclara Anna qui chercha de nouveau à l'apaiser. Nous avons besoin de vérifier tous les faits, autrement on considérerait que nous ne faisons pas bien notre boulot.

La tension dans les épaules anguleuses de Fendrich se relâcha et la lueur de défi se ternit dans son regard, mais il n'avait toujours pas l'air convaincu. Ses yeux se posèrent sur la photo de la jeune morte. Il la fixa pendant un long moment en silence.

– C'est le même homme, dit-il enfin.

Anna et Fabel échangèrent un regard.

– Qu'entendez-vous par là ? demanda Anna.

– Ce que j'entends par là, c'est que vous avez raison...
Il existe un lien. Mon Dieu, cette fille pourrait être sa sœur,
elles se ressemblent tellement. La personne qui a tué cette
fille a dû connaître Paula. A dû bien la connaître.

La douleur s'était de nouveau emparée des yeux ternes
de Fendrich.

– Paula est morte, n'est-ce pas ?

– Nous n'en savons rien, Herr Fendrich...

– Oui, intervint Fabel. Oui, je crains en effet que ce
ne soit le cas.

9

*Vendredi 19 mars, 21 h 30 – Parc naturel de Harburger Berge,
sud de Hambourg.*

Buxtehude, quelle blague ! Voilà un endroit « *wo sich
Fuchs und Hase gute Nacht sagen* ». Un endroit où il ne se
passait rien.

Pour Hanna, admettre qu'elle venait de Buxtehude
prenait un sens évident et sans ambiguïté. Cela voulait dire
qu'elle venait de la cambrousse. Qu'elle était une péque-
naude. Personne en somme. Hanna Grünn venait de Buxtehude mais, assise dans sa Golf VW vieille de cinq ans, au
milieu de ce lugubre parking en pleine forêt, elle constata
avec amertume qu'elle n'était pas allée beaucoup plus loin
que Buxtehude. Pas plus loin que cette satanée et stupide
boulangerie.

Depuis l'âge de quatorze ans, Hanna avait toujours plu
aux garçons. Elle était devenue une grande femme aux
formes épanouies et aux longs cheveux blonds, et elle avait
été la fille la plus courtisée de son école. Elle n'était pas
très maligne mais tout de même assez futée pour le comprendre et utiliser d'autres ressources afin d'obtenir ce
qu'elle voulait. Et ce qu'elle voulait en premier lieu, c'était
se barrer de Buxtehude. Elle avait collectionné des articles
de journaux concernant la carrière de Claudia Schiffer :
comment Claudia avait été cueillie dans l'obscurité d'une
boîte de nuit, ses premiers contrats de mannequin, les
sommes phénoménales qu'elle avait gagnées, les destina-

tions exotiques qu'elle avait visitées. Alors Hanna, à dix-huit ans, avait laissé Buxtehude derrière elle et s'était mise en route, riche de l'inébranlable conviction de la jeunesse, déterminée à lancer sa carrière de top model à Hambourg. Il ne lui avait pourtant pas fallu longtemps pour comprendre que chaque salle d'attente d'agent dans laquelle elle patientait était peuplée d'autres clones de Claudia Schiffer. Lors de son premier entretien, elle avait présenté son book illustré de photos prises par un photographe local avant qu'elle ne quitte sa ville. Une grande folle maigrichonne et une femme dans la quarantaine finissante, de toute évidence un ancien mannequin, n'avaient fait que pouffer de rire en le parcourant. Puis on lui avait demandé d'où elle venait. Quand elle avait répondu : « Je viens de Buxtehude », cette paire de salauds avait tout bonnement éclaté de rire.

La scène s'était déroulée de manière identique dans la plupart des autres agences. La vie dans laquelle Hanna s'était projetée s'évaporait. Il était hors de question de retourner à Buxtehude mais ce qui avait été, dans sa tête, la certitude d'une carrière de mannequin se transformait à présent en rêve sur le point de se muer assez rapidement en un fantasme complet. Finalement elle avait cheminé dans les pages de l'annuaire jusqu'à dénicher une agence à Sankt Pauli. Elle était stupide, certes, mais pas au point de ne pas comprendre ce qu'impliquait la situation des bureaux de l'agence au-dessus d'un club de strip-tease. La pancarte sur la porte avait confirmé son intuition : l'agence était spécialisée dans les « mannequins, danseuses exotiques et escort girls », et l'Italien baraqué en veste de cuir qui dirigeait l'endroit ressemblait plus à un gangster qu'à une personnalité de l'industrie de la mode. Il avait été très clair. Il avait dit à Hanna qu'elle était vraiment canon, qu'elle avait un beau corps et qu'il pourrait la faire travailler mais que cela consisterait en grande partie en rôles pour la vidéo.

– De la vraie baise, tu comprends ?

Quand Hanna avait répondu à l'Italien qu'elle n'était pas intéressée, il avait simplement haussé les épaules et lâché « O.K. » Cependant il lui avait donné sa carte en ajoutant que si elle changeait d'avis, elle pouvait toujours l'appeler. De retour dans la chambre de sa colocation, Hanna avait étouffé dans son oreiller les énormes et incontrôlables sanglots qui avaient secoué son corps. La façon très professionnelle, très détachée avec laquelle l'Italien lui avait annoncé que le travail dans la vidéo consistait en de la « vraie baise » l'avait complètement déprimée. Il n'avait pas été particulièrement minable, il n'avait pas été libidineux : il lui avait simplement exposé une description de poste, comme il l'aurait fait d'un travail de secrétaire. Mais ce qui l'avait le plus bouleversée, c'était le sous-entendu : elle n'était bonne que pour ce genre de prestation. C'était tout ce à quoi elle devait s'attendre. Dès lors, elle s'était mise en quête d'un travail ordinaire mais, sans compétences de secrétariat, sans son bac, ses choix avaient été plus que limités.

Hanna avait finalement trouvé cette place au Fournil Albertus : dans une chaîne de production au milieu de grosses quadragénaires stupides qui n'avaient jamais eu aucune ambition dans leur vie. Maintenant, jour pénible après jour pénible, elle travaillait debout, ses cheveux brillants rassemblés sous un bonnet de boulangère, son corps parfait dissimulé sous une blouse informe, à glacer des gâteaux d'anniversaire avec un sens croissant de la fatalité.

Mais pas pour très longtemps. Bientôt Markus l'emmènerait loin de tout ça. Bientôt il aurait la richesse et le style de vie qu'elle avait toujours désirés. Le fournil appartenait à Markus et, s'il fallait se taper le patron pour obtenir ce qu'elle voulait, alors elle le ferait. Et aujourd'hui, elle y était presque : Markus lui avait promis de quitter cette vache frigide qui lui servait de femme. Ensuite il épouserait Hanna.

Elle consulta sa montre. Bon sang, que fichait-il ? Il était toujours en retard, généralement à cause de sa femme. Hanna contempla la masse des arbres qui cernaient le parking, un noir plus sombre sur le ciel noir sans lune. Elle détestait le retrouver là : c'était si lugubre. Elle pensa voir quelque chose bouger dans les arbres. Son regard scruta intensément l'obscurité pendant un moment puis elle se détendit en laissant échapper un soupir d'impatience.

Il l'avait déjà suivie jusqu'ici sans pouvoir la filer sur la route du parking du Naturpark de peur qu'on le remarque : il aurait alors été le seul autre véhicule sur une route isolée menant uniquement à cette aire de stationnement. C'était pour cette raison qu'il était revenu de jour afin de repérer le site. Ce soir, après l'avoir suivie assez longtemps pour déterminer sa destination, il l'avait dépassée afin d'arriver en premier au parking. Sa reconnaissance du parc naturel lui avait permis de découvrir un étroit chemin de service utilisé par les gardes forestiers pour l'entretien des bois. Il avait conduit sa moto à mi-sentier puis éteint les phares et le moteur, la laissant avancer en roue libre avant de la cacher dans les arbres. Il avait ensuite parcouru le reste du chemin à pied, il ne voulait pas qu'on entende la moto approcher. Maintenant, il se tenait à la bordure de la forêt, hors de vue, et il guettait cette pute qui attendait son amant marié. Il fut parcouru par l'excitation d'une sinistre anticipation, l'assurance que bientôt la haine et la colère qui le dévoraient comme le cancer se libéreraient. Ils allaient souffrir. Ils allaient tous les deux savoir ce que c'était que la véritable douleur. La fille se tourna dans sa direction. Il ne recula pas, ne bougea pas. Elle regardait directement vers lui mais cette pauvre conne ne le voyait pas. Elle le verrait bien assez tôt.

Les phares d'une autre voiture dessinèrent un arc sur le rideau des arbres et il se recula légèrement. C'était une Mercedes sport. La voiture de Markus Schiller. Elle se gara près de la Golf. Schiller baissa la vitre et eut un geste d'excuse. Depuis sa place avantageuse et dissimulée dans les arbres, lui, il vit Hanna sortir de sa voiture, claquer la portière et s'avancer d'un pas coléreux vers la Mercedes dans laquelle elle grimpa.

C'était le moment.

10

Samedi 20 mars, 10 h 20 – Hôpital Mariahilf, Heimfeld, Hambourg.

Le soleil printanier et éclatant, traversant en diagonale la grande fenêtre, divisait grossièrement en deux la chambre en triangles d'ombre et de lumière. Le fils avait relevé les stores pour permettre au soleil de briller sans pitié sur le visage de sa mère.

– Voilà, *Mutti*. C'est mieux maintenant, non ?

Il recula jusqu'au lit, rapprocha la chaise avant de s'asseoir, s'inclinant en avant dans sa position habituelle de dévouement et de sollicitude. D'un geste en apparence doux et plein de considération, mais qui dissimulait une intention malveillante, il posa une main sur le front de la vieille femme, la fit glisser très légèrement vers la ligne des cheveux et souleva les paupières inertes pour exposer les yeux pâles à la brûlure du soleil.

– Je suis encore sorti m'amuser la nuit dernière, *Mutti*. Deux cette fois. Je les ai égorgés. Je me suis occupé de l'homme en premier. Puis la femme a supplié que je lui laisse la vie. C'était tellement amusant, *Mutti*. Elle n'arrêtait pas de dire : « Oh non, oh non... » Alors je l'ai frappée avec mon couteau. Dans la gorge elle aussi. Je l'ai tranchée et elle s'est écrasée.

Un petit rire lui échappa. Sa main glissa sur le front de sa mère et ses doigts suivirent les angles fragiles de sa joue jusqu'à son cou mince et ridé. Il pencha la tête de côté en affichant une expression mélancolique. Puis, subitement, il ôta sa main et s'enfonça dans sa chaise.

— Tu te souviens, *Mutti,* des fois où tu me punissais ? Quand j'étais enfant ? Tu te souviens de ces punitions que tu m'infligeais, réciter ces histoires encore et encore et encore ? Et si je me trompais, ne serait-ce que d'un mot, tu me battais avec ta canne. Celle que tu avais rapportée de ces vacances de randonnée que nous avions passées en Bavière. Tu te souviens de ta peur, la fois où tu m'avais tellement battu que je m'étais évanoui ? Tu m'as appris que j'étais un pécheur. Un misérable pécheur, c'est comme ça que tu m'appelais, tu te rappelles ?

Il s'arrêta comme s'il espérait à moitié une réponse qu'elle était incapable de lui fournir.

— Et tu me faisais toujours réciter ces histoires, poursuivit-il. Je passais tellement de temps à les apprendre par cœur. Je les lisais encore et encore, je les lisais jusqu'à ce que mes yeux embrouillent les lettres et les mots. Je voulais être certain de n'oublier ni de déplacer un seul mot. Mais cela arrivait toujours, n'est-ce pas ? Je te donnais toujours une excuse pour me battre.

Il soupira, contempla le jour lumineux au-delà de la fenêtre puis son regard revint se poser sur la vieille femme.

— Bientôt, très bientôt, ce sera le moment de rentrer à la maison avec moi, mère.

Il se leva et se pencha pour l'embrasser sur le front.

— Et j'ai gardé la canne...

11

Dimanche 21 mars, 9 h 15 – Parc naturel Harburger Berge, sud de Hambourg.

Maria se trouvait sur la scène depuis un moment déjà quand Fabel arriva. C'était plus une clairière qu'un véritable parking. Fabel soupçonna aussitôt que l'endroit servait à deux usages : le jour, comme point de départ pour les randonneurs ; la nuit, comme lieu de rendez-vous discret pour des relations illicites. Il gara sa BMW près de l'un des véhicules vert et blanc de la SchuPo. Cette matinée de printemps était lumineuse et un peu venteuse. Les bois denses qui entouraient le parking respiraient avec la brise et le pépiement des oiseaux.

– *In the midst of life...*, dit-il à Maria quand elle s'approcha.

Il désigna les arbres et le ciel d'un mouvement ample de la main. Maria prit un air confus.

– Au milieu de la vie, nous sommes mortels..., répéta-t-il, cette fois en allemand.

Maria haussa les épaules.

– Où sont-ils ? demanda-t-il.

– Par là-bas, répondit Maria en indiquant un petit passage dans la ligne des arbres. C'est un chemin de randonnée. Il s'enfonce dans les bois mais il y a une petite clairière avec une table de pique-nique à trois cents mètres environ. On ne peut pas aller plus loin en voiture.

Fabel remarqua que la moitié du parking, la moitié

proche du départ du chemin de randonnée, avait été sécurisée par des cordons.

— On y va ? fit-il en invitant Maria à le précéder.

En progressant sur le sentier inégal et légèrement boueux, Fabel remarqua que l'équipe d'anthropométrie judiciaire avait étalé des pellicules de protection à intervalles irréguliers. Fabel adressa à Maria un regard interrogateur.

— Des marques de pneus, dit-elle. Et quelques empreintes de pas qui doivent être vérifiées.

Fabel s'arrêta pour observer le sentier derrière eux.

— Des pneus de mountain bike ?

— De moto, répliqua Maria en secouant la tête. Cela peut très bien ne pas être lié à notre affaire, tout comme les traces de pas.

Ils poursuivirent leur marche, Fabel balayant du regard les arbres qui bordaient le chemin. Plus les deux policiers s'enfonçaient dans les bois, plus les espaces entre les arbres s'obscurcissaient, prenant l'aspect de grottes vertes que la lumière du jour ne pouvait percer. Il repensa au débat qu'il avait entendu à la radio. Les ténèbres de la forêt dans la lumière du jour : la métaphore du danger qui menace le quotidien. Le sentier dessina un tournant et s'ouvrit soudain sur une petite clairière. Il y avait là une douzaine de policiers et d'experts qui s'affairaient. Le centre de leur intérêt et de leur activité était une table de pique-nique en bois équipée de bancs et située à droite du sentier principal. Deux corps, un homme et une femme, reposaient sur le sol, adossés à l'extrémité de la table. Ils fixaient tous les deux Fabel et Maria du regard désintéressé de la mort. Assis côte à côte, chacun avait un bras tendu, comme s'ils tentaient de s'attraper l'un l'autre ; leurs mains molles se touchaient sans se tenir. Un mouchoir était posé entre eux, soigneusement déplié. La cause de la mort était d'une évidence immédiate : ils avaient été tous les deux égorgés. L'homme avait la trentaine bien tassée, les cheveux sombres coupés court pour masquer un début de calvitie au sommet du crâne ; sa bouche béait, rouge, noire du sang qui avait moussé de sa gorge dévastée dans les dernières secondes de son existence.

Fabel s'approcha pour inspecter les vêtements de la victime mâle. C'était une des choses les plus troublantes sur une scène de crime : de quelle manière la mort donnait le ton, de quelle manière elle refusait de reconnaître les subtilités superficielles sur lesquelles nous bâtissons nos vies. Le costume gris clair de l'homme et les chaussures en cuir étaient, de toute évidence, des articles coûteux : des signes extérieurs indiquant le statut, le goût, la place de cet homme dans le monde. Dans ce cas précis, le costume n'était plus qu'une loque froissée, maculée de sang et de boue. La chemise était imbibée de rouge sous l'entaille sombre qui barrait la gorge. Il avait perdu une chaussure qui gisait, tel un rebut, à cinquante centimètres du pied pointé vers elle, comme s'il avait tenté de la récupérer. La chaussette de soie grise, à moitié roulée, exposait la chair pâle et marbrée de la cheville de l'homme.

Fabel porta son attention sur la femme. Comparée à l'homme, ses vêtements étaient moins imprégnés de sang. La mort était venue plus rapidement et plus facilement pour elle. Une gerbe écarlate avait éclaboussé en diagonale son jean à hauteur des cuisses. Une vingtaine d'années, de longs cheveux blonds dont certains, soufflés par la brise dans l'entaille de sa gorge, étaient collés par le sang. Bien que les coloris et la coupe de ses vêtements aient été choisis avec soin et goût, ils étaient d'un tout autre ordre de prix que ceux de l'homme. Un tee-shirt vert clair et un jean neuf, mais une variante bon marché du jean griffé dont il se voulait la copie. Ce n'était pas un couple. Ou, tout au moins, pas un couple établi. Fabel, penché en avant, examina le mouchoir. De petites miettes de pain le parsemaient. Il se redressa.

— Aucun signe de la lame qui a été utilisée ? demanda-t-il à Maria.

— Non... et pas d'éclaboussures de sang sur le sol, la table ou quoi que ce soit aux alentours.

— Salut, Jan..., lança Holger Brauner, qui venait de les rejoindre.

Fabel sourit. Dès qu'il avait vu la tache de sang sur le jean de la femme, il avait compris que la clairière n'était pas le lieu du crime : les victimes avaient été tuées ailleurs.

– Tu as fait vite, dit Fabel à Brauner.

– Nous avons reçu un appel du Kommissar local, qui a décidé de ne pas attendre que le Lagedienst me prévienne. Je suppose que c'est le même qui t'a appelé. Un certain Kommissar...

Brauner s'efforçait de retrouver le nom.

– Hermann, intervint Maria. Il est là-bas, dit-elle en désignant un grand type en uniforme d'une trentaine d'années.

Il se tenait avec un groupe de SchuPo mais, remarquant qu'il faisait l'objet de l'attention de Fabel, il adressa un signe d'excuse à ses collègues et s'avança à grands pas vers les officiers de la Morkommission. Ses mouvements étaient empreints d'une détermination grave et, comme il approchait, Fabel nota que son apparence quelconque, sa chevelure sable et sa peau pâle et tachetée ne s'accordaient pas avec l'énergie enthousiaste qui brûlait dans ses yeux vert clair. Fabel pensa aussitôt à Paul Lindemann, homme qu'il avait perdu en mission, mais quand l'officier en uniforme fut près d'eux, Fabel vit combien la ressemblance était superficielle.

Le SchuPo adressa un signe de tête à Maria et tendit la main, d'abord à Fabel, puis à Brauner. Il n'y avait qu'une étoile d'argent de Kommissar sur les épaulettes de la veste d'uniforme en cuir.

Maria le présenta.

– Voici le Kommissar Henk Hermann, de la Polizeidirektion locale.

– Pourquoi nous avez-vous appelés en particulier, Herr Kommissar ? demanda Fabel en souriant.

Le rôle habituel de la Schutzpolizei était de sécuriser la scène de crime et de garder les badauds en dehors du périmètre de sécurité pendant que la Kriminalpolizei prenait en charge la scène de crime. Le Lagediesnt avait la responsabilité d'informer la KriPo, et la Mordkommission enquêtait sur toute mort suspecte.

Un sourire hésitant étira encore plus les lèvres déjà minces de Hermann.

— Eh bien, fit-il tandis que son regard dépassait Fabel pour se fixer sur les victimes. Eh bien, je sais que votre équipe est spécialisée, euh, dans ce genre de choses...

— Quel genre de choses ? demanda Maria.

— Bon, de toute évidence, ce n'est pas un suicide. Et ce n'est pas non plus là que les victimes ont été tuées.

— Pourquoi pensez-vous cela ?

Hermann hésita un moment. Il était inhabituel pour un SchuPo de donner quelque opinion que ce soit sur une scène de meurtre, et encore moins habituel de la part d'un officier de la Kriminalpolizei du rang de Fabel de l'écouter. Hermann contourna le groupe pour avoir une vue plus claire des corps, mais il se tint à distance afin de ne pas contaminer la scène. Accroupi, il désigna la gorge lacérée de l'homme.

— Apparemment, sans bouger les corps, je ne peux voir précisément, mais il me semble que l'homme a été frappé deux fois. Le premier coup a été porté sur le côté du cou et a aussitôt provoqué une hémorragie. Le second a tranché net la trachée.

Hermann désigna la femme.

— Je pense que la femme a succombé à une seule entaille à la gorge. Le sang, là (il montra la tache sur les cuisses), ce n'est pas le sien. Je suis presque sûr que c'est celui de l'homme. Elle était très proche de lui quand il a été attaqué et elle a dû être arrosée par le sang jaillissant de l'artère de son cou. Mais on n'a pas trouvé d'importante quantité de sang ici... Ce qui implique que les meurtres n'ont pas été commis sur place. Cela suggère également que les corps ont été apportés jusqu'ici par le tueur. Et cela m'amène à penser que notre tueur est peut-être un homme de bonne taille, ou du moins, quelqu'un de fort. Il n'y a que très peu de traces d'un poids traîné, sauf à l'endroit où le tueur a positionné le corps de l'homme et c'est là qu'il a perdu la chaussure. On ne peut pas venir jusqu'ici en voiture, donc cela signifie qu'il a porté ses victimes.

— Autre chose ? demanda Fabel.

– Ce ne sont que des suppositions, mais je dirais que le tueur s'est d'abord occupé de l'homme. Peut-être une attaque surprise. De cette manière, il choisit l'option de la moindre résistance. Sa deuxième victime n'a pas la même force et ne représente pas la même menace que l'homme.

– Une hypothèse risquée à émettre, déclara Maria avec un sourire amer.

Hermann se redressa et haussa les épaules.

– Vous avez décrit le *modus operandi* du meurtre, dit Fabel. Mais vous n'avez toujours pas expliqué pourquoi vous avez pensé que cette affaire intéresserait plus particulièrement mon équipe.

Hermann recula, la tête légèrement penchée sur le côté, comme s'il appréciait une toile.

– Voilà pourquoi..., dit-il. Regardez.

– Quoi ? demanda Fabel.

– Eh bien... Ce n'est pas seulement l'endroit où notre tueur a décidé d'abandonner le corps des victimes. Il aurait pu le faire à vingt mètres à l'intérieur des bois et il nous aurait fallu des semaines voire des mois pour les découvrir. Il y a un message. Il nous dit quelque chose, par le choix du lieu, la position des corps, le mouchoir, les miettes de pain. Tout cela nous est destiné. Tout est mis en scène.

Fabel lança un regard à Holger Brauner qui sourit d'un air entendu.

– Mis en scène..., répéta Hermann, visiblement gagné par la frustration. Tout est soigneusement disposé. Et cela sous-entend qu'il y a une intention psychotique derrière ces meurtres, ce qui soulève alors la possibilité que nous soyons en présence d'un tueur en série. C'est pour cette raison que j'ai cru bon de vous informer directement et tout de suite, Herr Erster Hauptkommissar, dit Hermann avant de se tourner vers Brauner. Et si je vous ai contacté, Herr Brauner, c'est parce que j'ai pensé que vous pourriez découvrir quelque chose sur la scène que notre équipe aurait pu manquer. J'ai suivi votre travail avec intérêt et j'ai assisté à plusieurs de vos séminaires.

Un sourire bienveillant illumina le visage de Brauner qui acquiesça en toute fausse modestie.

— Et il est évident que vous avez été très attentif, Herr Kommissar.

Le sourire de Fabel s'élargit également.

— Je suis désolé, Herr Hermann, je ne suggérais absolument pas que vous nous faisiez perdre notre temps. Tout ce que vous avez dit concernant la scène de crime est vrai, y compris le fait que cette scène est secondaire. Je souhaitais juste écouter votre raisonnement.

L'expression tendue sur le visage quelconque de Hermann se relâcha légèrement, mais une dureté de silex subsista dans ses yeux vert clair.

— La question que nous devons nous poser maintenant est la suivante, poursuivit Fabel. Où se trouve la scène de crime primaire ?

— J'ai une théorie à ce sujet, Herr Hauptkommissar, intervint Hermann avant que quiconque puisse réagir.

Brauner éclata de rire.

— J'en étais sûr.

— Comme je vous l'ai dit, je pense que les corps ont été transportés jusqu'ici. Nous avons relevé des traces de pas sur le sentier. Des traces assez larges pour faire penser à un homme de grande taille. Elles se sont profondément imprimées dans la terre qui est molle mais pas boueuse. Selon moi, cet homme portait quelque chose de lourd.

— Peut-être que ce qu'il portait, c'était des kilos en trop, dit Brauner. Et si c'était un randonneur venu se promener en forêt pour brûler quelques calories ?

— Alors la promenade a été très efficace, répliqua Hermann. Parce que nous avons au moins deux séries de traces de pas, une dans un sens et l'autre dans le sens inverse. Celles qui reviennent vers le parking ne se sont pas imprimées aussi profondément. Et j'en conclus alors qu'il a transporté quelque chose de lourd jusqu'ici, au moins une fois, et qu'il est reparti vers le parking sans sa charge.

— Alors vous supposez que les victimes ont été tuées sur le parking ? demanda Fabel.

— Non. Pas nécessairement. Il peut les avoir tuées là-bas, mais nous n'avons trouvé aucune preuve pour l'instant. C'est pourquoi j'ai fait sécuriser la moitié du parking la plus proche du sentier de randonnée. Ma conviction est que les victimes ont été assassinées ailleurs et amenées jusqu'ici en voiture. Ou peut-être ont-elles été tuées dans une voiture garée sur le parking. Mais s'il les a transportées ici, j'imagine qu'il a dû garer sa voiture près du sentier.

Fabel acquiesça avec plaisir. Brauner s'esclaffa et tapa gaiement sur l'épaule de Hermann. Le SchuPo ne sembla pas particulièrement apprécier ce geste.

— Je suis d'accord, cher collègue. Mais il va nous falloir du temps avant de pouvoir identifier ces traces de pas comme étant celles de notre tueur. Cependant, il faut reconnaître que c'est vraiment du bon travail. Très peu de gens auraient pensé à sécuriser le parking.

— Le parking était vide quand les corps ont été découverts ? demanda Fabel.

— Oui, répondit Hermann. Ce qui m'amène à penser que le véhicule qui était notre scène de crime ou qui a été utilisé pour transporter les corps a disparu depuis longtemps. Peut-être même a-t-il été abandonné ou brûlé quelque part pour détruire tout indice.

Hermann désigna le chemin de randonnée qu'ils avaient emprunté.

— Ce chemin mène à un autre parking, à environ trois kilomètres. J'ai envoyé une voiture pour vérifier, au cas où, mais il n'y avait rien.

Fabel se rendit subitement compte que Maria était restée calme tout le long de la conversation. Elle s'était approchée des cadavres et son regard semblait comme aimanté par la femme. Fabel leva la main.

— Excusez-moi, dit-il à Brauner et Hermann avant de rejoindre Maria. Tu vas bien ? lui demanda-t-il.

Maria tourna brusquement la tête vers lui, le fixant d'un air absent pendant un moment, hébétée. Sa peau était tendue sur son visage anguleux, comme la peau qui blanchit aux jointures des phalanges.

— Quoi ? Oh... oui, dit-elle avant de poursuivre d'un ton plus sûr : Oui, je vais bien. Pas de stress post-traumatique, si c'est ce que tu sous-entends.

– Non, Maria, ce n'est pas ce que je sous-entendais. Qu'est-ce que tu vois, là ?

– J'essayais juste de comprendre ce que le tueur voulait nous dire avec cette mise en scène. Alors j'ai regardé leurs mains.

– Oui. Ils se tiennent la main. Le tueur les a, de toute évidence, positionnés de façon à ce qu'on croie qu'ils se tiennent la main.

– Non... ce n'est pas ça. Les autres mains. Sa main gauche à lui et sa main droite à elle. Elles sont fermées. Ce n'est pas normal. J'ai l'impression que cela fait partie de la mise en scène.

Fabel fit volte-face.

– Holger, viens jeter un coup d'œil à ça.

Brauner et Hermann s'approchèrent et Fabel désigna ce que Maria avait remarqué.

– Je crois que vous avez raison, Maria..., dit Brauner. Il semblerait que les poings aient été fermés après la mort, mais avant la rigidité cadavérique.

Brauner, pétrifié une seconde, se tourna brusquement vers Fabel.

– Seigneur, Jan, la fille sur la plage...

Brauner sortit un étui de gants chirurgicaux stériles de sa poche, en enfila un et extirpa une sonde d'une autre poche. Chacun de ses gestes était empreint d'urgence. Il retourna la main de la fille. La rigidité rendait l'opération difficile et il appela Hermann en lui tendant l'étui de gants en latex.

– Enfilez ça avant de toucher le corps. Je voudrais que vous lui teniez la main retournée.

Hermann s'exécuta. Brauner essaya sans succès d'utiliser la sonde comme levier pour ouvrir les doigts de la femme, et finit par le faire avec sa propre main. Se tournant vers Fabel, il opina d'un air lugubre avant d'extraire, à l'aide de pinces chirurgicales, un petit morceau de papier jaune soigneusement roulé. Il le glissa dans un sachet transparent puis le déroula avec précaution à l'intérieur. Il se releva puis s'éloigna des corps. Hermann l'imita.

– Qu'est-ce qui est écrit ?

Brauner tendit le sachet à Fabel, qui fut traversé par un frisson glaçant. Là aussi, c'était un morceau rectangulaire de papier, de dix centimètres sur cinq. Il reconnut la petite écriture régulière et l'encre rouge comme étant les mêmes que sur la note retrouvée dans la main de la fille de la plage de Blankenese. Cette fois, il n'y avait qu'un seul mot : « Gretel ». Fabel montra le papier à Maria.

— Merde, c'est le même type.

Elle regarda à nouveau les deux corps. Brauner forçait déjà le poing serré de l'homme.

— Et voici, selon toute apparence, « Hänsel », dit Brauner en glissant un autre morceau de papier dans un sachet transparent.

La poitrine de Fabel se serra. Il leva les yeux vers le ciel bleu pâle, puis vers le chemin de randonnée qui conduisait au parking, dans le tombeau vert des bois, puis son regard revint sur l'homme et la femme, leurs gorges tranchées, leurs mains qui se touchaient, et ce grand mouchoir étalé sur l'herbe entre eux et couvert de miettes de pains. « Hänsel et Gretel ». Ce salopard pensait faire de l'humour.

— Vous avez eu raison de nous appeler, Kommissar Hermann. Vous venez peut-être de réduire la distance qui nous sépare d'un tueur en série dont nous savons qu'il a déjà frappé une fois, peut-être deux.

Le visage de Hermann s'illumina d'un sourire satisfait auquel Fabel ne répondit pas.

— Maintenant, je vais vous demander de regrouper votre équipe au complet sur le parking pour un briefing. Tout le périmètre doit être passé au peigne fin. Et ensuite, nous devrons déterminer où les victimes ont été tuées. Il faut découvrir l'identité de ces deux personnes et où elles ont été assassinées.

12

Dimanche 21 mars, 10 heures – Blankenese, Hambourg.

Elle était assise dans son fauteuil, et elle vieillissait.

Elle était assise, droite et immobile, écoutant le tic-tac de l'horloge, consciente que chaque seconde qui passait était une vague de plus érodant sa jeunesse et sa beauté. Et sa beauté était considérable. La grâce raffinée de Laura von Klosterstadt transcendait les modes éphémères, que ce soit de femmes fluettes ou de femmes voluptueuses. C'était une véritable beauté : une perfection sans âge, glaciale, cruelle. Pas une attitude à débusquer par un photographe, mais une beauté nourrie d'une véritable noblesse transmise de génération en génération. Cette qualité s'était également révélée d'une grande valeur marchande, un bien pour lequel les maisons de couture et de cosmétiques avaient payé d'énormes sommes d'argent.

La beauté de Laura n'avait d'égale que sa solitude. Il est difficile pour le mortel ordinaire d'imaginer combien la beauté peut repousser autant que la laideur. La laideur suscite le dégoût ; la très grande beauté, comme celle de Laura, inspire la peur. Le physique de Laura dressait autour d'elle des remparts que peu d'hommes étaient capables de franchir.

Elle était assise et se sentait vieillir. Dans une semaine, elle aurait trente et un ans. Heinz, son agent, allait bientôt arriver. Il venait l'aider à préparer sa fête d'anniversaire, il s'assurerait que tout se passe bien. Heinz était un homo extravagant et exubérant qui associait une énergie sans limites à une détermination et une efficacité d'acier. C'était un bon agent mais, plus encore, il était pour Laura ce qui s'approchait le plus d'un véritable ami. L'intérêt de Heinz allait au-delà de « la gestion de son talent ». Il était le seul à percer les défenses de Laura et à comprendre l'étendue de sa tristesse. Et bientôt la villa allait s'emplir de l'extravagance de Heinz. Pour l'instant, tout était calme.

La pièce où se tenait Laura était l'un des deux endroits dans lesquels elle aimait se retirer, au cœur de son immense villa de Blankenese : il y avait tout d'abord cette vaste pièce trop lumineuse et volontairement sans fonction, aux murs blancs, meublée de cette chaise résolument dure, sur ce plancher en bois ; et il y avait la salle de la piscine qui était une extension de la maison donnant sur les terrasses. Quand on nageait vers les larges baies vitrées, à l'extrémité du bassin, on avait l'impression de nager dans le ciel. Voilà les endroits où Laura von Klosterstadt se retrouvait.

Cette pièce, pourtant, était vide à l'exception de cette chaise très dure et d'une simple commode poussée contre un des murs. Le lecteur de CD qui y était posé était l'unique élément de confort ou d'agrément autorisé en ce lieu.

Cette pièce lumineuse, c'était celle qui l'avait convaincue d'emménager dans cette maison. Elle était grande, emplie de la lumière se déversant d'une immense baie vitrée, avec un haut plafond en stuc décoré de corniches sculptées. Idéale pour une nurserie, avait-elle pensé et, sur ce, elle avait décidé d'acheter la villa.

Mais ce n'était pas une nurserie. Cette pièce était demeurée austère et blanche. Laura avait transformé sa luminosité en quelque chose de résolument stérile. C'était là qu'elle s'asseyait pour songer à un enfant de dix ans qui n'existait pas. Qui n'avait jamais réellement existé. Elle s'asseyait sur la chaise inconfortable dans la pièce stérile et blanche et imaginait à quoi l'endroit aurait ressemblé, peint de couleurs vives et empli de jouets. Avec un enfant.

C'était mieux ainsi. L'expérience que Laura avait eue de sa propre mère l'avait amenée à la conclusion qu'avoir un enfant impliquerait de transmettre à une autre génération la souffrance qu'elle-même avait endurée. La mère de Laura n'avait pas été véritablement cruelle. Elle ne l'avait ni battue ni humiliée de façon délibérée. Margarethe von Klosterstadt n'avait tout simplement jamais rien ressenti de particulier pour sa fille. Parfois elle avait regardé Laura d'une façon troublante et vaguement désapprobatrice, comme si elle essayait de la jauger ; de trouver qui ou ce qu'était Laura et de quelle manière elle pouvait se glisser dans sa vie. L'enfant avait toujours eu conscience d'être une vilaine petite fille, selon des critères établis par sa mère. Une méchante fille. Margarethe avait précisément identifié tous les défauts de Laura enfant et les avait éclairés du projecteur glacial de sa désapprobation. Sa mère avait aussi, toutefois, reconnu la beauté extraordinaire de Laura. En réalité, elle l'avait même isolée comme étant sa seule qualité. Elle avait, au début, dirigé la carrière de Laura, avant que Heinz ne soit désigné. Elle avait travaillé inlassablement, de manière même obsessionnelle, pour promouvoir la carrière de sa fille et pour s'assurer qu'elle devienne un élément important du cercle social auquel les von Klosterstadt appartenaient. Mais Laura n'avait aucun souvenir d'enfance de sa mère jouant avec elle. S'occupant d'elle. Lui souriant avec sincérité et chaleur.

Et puis il y avait eu le problème.

À peu près dix ans plus tôt, alors que la beauté de Laura était aux prémices de son épanouissement et que les contrats de mannequin commençaient à s'enchaîner, un homme était parvenu à se glisser au travers des barbelés que Margarethe von Klosterstadt avait dressés tout autour de sa fille. Et dont Laura s'était elle aussi entourée.

La mère de Laura avait pris le problème en main, elle avait tout arrangé. Laura n'avait pas dit à sa mère qu'elle était enceinte – elle venait à peine de le découvrir elle-même –, et pourtant, par des moyens quasi surnaturels que Laura ne pouvait attribuer à l'instinct maternel, Margarethe était parvenue à découvrir cette grossesse. Laura n'avait plus jamais revu son petit ami, n'avait plus jamais mentionné son nom ni même pensé à lui. Sa mère s'était assurée qu'il ne réapparaisse jamais. La famille von Klosterstadt avait les moyens de faire plier les autres selon sa volonté et elle possédait la fortune pour acheter ceux qui refusaient de se soumettre. Une semaine avant son vingt et unième anniversaire, de petites vacances furent planifiées dans une clinique privée de Londres. Après quoi la carrière sociale et professionnelle de Laura avait continué comme si rien ne s'était passé.

C'était étrange, elle avait toujours pensé que cela aurait été un garçon. Elle ne savait pas pourquoi, mais c'était ainsi qu'elle avait toujours imaginé son enfant.

Une voiture remonta l'allée. Heinz. Elle soupira, se leva de sa chaise et se dirigea vers l'entrée.

13

Dimanche 21 mars, midi – Parc naturel de Harburger Berge, sud de Hambourg.

Les découvertes avaient été presque simultanées.

Par radio, le Kommissar Hermann leur avait annoncé que deux voitures, une Mercedes sport toute neuve et une Golf VW moins récente, avaient été retrouvées à moitié dissimulées dans les bois, à l'extrémité sud du parc naturel. Ce type faisait preuve de sang-froid. Il était méthodique. Après avoir conduit la première voiture à cet endroit, le tueur avait dû mettre vingt minutes pour revenir à pied jusqu'au second véhicule. Fabel, qui voulait des détails sans en discuter par radio, rappela alors Hermann sur son portable.

– Je vais envoyer Herr Brauner et son équipe sur les lieux dès qu'ils auront fini ici. Assurez-vous que l'endroit soit préservé.

– Bien sûr, répondit Hermann et Fabel sentit qu'il l'avait légèrement blessé.

– Désolé, dit Fabel. Vous nous avez démontré très clairement que vous saviez comment sécuriser une scène de crime. Il y a quelque chose qui vous saute aux yeux là-bas ?

– C'est dans la Mercedes que les meurtres ont eu lieu, comme je le pensais. Autrement dit, l'intérieur de la voiture ne sera jamais plus comme avant. Il y a une mallette à l'arrière. On peut peut-être déduire une identité de son contenu mais personne n'y a touché pour le moment. Nous avons vérifié le numéro d'immatriculation. Le véhicule est enregistré sous le nom d'une société. Le Fournil Albertus, situé à Bostelbek, dans le quartier de Heimfeld. Un gars de mon équipe les appelle pour connaître le nom du conducteur. Pour le moment, on se contente de déclarer qu'on a retrouvé le véhicule abandonné. La Golf appartient à Hanna Grünn. Elle est enregistrée à une adresse de Buxtehude.

— Bien, je viendrai avec Herr Brauner quand nous en aurons fini ici.

— C'est amusant, dit Hermann. On dirait presque qu'il ne tenait pas vraiment à cacher les voitures. Il aurait pu les brûler.

— Non..., dit Fabel. Il se contentait simplement de gagner du temps. D'augmenter la distance entre nous et lui. Il voulait qu'on sache où il les a tués. Il a simplement choisi le moment qui l'arrangeait pour qu'on le découvre.

Holger Brauner fit la seconde découverte. Il conduisit Fabel au parking principal jusqu'à la lisière de la forêt. Le sous-bois était moins dense à un endroit et les deux hommes repoussèrent les branches pour accéder à un chemin étroit, pas même assez large pour constituer un coupe-feu. Ce chemin avait probablement servi, à un moment donné, un deuxième accès à la clairière, mais si étroit que, de toute évidence, il n'était destiné qu'aux randonneurs ou aux cyclistes. Les chaussures en cuir clair que Fabel avait payées si cher à Londres s'enfoncèrent dans la terre tourbeuse et le Hauptkommissar jura.

— Ici, dit Brauner en indiquant l'endroit où il avait disposé sur le sol plusieurs repères de scène de crime. Ce sont des empreintes fraîches de bottes. De bonne taille, elles aussi. Je dirais qu'elles appartiennent à un homme.

Il précéda Fabel plus avant sur le chemin pour lui désigner une autre empreinte.

— Fais attention, Jan. Je n'ai ni photo ni moulage pour le moment.

Fabel suivit Brauner en s'évertuant à rester sur la bordure herbeuse du sentier. Brauner s'arrêta près d'une rangée d'autres repères.

— Et là, ce sont des traces de pneus, fraîches elles aussi.

Fabel s'accroupit pour les examiner.

— Une moto ?

— Ouais...

Brauner montra l'endroit où les traces disparaissaient, absorbées par l'enchevêtrement ténébreux de la forêt.

— À mon avis, si tu demandes à un de tes hommes de suivre ce chemin, il va finir par déboucher non loin de la route principale. Quelqu'un est venu en moto jusqu'ici, à environ cent cinquante mètres du parking. Si mon interprétation de ces traces et des empreintes de bottes est correcte, il a coupé le moteur et a poussé sa moto le reste du chemin.

Il pointa le doigt vers les premières empreintes de bottes.

— Et ces marques indiquent qu'il se tenait hors de vue et qu'il observait probablement le parking.

— Notre tueur ?

— Ça se pourrait, répondit Brauner dont le visage s'éclaira de son habituel sourire bon enfant. Ou peut-être simplement un amoureux de la nature qui observe la vie sauvage nocturne du parking.

Fabel accusa réception de ce trait d'humour mais une sonnette d'alarme retentit quelque part dans sa tête. Il revint sur ses pas pour inspecter de nouveau les empreintes en les enjambant avec précaution. Les branches qu'il avait dû repousser pour accéder au chemin protégeaient à présent son corps. En son for intérieur, il remonta le temps. Il faisait nuit. Tu as attendu ici, n'est-ce pas ? Tu étais invisible, tu faisais partie de la forêt. Tu te sentais en sécurité, caché, pendant que tu guettais et attendais. Tu les as vus arriver, très probablement l'un après l'autre. Tu as surveillé l'un d'eux pendant qu'il ou elle attendait l'autre. Tu les connaissais, ou du moins tu connaissais leurs habitudes.

Tu savais que tu devais attendre que ta deuxième victime arrive. Alors tu as frappé.

Fabel se tourna vers Brauner.

– J'espère que ton intuition est bonne concernant cette découverte, Holger. Ce type n'était pas un voyeur. Il avait une idée en tête.

14

Quand Fabel et Werner se présentèrent, la Schupo locale avait déjà informé Vera Schiller qu'ils avaient découvert un corps et que tout indiquait qu'il s'agissait de son époux. Ils avaient fouillé les poches de l'homme et trouvé un portefeuille et une carte d'identité : Markus Schiller. Holger Brauner et son équipe de techniciens de la SpuSi avaient passé les deux véhicules abandonnés au crible et confirmé que la victime mâle avait été tuée à l'intérieur de la Mercedes. Ils avaient constaté une « ombre » sur le siège passager, là où les cuisses de la femme avaient empêché l'hémorragie artérielle d'imprégner le revêtement en cuir. Ils avaient relevé des traces de sang sur les rebords du capot et Brauner avait présumé que la fille avait été traînée hors de la Mercedes et égorgée tandis que le tueur la maintenait sur la carrosserie.

— Comme si c'était un billot de boucher, avait déclaré Brauner.

Dans la voiture, on avait retrouvé une mallette qui ne contenait rien de plus qu'une liasse de reçus d'essence, une contravention pour dépassement de vitesse et quelques brochures commerciales d'équipement et de produits de boulangerie.

La maison des Schiller, dont l'arrière donnait sur la lisière de la Staatsforst, était située sur un immense terrain.

L'allée qui y menait traversait tout d'abord une masse dense d'arbres qui la couvrait de manière troublante avant de s'ouvrir sur de vastes pelouses bien entretenues. Fabel eut une nouvelle fois le sentiment de pénétrer dans une clairière. La demeure était une immense bâtisse du dix-neuvième à la façade blanc cassé percée de grandes fenêtres.

— Apparemment, le commerce du petit pain rapporte, marmonna Werner quand Fabel se gara sur l'allée de gravier blanc.

Vera Schiller répondit en personne à la porte et les devança au travers d'un hall aux colonnes et sol en marbre jusqu'à un spacieux petit salon. À son invitation, les deux policiers s'assirent sur un canapé ancien. Les goûts de Fabel tendaient plus vers le contemporain, mais il savait reconnaître un meuble d'antiquité de valeur quand il en voyait un. Et ce n'était pas le seul dans la pièce. Vera était installée en face d'eux, jambes croisées, mains posées, paumes vers le bas, sur ses genoux. C'était une femme attirante aux cheveux sombres, qui approchait de la quarantaine. Tout en elle, son visage, son attitude, son demi-sourire poli quand elle les avait accueillis, laissait transparaître un contrôle de soi excessif.

— Avant toute chose, Frau Schiller, je sais que cette situation doit être très pénible pour vous, commença Fabel. À l'évidence, nous aurons besoin de vous pour identifier formellement le corps, mais il n'y a quasiment aucun doute que ce soit votre mari. Je veux que vous sachiez combien nous sommes désolés de cette perte.

Il se tortilla maladroitement, cela faisait bien deux siècles que ce canapé devait être inconfortable.

— Vous l'êtes vraiment ? demanda Vera Schiller sans animosité. Vous ne connaissiez pas Markus. Vous ne me connaissez pas.

— Néanmoins, je suis désolé, Frau Schiller, continua Fabel. Sincèrement.

Vera Schiller acquiesça brusquement. Fabel n'aurait su dire si c'était là une digue qu'elle avait édifiée à la hâte pour contenir son chagrin, ou si elle était tout bonnement froide de tempérament. Il sortit un sachet transparent de sa poche. La photo de Markus Schiller sur sa carte d'identité était visible au travers du plastique.

— Est-ce votre époux, Frau Schiller ?

Elle jeta un coup d'œil rapide puis fixa Fabel trop calmement.

— Oui. C'est Markus.

— Avez-vous une quelconque idée de la raison pour laquelle votre époux se trouvait dans la parc naturel à une heure aussi tardive ? demanda Werner.

Elle eut un rire amer.

— J'aurais cru que c'était évident pour vous. Vous avez également retrouvé le corps d'une femme, à ce qu'il me semble ?

— Oui, dit Fabel. Une femme du nom de Hanna Grünn, c'est du moins ce que nous sommes en mesure d'affirmer pour le moment. Ce nom vous dit quelque chose ?

Pour la première fois, Fabel crut déceler une lueur évoquant la douleur dans les yeux de Vera Schiller. Elle la retint aussitôt, et son rire faux et sa réponse fusèrent comme un jet d'acide.

— Pour mon mari, la fidélité était un concept aussi abstrait et difficile à saisir que la physique nucléaire. Une valeur tout simplement au-delà de son entendement. Il y a eu d'innombrables autres femmes mais, oui, je reconnais ce nom. Vous savez, Herr Hauptkommissar, ce que je trouve véritablement déplaisant dans tout cela, ce n'est pas que Markus ait eu une liaison avec une autre femme – Dieu sait combien je me suis accoutumée à cette situation – mais qu'il n'ait pas eu l'élégance, ou même l'imagination, voire le bon goût, de chasser ailleurs que dans notre propre usine.

Fabel échangea un regard fugace avec Werner.

— Cette femme travaillait pour vous ?

— Oui. Hanna Grünn travaillait chez nous depuis six mois environ. À la chaîne de production, sous la responsabilité de Herr Biedermeyer. Il saurait mieux vous parler d'elle que moi. Mais je me souviens de ses débuts. Très jolie et provinciale. J'ai tout de suite vu en elle le type de proie qu'affectionnait Markus. Mais je n'ai pas pensé une seconde qu'il sauterait le petit personnel.

Fabel soutint son regard. La vulgarité du propos ne collait pas vraiment avec l'attitude digne et le sang-froid de Vera Schiller. Et c'était résolument pour cette raison qu'elle s'était exprimée ainsi.

— Vous comprendrez, Frau Schiller, que je doive vous demander où vous vous trouviez la nuit dernière ?

Un nouveau rire acide.

— La femme trompée et furieuse qui se venge ? Non, Herr Fabel, je n'avais aucun besoin de recourir à la violence. Je ne savais rien de la liaison de Markus avec Fräulein Grünn. Et, si j'en avais eu vent, je ne m'en serais pas souciée. Markus savait qu'il y avait des limites qu'il ne pouvait pas dépasser avec moi. Voyez-vous, je possède la société Fournil Albertus. C'était l'affaire de mon père. Markus n'est qu'un...

Elle marqua une pause, prit un air renfrogné avant de secouer la tête, comme si son incapacité à s'adapter à cette nouvelle réalité l'ennuyait.

— ... Markus n'était qu'un simple employé. Je possède également cette maison. Je n'avais nul besoin de tuer Markus. Il ne dépendait que de moi de faire de lui un chômeur et un sans-abri. Pour quelqu'un ayant des goûts de luxe comme Markus, c'était la menace ultime.

— Votre emploi du temps, hier soir ? répéta Werner.

— Je me trouvais à une réception à Hambourg, une manifestation de l'industrie agro-alimentaire, jusqu'à environ une heure du matin. Je peux vous donner des détails plus précis.

Fabel balaya une nouvelle fois la pièce du regard. Il y avait de l'argent ici. Beaucoup d'argent. Avec les relations adéquates, on pouvait acheter n'importe quoi à Hambourg pourvu qu'on ait l'argent. Y compris un tueur. Il se leva du canapé inconfortable.

— Merci de nous avoir accordé de votre temps, Frau Schiller. Si cela ne vous dérange pas, j'aimerais visiter vos bureaux et parler à quelques-uns de vos employés. J'imagine que vous allez probablement fermer le Fournil Albertus pour quelques jours, mais...

– Nous serons ouverts demain comme d'habitude, le coupa Frau Schiller. Je serai à mon bureau.

– Vous allez travailler demain ?

Si Werner tentait de dissimuler son incrédulité, c'était raté. Frau Schiller se leva.

– Vous m'informerez à mon bureau des arrangements pris pour l'identification.

Quand ils quittèrent l'allée pour s'engager sur la route, les arbres semblèrent se refermer derrière eux. Fabel essaya d'imaginer Frau Schiller, à présent seule dans le salon luxueusement décoré, la digue protectrice se craquelant, s'autorisant enfin le chagrin et les larmes. Mais, bizarrement, il n'y parvint pas.

15

Quand Fabel ouvrit la porte de son appartement, il entendit d'abord le CD de musique classique, puis des bruits provenant de la kitchenette. Il éprouva un curieux mélange de sentiments. Cela le rassura, le réconforta même de trouver autre chose qu'un espace vide. Mais il ne put cependant s'empêcher d'avoir comme une sensation d'intrusion. Il était heureux que Susanne et lui n'aient pas encore pris la décision d'emménager ensemble ou, au moins, il pensa l'être. Peut-être que le moment viendrait bientôt. Mais pas encore. Et il soupçonnait qu'elle ressentait la même chose. Bizarrement, le fait de repousser cette échéance inquiétait Fabel : il était plutôt habitué à prendre des décisions dans sa vie professionnelle mais, dans sa vie privée, il en semblait incapable. Les bonnes décisions en tout cas. Et il était conscient que son hésitation, sa tendance au flou, avait, du moins en partie, conduit à l'échec de son mariage avec Renate.

Il se débarrassa de sa veste Jaeger, de son holster et de son arme sur le canapé en cuir avant de se diriger vers la cuisine. Susanne préparait une omelette pour accompagner la salade. Du pinot Grigo frais givrait déjà les parois de deux verres à vin.

– J'ai pensé que tu aurais faim, dit-elle comme il se glissait derrière elle et passait ses bras autour de sa taille.

Elle avait relevé ses longs cheveux et il embrassa sa

nuque dénudée. L'odeur sensuelle de Susanne l'enveloppa. C'était l'odeur de la vie. De la vigueur. Aussi bonne qu'un bon vin après une journée passée avec des morts.

– J'ai faim, dit-il. Mais je vais d'abord prendre une douche...

– Gabi a appelé, lui lança Susanne alors qu'il entrait dans la cabine de douche. Rien d'important. Elle voulait juste bavarder. Elle a parlé à ta mère : elle va bien.

– Parfait. Je les appellerai toutes les deux demain, répondit Fabel en souriant.

Il avait craint que sa fille Gabi en veuille à Susanne. Ce n'était pas le cas, elles s'étaient entendues dès le début. Susanne avait immédiatement fondu devant l'intelligence et l'esprit vif de Gabi et la jeune fille avait été impressionnée par la beauté de Susanne, son style et son boulot « super cool ».

Après le repas, Fabel et Susanne restèrent assis à bavarder de tout et de rien, sauf de leur travail. La seule référence de Fabel à sa journée fut de demander à Susanne si elle pouvait assister à son briefing sur l'affaire le lendemain après-midi. Ils allèrent se coucher et firent l'amour avec une douceur paresseuse et langoureuse avant de s'endormir.

Il était dressé dans le lit quand il se réveilla. Il sentit le picotement de la sueur sur son dos.

– Tu vas bien ? demanda Susanne d'une voix inquiète.

Il avait dû la réveiller.

– Un autre de tes rêves ?

– Oui... Je ne sais pas..., répondit-il en fronçant les sourcils dans le noir, regardant la porte de la chambre puis les fenêtres, au-delà du scintillement des lumières se reflétant sur l'eau de l'Aussenalster, comme s'il s'efforçait de saisir le rêve qui s'enfuyait. Je crois.

– Cela t'arrive trop souvent, Jan, dit-elle en posant la main sur son bras. Ces rêves signifient que tu ne t'en sors plus avec... eh bien, ces choses dont tu es censé te débrouiller.

– Je vais bien.

Sa voix était trop froide, trop dure. Il se tourna vers elle et se radoucit.

– Je vais bien. Sincèrement. C'est peut-être ton omelette au fromage...

Il éclata de rire puis s'allongea. Elle avait raison : les
rêves ne faisaient que s'intensifier. Chaque affaire maintenant semblait envahir le paysage de ses songes. Mais il lui
mentit :

– Je n'arrive même pas à me souvenir de celui-ci

Deux enfants sans visage, un garçon et une fille, assis
dans la clairière d'une forêt, partageaient un maigre pique-
nique. La villa de Vera Schiller se profilait au travers des
arbres. Il ne s'était rien passé dans ce rêve, mais Fabel avait
éprouvé un écrasant sentiment de malveillance.

Couché dans le noir, il réfléchissait, étirant son esprit
au-dessus de la ville extérieure. Le parc boisé, isolé, au sud
de Hambourg, occupait ses pensées. « Hänsel et Gretel ».
Des enfants perdus dans la forêt obscure. Dehors toujours,
à longer l'Elbe noir vers les sables pâles des rivages du
Blankenese. Une fille allongée près de l'eau. C'était le
début. Fabel était censé comprendre cela. C'étaient les
notes d'ouverture et il avait manqué leur sens.

Son esprit fatigué avait des ratés, mélangeait des éléments sans lien entre eux. Il pensa à Paul Lindemann, le
jeune policier qu'il avait perdu lors de leur dernière grosse
enquête. Il pensa à Hank Hermann, le Kommissar qui avait
sécurisé la scène dans le parc naturel, puis à Klatt, le Kommissar de la KriPo de Norderstedt. Deux éléments extérieurs à l'équipe de la Mordkommission, dont l'un d'eux,
selon Fabel, risquait de finir par en faire partie. Mais il ne
savait encore lequel des deux. Un rire dans la rue. Quelque
part sur Milchstrasse, des gens sortaient d'un restaurant.
D'autres vies.

Fabel ferma les yeux. « Hänsel et Gretel ». Un conte
de fées. Il se rappela l'interview qu'il avait écoutée à la radio
en revenant de Norddeich, mais son cerveau épuisé refusa
de s'ouvrir au nom de l'auteur. Il demanderait à son ami
Otto qui possédait une librairie dans l'Alsterarkaden.

Un conte de fées.

Fabel s'endormit.

16

Lundi 22 mars, 10 heures – Alsterarkaden, Hambourg.

La librairie Jensen était située sous les élégantes arcades en bordure d'Alster. La boutique vivement illuminée dégageait une froideur d'Europe du Nord et aurait aussi bien trouvé sa place à Copenhague, Oslo ou Stockholm qu'à Hambourg. La décoration intérieure était simple et contemporaine, des étagères et des finitions en hêtre. Tout dans cet espace suggérait l'organisation et l'efficacité, ce qui faisait toujours sourire Fabel, car il savait le propriétaire des lieux, Otto Jensen, totalement désordonné. Otto était un ami proche depuis l'université. Grand, dégingandé et excentrique, une cible mouvante de chaos. Pourtant, dans les méandres de ce physique maladroit, se cachait un cerveau d'ordinateur.

La librairie Jensen n'était pas en pleine effervescence à l'arrivée de Fabel. Otto, dos tourné à la porte, étirait sa silhouette de près de deux mètres pour ranger des livres sur les étagères. Un ouvrage lui échappa et Fabel plongea en avant pour le rattraper.

– Je suppose que les réflexes éclair sont une condition nécessaire à un guerrier du crime. C'est tout à fait rassurant.

Otto sourit à son ami et ils se serrèrent la main. Ils s'enquirent de leur santé respective, de leurs compagnes et enfants respectifs, puis ils bavardèrent quelques minutes avant que Fabel explique la raison de sa visite.

– Je cherche un livre récent. Un roman. Un *Krimi*, je suppose. Je ne me souviens ni du titre ni de l'auteur, mais l'histoire s'appuie sur l'idée qu'un des frères Grimm était un meurtrier...

Otto sourit d'un air entendu.

– *La Route des contes,* de Gerhard Weiss.

– C'est ça ! s'exclama Fabel en claquant des doigts.

– Ne sois pas impressionné par ma connaissance étonnante en matière de romans, mais sa maison d'édition mise tout dessus en ce moment. Et je crois que tu vexerais la sensibilité littéraire de Herr Weiss en décrivant son roman comme étant un *Krimi*. Son livre repose sur le principe que « l'art imite la réalité qui imite l'art ». Il y a plus d'une sommité du monde littéraire qui se déchaîne à ce sujet, expliqua Otto en fronçant les sourcils. Pourquoi donc veux-tu acheter un polar historique ? Tu n'as pas assez de la réalité que te sert Hambourg ?

– Si seulement c'était le cas, Otto. Il est bon, ce livre ?

– C'est de la provocation, ça, c'est sûr. Et Weiss maîtrise son sujet en matière de folklore, de philologie et de l'œuvre des frères Grimm. Mais son style est prétentieux et ampoulé. En vérité, ce n'est qu'un vulgaire thriller avec des prétentions littéraires. Enfin, c'est mon avis... Viens prendre un café, dit Otto en conduisant Fabel vers la section Arts de la boutique.

La librairie avait subi quelques changements depuis la dernière visite de Fabel : une allée avait été supprimée pour ouvrir l'espace. La coursive dominait à présent un endroit agrémenté de canapés en cuir et de tables basses chargées de journaux et de livres. Un comptoir garni d'une machine à café avait été installé dans le coin.

– C'est le truc maintenant, expliqua Otto en souriant. Je me suis lancé dans ce métier parce que j'aimais la littérature. Parce que je voulais vendre des livres. Aujourd'hui je sers des *caffè latte* et des *macchiatos*.

Il désigna un canapé et Fabel s'installa tandis qu'Otto se dirigeait vers le comptoir. Il revint quelques minutes plus tard, un livre sous le bras et deux tasses de café dans les mains. Il en posa une devant Fabel. Sans surprise, Otto avait répandu du café dans la soucoupe.

– À ta place, Otto, je m'en tiendrais aux livres, déclara Fabel en souriant à son ami.

Otto lui tendit le roman.

– Voilà, *La Route des contes.*

C'était un livre grand format épais, à la jaquette noire troublante, au titre écrit en caractères Gothic Fraktur. Une illustration d'une gravure du dix-neuvième, représentant une petite fille vêtue d'un chaperon rouge qui se promenait dans la forêt, des yeux rouges brillant dans l'obscurité derrière elle, était insérée en vignette au centre de la couverture. Fabel retourna le livre pour examiner la photo de Weiss : le visage sans sourire était dur et large, presque brutal, au-dessus de la masse de son cou et de ses épaules.

– Tu as déjà lu un de ses livres, Otto ?

– Pas vraiment... J'en ai feuilleté deux ou trois. Il a déjà publié un ouvrage du même genre. Il a un vrai lectorat. Un lectorat un peu bizarre. Mais il semble qu'il touche un public plus large avec celui-ci.

– Qu'est-ce que tu entends par « lectorat bizarre » ?

– Ses livres précédents étaient des romans fantastiques. Il les a appelés les *Wahlwelten Chronik*, Les Chroniques des Mondes-Choix. Ils étaient basés sur la même idée que son dernier livre mais l'action se déroulait dans un monde totalement imaginaire.

– De la science-fiction ?

– Pas exactement, répondit Otto. Le monde que Weiss a créé était presque similaire au monde réel, mais les pays portaient des noms différents, leur histoire était différente, etc. Cela tenait plus du monde parallèle, je suppose. En tout cas, il incitait ses fans à acheter une place dans ses livres. S'ils lui envoyaient quelques milliers d'euros, il leur écrivait une histoire. Plus ils payaient, plus leur rôle dans l'histoire était important.

– Et pourquoi paierait-on pour ça ?

– C'est lié aux théories littéraires excentriques de Weiss.

Fabel observa le visage de l'auteur, aux yeux incroyablement foncés, si sombres qu'il était difficile de distinguer les pupilles des iris.

— Explique-les-moi... Ses théories.

Otto fit une grimace qui suggérait la difficulté de la mission.

— Mon Dieu, je ne sais pas, Jan. C'est un mélange de superstition et de physique quantique, je pense. Ou je suppose, plus précisément, de la superstition assaisonnée à la physique quantique.

— Otto..., soupira Fabel en souriant avec impatience.

— D'accord... Voyons ça de cette manière. Certains physiciens pensent qu'il existe un nombre infini de dimensions dans l'univers, n'est-ce pas ? Et qu'en conséquence il existe un nombre infini de possibilités et de variations de la réalité.

— Oui... Enfin, je crois...

— Bon, poursuivit Otto. L'hypothèse scientifique a toujours incarné une croyance artistique pour nombre d'écrivains. Ils peuvent être sacrément superstitieux. Je sais que plusieurs auteurs reconnus évitent de s'inspirer pour leurs personnages de gens qu'ils connaissent, tout simplement parce qu'ils craignent que tout ce qu'ils auraient imaginé se reflète dans la réalité. Tu tues un enfant dans un livre, et un enfant meurt dans la réalité, ce genre de truc. Ou, encore plus effrayant, tu écris un roman à propos de meurtres terribles et, quelque part, dans une autre dimension, la fiction devient réalité.

— C'est n'importe quoi. Alors, dans une autre dimension, toi et moi ne serions que des personnages fictifs ?

Otto haussa les épaules.

— Je ne fais que t'exposer la théorie de Weiss. En plus du charabia métaphysique, il ajoute à son hypothèse que notre concept de l'histoire tend à se définir plus par le biais de portraits de personnages littéraires, ou de plus en plus cinématographiques, que par les documents historiques et les recherches archéologiques.

— Alors, en dépit de tous ses démentis, Weiss sous-entend qu'en écrivant simplement cette fiction sur Jacob Grimm, ce dernier est coupable de ces crimes dans une autre dimension imaginaire. Ou bien que Grimm sera jugé coupable par les générations futures qui choisiront de croire à la fiction de Weiss plutôt qu'à l'histoire documentée.

— Exactement. Peu importe, Jan..., dit Otto en tapotant le livre que tenait Fabel. Bonne lecture. Autre chose dont tu as besoin ?

— En fait, oui... Tu as des recueils de contes ?

17

La salle de conférences de la Mordkommission aurait pu faire penser à une salle de lecture de bibliothèque, n'était la présence des photos de scènes de crime scotchées au panneau blanc, à côté des tirages agrandis des notes laissées dans les mains des trois victimes. La table était entièrement recouverte de livres de tous formats. Certains avaient le lustre brillant des nouvelles parutions, d'autres étaient cornés et quelques-uns étaient clairement des volumes anciens. Fabel avait apporté sa contribution en y ajoutant les livres qu'il avait achetés à la librairie Jensen : trois exemplaires du polar de Gerhard Weiss, un des *Contes de Grimm*, un recueil de contes de Hans Christian Andersen et un autre de Charles Perrault. Anna Wolff avait emprunté les autres à la bibliothèque principale de Hambourg.

À l'arrivée de Fabel, Anna Wolff, Maria Klee et Werner Meyer étaient déjà présents. Le Kommissar Klatt, de la KriPo du Schleswig-Holstein, était également installé parmi eux mais, bien que l'équipe bavardât à bâtons rompus avec lui, quelque chose dans le langage corporel des officiers de la Mordkommission excluait le nouveau venu. Fabel venait juste de s'asseoir à l'extrémité de la table quand Susanne Eckhardt arriva à son tour. Elle s'excusa de son retard auprès de Fabel avec l'attitude formelle que les deux amants adoptaient automatiquement quand leurs professions les amenaient à se croiser.

– Très bien, dit Fabel d'un ton déterminé. Commençons. Nous avons deux scènes de crime et trois victimes. De plus, la première victime présentant un lien direct avec l'enquête du Kommissar Klatt concernant une jeune fille disparue depuis trois ans, nous devons supposer, malheureusement, qu'il existe une quatrième victime.

Il se tourna vers Werner.

– Qu'avons-nous pour l'instant ?

Werner exposa les informations en leur possession à ce jour. La première victime avait été découverte par une femme du Blankenese sortie faire une promenade matinale sur la plage avec son chien. Dans le second cas, la police avait été informée par un appel anonyme au standard téléphonique de la Polizeieinsatzzentrale. L'appel provenait d'une cabine téléphonique de station-service sur l'autoroute B73. Fabel repensa aux traces de pneus de moto sur le sentier qui sortait du Naturpark. Mais pourquoi cet homme aurait-il dissimulé les voitures pour gagner du temps avant d'aider la police à localiser les corps ? Werner ajouta que Brauner avait rappelé au sujet des deux séries d'empreintes de bottes. Celles que Hermann avait découvertes sur le sentier de randonnée ne correspondaient pas à celles localisées près du parking.

– Le truc bizarre, dit Werner, c'est que bien que les empreintes de bottes soient différentes, la pointure est la même. Une très grande pointure... Du 50.

– Peut-être a-t-il changé de bottes, pour une raison ou une autre, avança Anna.

– On se concentre sur le motard qui a utilisé le chemin de service forestier, dit Fabel. Il guettait les victimes. C'est un élément de préméditation.

– On attend toujours les résultats d'autopsie de la première victime, poursuivit Werner, ainsi que le rapport forensique sur les voitures abandonnées dans les bois. Mais il est probable que la première victime a été étranglée, et le double meurtre implique, selon toute apparence, une arme et un mode opératoire différents. Le lien entre les meurtres réside uniquement dans les petits messages placés dans les mains des victimes.

Werner se leva pour lire à haute voix le contenu des messages.

— Ce que nous devons vérifier, dit Susanne, c'est si cette dernière référence, l'utilisation de l'histoire de Hänsel et Gretel, est juste une mauvaise plaisanterie de circonstance, vu qu'il a abandonné ses victimes dans les bois, ou si le meurtrier élabore réellement une sorte de relation avec les contes.

— Mais il n'y a aucune référence à un conte dans le message de la première victime, déclara Fabel.

— À moins que nous ne passions tout simplement à côté de la référence, dit Susanne.

— Restons-en à Hänsel et Gretel pour le moment, décida Fabel. Supposons que notre type essaie de nous dire quelque chose. Qu'est-ce que ça peut-être ? Qui sont « Hänsel et Gretel » ?

— Des innocents perdus dans le bois. Des enfants, déclara Susanne en s'appuyant contre le dossier de son fauteuil. Aucun des deux ne correspond à ce que nous savons des victimes. C'est un conte populaire traditionnel allemand... l'un de ceux rassemblés et rapportés par les frères Grimm... C'est également un opéra de Humperdinck. Hänsel et Gretel étaient frère et sœur. Encore une fois, cela ne colle pas avec les deux victimes. Leur personnification de l'innocence mise en danger par la corruption et le mal, dont ils triomphent à la fin...

Susanne fit un geste des mains qui voulait dire « et voilà ».

— J'ai trouvé ! s'exclama Anna Wolff qui feuilletait l'un des livres sur la table.

— Quoi ? fit Fabel. La connexion avec Hänsel et Gretel ?

— Non... Non... Désolée, chef, je pensais à la première victime. Je crois que j'ai trouvé le lien avec les contes de fées. Une jeune fille trouvée sur une plage, c'est ça ? Près de l'eau ?

Fabel acquiesça d'un air impatient.

Anna redressa le livre afin que tout le monde puisse voir. Sur la page opposée à celle du texte figurait une illustration à la plume et à l'encre d'une fille à la mine triste, assise sur un rocher devant la mer. Elle évoquait la fameuse statue que Fabel avait vue lors d'une visite à Copenhague.

– La Petite Sirène ? Hans Christian Andersen ?

Le ton de la voix de Fabel était dubitatif, er pourtant un chœur approbateur s'éleva autour de la table. Il regarda une nouvelle fois l'image. C'était une icône. La jeune fille assise sur le rocher, les jambes croisées sous le corps, à la façon d'une queue de sirène. Un véritable cadeau pour un tueur en série cherchant à mettre en scène une victime : une posture instantanément reconnaissable. Et pourtant la fille sur la plage n'était ni assise ni appuyée contre un rocher. Il n'y avait d'ailleurs aucun rocher alentour. Mais il y avait le message. Il y avait cette fausse identité. Et il y avait cette phrase : « Je suis restée sous terre. »

– Je ne sais pas, Anna, dit-il finalement. C'est possible. Mais il y a tant d'éléments qui ne collent pas. On peut continuer à chercher ?

Chaque membre de l'équipe s'empara d'un livre. Fabel choisit les contes d'Andersen et lut rapidement « La Petite Sirène ». Il repensa à la fille assassinée, son regard azur. Allongée, attendant d'être découverte, à la lisière de l'eau. Anna compulsait un exemplaire des contes des frères Grimm tandis que Susanne parcourait les *Légendes allemandes*. Soudain, Susanne releva la tête comme si elle avait été piquée au vif.

– Vous avez tort, Frau Kriminalkommissarin, dit-elle à Anna. Notre tueur utilise les frères Grimm comme référence littéraire, et pas Andersen, ni Perrault. Notre fille morte n'est pas censée représenter la Petite Sirène... Elle est censée incarner une enfant échangée.

Un courant électrique parcourut la peau de Fabel.

– Continue...

– Il y a une histoire rapportée par les Grimm. Elle a pour titre « L'Enfant échangé », et il y en a une autre qui s'intitule : « Les deux femmes souterraines ».

Le frisson sur la peau de Fabel s'intensifia.

– D'après les notes qui accompagnent ces textes, il existait tout un système de croyances selon lesquelles les enfants, et plus particulièrement ceux qui n'étaient pas baptisés, étaient enlevés par les peuples souterrains, qui laissaient des enfants échangés à leur place. Mais écoutez plutôt : ces peuples souterrains utilisaient souvent l'eau comme mode de déplacement et nombre de ces contes racontent comment les enfants échangés étaient abandonnés sur les rives de l'Elbe ou de la Saale...

— Et le Blankenese borde l'Elbe, dit Fabel. De plus, nous avons une mention explicite des peuples « souterrains » dans le message laissé dans la main de la fille. Et elle a été abandonnée là avec l'identité d'une autre fille disparue. Une enfant échangée.

Werner soupira.

— Mon Dieu, on a vraiment besoin de ça. Un tueur psychotique féru de littérature. Vous pensez qu'il a l'intention de mettre en scène ses meurtres en se basant sur tous les contes des Grimm ?

— Il vaut mieux prier que ce ne soit pas le cas, répondit Susanne. D'après la table des matières de cette édition, les frères Grimm ont recueilli plus de deux cents histoires.

18

Möller était grand, plus grand que Fabel, et élancé. Il avait des cheveux blonds striés d'ivoire et des traits fins et anguleux. Fabel avait toujours considéré Möller comme une de ces personnes dont l'apparence change selon le style de vêtements qu'elles portent : le visage de Möller aurait pu être celui d'un pêcheur de la mer du Nord ou celui d'un aristocrate, tout dépendait de sa tenue. Comme s'il en était conscient, et pour présenter une image en accord avec sa nature impérieuse, Möller adoptait volontiers le style du gentleman anglais. Quand Fabel entra dans le bureau de l'anatomopathologiste, Möller était en train d'enfiler une veste verte en velours côtelé sur sa chemise de Jermyn Street. Il contourna sa table et Fabel s'attendit presque à le voir porter ces bottes en caoutchouc vert que la famille royale anglaise semblait préférer aux Gucci.

– Qu'est-ce que vous voulez, Fabel ? demanda Möller, peu amène. Je rentre chez moi. *Feierabend.* Quoi que ce puisse être, cela pourra attendre jusqu'à demain.

Fabel demeura silencieux, immobile à la porte du bureau. Möller soupira mais ne se rassit pas.

– D'accord. Qu'est-ce que c'est ?

– Vous avez pratiqué l'autopsie post-mortem de la jeune fille retrouvée sur la rive de l'Elbe ?

Möller acquiesça sèchement, ouvrit un dossier sur son bureau et en sortit un rapport.

— J'allais vous le remettre demain. Bonne lecture.

Affichant un sourire impatient et fatigué, il fit claquer le rapport contre le torse de Fabel en se dirigeant vers la porte. Ce dernier ne broncha pas mais s'essaya à un sourire désarmant.

— Je vous en prie, Herr Doktor. Juste les points importants.

Möller soupira.

— Comme j'en ai déjà informé le Kriminaloberkommissar Meyer, la cause de la mort est l'asphyxie. Il y avait des traces de petits vaisseaux sanguins endommagés autour de la bouche et du nez, ainsi que des marques de ligature autour du cou. Il semblerait qu'elle a été étranglée et étouffée simultanément. Il n'y avait aucune preuve de traumatisme sexuel ou de quelque forme d'activité sexuelle dans les quarante-huit heures précédant sa mort. Bien qu'elle ait été active sexuellement.

— Des abus sexuels ?

— Rien qui puisse suggérer autre chose qu'une activité sexuelle normale. Il n'y avait aucune trace du type de cicatrices internes indiquant un abus sexuel précoce. Le seul autre élément révélé par l'autopsie, c'est que ses dents étaient en très mauvais état. Ça aussi, je l'ai expliqué à Herr Meyer. Elle n'est pas allée souvent chez le dentiste et, dans les rares cas où elle a dû en voir un, c'était de toute évidence pour des soins d'urgence, parce qu'elle avait mal. Le nombre de caries était considérable, sa gencive était abîmée et une molaire gauche inférieure avait été arrachée. J'ai relevé également deux fractures anciennes. Une au poignet droit et l'autre à la main gauche. Elles se sont réduites d'elles-mêmes. Elles pourraient être les conséquences de négligence, mais également de maltraitance. La fracture au poignet aurait pu être provoquée par une violente torsion.

— Werner m'a informé qu'elle n'avait pas beaucoup mangé au cours des deux jours précédant sa mort.

Möller arracha le rapport des mains de Fabel et le feuilleta.

– Sûrement pas pendant les dernières vingt-quatre heures, mis à part du pain de seigle consommé une heure ou deux avant le décès.

Pendant un moment, Fabel se retrouva projeté ailleurs : dans un endroit obscur et effrayant avec une jeune fille terrifiée dévorant son dernier repas sans substance. Il ne connaissait aucun détail de la vie de cette fille, mais il devinait qu'elle avait dû être aussi malheureuse que courte. Möller lui rendit le rapport en haussant les sourcils et désigna la porte d'un mouvement de tête.

– Oh, désolé, Herr Doktor, s'excusa Fabel en s'écartant. Merci. Merci beaucoup.

Fabel ne retourna pas à la Mordkommission. Il rentra chez lui, gara sa BMW sur son emplacement réservé dans le parking souterrain. Il ne parvenait toujours pas à oublier les yeux bleus de la fille. Plus que l'horreur de la seconde scène de crime, c'était le regard presque vivant de la victime de la rive du Blankenese qui le hantait. L'Enfant échangée. La fausse enfant non désirée comme substitut de celle aimée et véritable. Encore une fois, il imagina ses dernières heures : le repas frugal qu'elle avait consommé, très probablement servi par son assassin ; ensuite elle avait été étranglée et étouffée. Cela rappela à Fabel les sacrifices anciens dont on retrouvait si souvent les traces dans les tourbières de l'Allemagne du Nord et du Danemark : des corps préservés pendant plus de trois millénaires dans le sol sombre, épais et humide. Beaucoup de ces victimes avaient été étranglées ou noyées. Ces corps, dont les vêtements évoquaient un rang social élevé, révélaient également que le dernier repas des sacrifiés avait consisté en un frugal plat de gruau. À quoi cette fille avait-elle été sacrifiée ? Il n'y avait aucune preuve de motivation sexuelle, alors au nom de quoi avait-elle dû abandonner sa vie ? Avait-elle dû tout simplement mourir parce qu'elle ressemblait tant à cette autre fille, qui était probablement morte elle aussi ?

Fabel entra chez lui. Susanne travaillait encore à l'institut et n'arriverait que plus tard. Il posa sur la table basse les livres qu'il avait achetés à la boutique d'Otto. Il se versa un verre de vin blanc glacé avant de se laisser tomber sur le canapé en cuir. L'appartement de Fabel occupait le dernier étage de ce qui avait été autrefois une majestueuse et robuste villa, située dans la partie à la mode de Pöseldorf, dans le quartier Rotherbaum. Les meilleurs restaurants et cafés de Hambourg se trouvaient à deux pas de chez lui. Fabel s'était privé pour se payer cet appartement, il avait privilégié une vue fantastique et un emplacement agréable aux dépens de l'espace. Cette acquisition datait de l'époque où l'économie était incertaine et où les prix de l'immobilier en ville avaient chuté : il avait souvent fait le constat amer que l'économie allemande et son mariage s'étaient effondrés en même temps. Il ne pourrait plus s'offrir un endroit pareil maintenant, même avec son salaire de Erster Kriminalhauptkommissar. L'appartement se trouvait à un bloc de Milchstrasse, et les fenêtres du sol au plafond donnaient sur Magdalenen Strasse, l'Alsterpark et le vaste lac de l'Aussenalster. Il contempla la ville et l'immensité du ciel derrière les baies. Hambourg s'étalait sous ses yeux. Une forêt obscure dans laquelle des millions d'âmes pouvaient se perdre.

Il appela sa mère. Elle allait bien et se plaignit qu'il se fasse du souci pour elle, lui avoua qu'elle s'inquiétait pour Lex qui mettait ses affaires en danger en restant avec elle au lieu de retourner à son restaurant de Sylt. Une fois de plus, Fabel se sentit rassuré par la voix de sa mère au téléphone. Une voix sans âge qu'il pouvait dissocier des cheveux blancs et de la mobilité réduite. Dès qu'il eut raccroché, il appela Gabi. Son ex-femme, Renate, répondit. Son ton, comme toujours, balançait entre l'indifférence et l'hostilité. Fabel n'avait jamais vraiment compris pourquoi Renate se comportait de cette façon avec lui. Comme si elle le tenait pour responsable du fait qu'elle ait eu une aventure qui avait fait exploser leur mariage en morceaux, irrémédiablement. La voix de Gabi, au contraire, était comme de coutume pleine de lumière. Ils bavardèrent pendant un moment de la mère de Fabel, du travail à l'école de Gabi et du week-end qu'ils allaient bientôt passer ensemble.

— Tu te souviens des soirs où je te lisais des histoires ? demanda Fabel au bout d'un moment.

— Oui, *Papi*. Ne me dis pas que tu comptes me border avec un verre de lait chaud et une histoire de Pierre l'Ébouriffé la prochaine fois que je viens te voir.

Fabel éclata de rire.

— Non... non, sûrement pas. Tu te rappelles que tu ne voulais jamais que je te lise les contes des frères Grimm ? Ni « Blanche-Neige », ni « La Belle au bois dormant » ?

— Je me souviens très bien. Je détestais ces histoires.

— Pourquoi ?

— Je ne sais pas, vraiment. Elles me faisaient peur. Non... Elles me filaient la chair de poule. C'était comme si ces histoires pour les enfants étaient en fait destinées aux adultes. Un peu comme les clowns, tu vois ? Ils sont censés être amusants et amicaux, mais ils ne le sont pas. Ils sont sombres. Sombres et vieux... Comme ces figures en bois gravé qu'on porte dans le Sud pour le carnaval. On sait que ces choses ont à voir avec plein de vieux trucs auxquels les gens croyaient autrefois. Pourquoi tu me poses cette question ?

— Oh, pour rien. Juste quelque chose qui m'est revenu aujourd'hui.

Fabel ramena la conversation sur la famille et leurs arrangements pour le week-end. Jamais il ne s'était aventuré ainsi, à faire planer l'ombre de son travail sur sa relation avec sa fille. Après avoir raccroché, il se prépara des pâtes, se versa un autre verre de vin et s'assit pour lire, tout en mangeant, l'introduction du livre de Gerhard Weiss.

L'Allemagne est le cœur de l'Europe et la Route des contes est l'âme de l'Allemagne. La Route des contes est l'histoire de l'Allemagne. La Route des contes est l'Allemagne.

Notre langue, notre culture, nos réussites et nos échecs, notre beauté et notre vilenie : la Route des contes rassemble toutes ces choses. Cela a toujours été et cela sera toujours. Nous sommes les enfants perdus dans les bois avec notre innocence comme unique guide ; mais nous avons également été les loups qui s'attaquent aux faibles. Plus que quiconque, nous, Allemands, avons aspiré à la grandeur : à la grandeur du bien comme celle du mal. Ce sont les tours et détours que nous avons toujours suivis et le conte populaire allemand est un conte de pureté et de corruption, d'innocence et de fourberie.

Cette histoire est l'histoire d'un grand homme. Un homme qui nous a aidés à nous comprendre ainsi qu'à comprendre notre langue. Cette histoire, puisque ce n'est rien d'autre qu'une histoire, suit ce grand homme le long de la Route des contes, le long du chemin qu'il a véritablement emprunté, mais cette histoire pose également la question suivante : et s'il s'était écarté du chemin pour s'aventurer dans les ténèbres de la forêt ?

Fabel feuilleta le roman. Il était écrit sous la forme d'un carnet de voyage fictif, le journal de voyage de Jacob Grimm à l'époque où il parcourait l'Allemagne afin de collecter les contes de fées. Grimm y était décrit comme un pédant tatillon qui appliquait la même attention aux détails des meurtres qu'il commettait qu'à son travail de philologue et de folkloriste. Puis Fabel parvint à un chapitre qui lui fit poser son verre de vin. Le chapitre était intitulé « L'Enfant échangé ».

« L'Enfant échangé » est un conte édifiant : c'est aussi l'un des plus anciens. Il n'exprime pas seulement que la plus grande des peurs est celle de perdre son enfant, mais il évoque aussi l'horreur d'une présence fausse, malveillante et pernicieuse dans la famille et la maison. De plus, il avertit les parents qu'ils seront punis du moindre manque de vigilance dans le soin de leur progéniture. Le conte de « L'Enfant échangé » est apparu sous des formes innombrables, en Allemagne, aux Pays-Bas, au Danemark, en Bohême, en Pologne et plus loin encore. Même Martin Luther croyait profondément aux enfants échangés et a rédigé plusieurs traités sur la façon de les ébouillanter, de les noyer et de les battre jusqu'à ce que le Diable les rappelle à lui.

Je ne me dérobe pas devant le dur labeur, mais cette histoire est celle que j'ai eu le plus de difficulté à reconstituer dans la réalité. Comme dans le cas de tous les contes que j'ai réincarnés, je me suis tout d'abord attelé, avec assiduité et enthousiasme, aux préparatifs. Pour ce conte, il me fallait trouver deux enfants : l'un qui jouerait le rôle de l'enfant échangé tandis que l'autre serait le vrai enfant que je pourrais voler à sa mère.

Les recherches de mon frère et moi-même nous avaient conduits dans le nord de l'Allemagne et nous avions trouvé de modestes quartiers dans un village près de la côte balte. Derniè-rement, installé au village, j'avais observé une jeune femme au teint rubicond et aux cheveux filasses qui illustrait la stupidité robuste, honnête et fervente du paysan de l'Allemagne du Nord. Cette femme avait avec elle son nourrisson qu'elle portait alterna-tivement sur chacun de ses bras. Je savais, d'après le travail d'autres folkloristes éminents et d'après mes propres recherches, que cette habitude était connue sous le nom de porter le bébé « en balancier ». Du Rhineland et Hessen à Mecklenburg et la Basse-Saxe, il est largement tenu comme superstition que le fait de porter un bébé « en balancier » augmente les chances de son enlèvement par les Peuples souterrains. Je soupçonnais que cet enfant n'était pas encore baptisé et avait moins de six semaines, ce qui est reconnu comme étant l'âge préféré des ravisseurs. De plus, ni cette paysanne ni sa famille n'avaient tenu compte des quatre précautions à res-pecter pour protéger un nouveau-né des Peuples souterrains. J'ai, bien entendu, énuméré ces précautions dans mon ouvrage **Mytho-logie allemande**, *à savoir : placer une clé près de l'enfant ; ne jamais laisser les femmes seules durant les six semaines qui suivent la naissance car elles sont facilement influencées par le Diable ; ne pas permettre à la mère de dormir pendant ces six semaines à moins que quelqu'un d'autre ne surveille l'enfant ; chaque fois que la mère quitte la pièce, un vêtement du père, plus particulièrement ses hauts-de-chausse, doit être posé en travers de l'enfant.*

La mère n'ayant pris aucune de ces précautions, ce nourris-son serait donc le « vrai » enfant du conte et illustrerait à merveille l'éternelle vérité de la légende en rappelant aux gens de cette région que c'était folie d'ignorer d'anciennes interdictions. L'enlèvement de cet enfant se présentait comme la partie relativement simple du plan. J'avais observé au plus près les habitudes de la femme et avais pris des notes détaillées. J'en avais conclu qu'il y avait un moment, juste avant midi, où le bébé était laissé à dormir dehors pendant que la mère s'affairait à des tâches ménagères. Je savais que c'était le moment de procéder à la substitution. Une fois enlevé, je n'aurais, bien sûr, plus besoin du « vrai » enfant et m'en débarrasserais rapidement. À sa place, je laisserais un enfant échangé, voilà ce qui s'avérait plus difficile. Les enfants échangés sont reconnus comme étant plus grossiers que ceux dont ils ont usurpé la place. Les Peuples souterrains sont en effet une race si inférieure à la race humaine, si laide à regarder qu'ils se cachent sous terre, dans la nuit ou dans les recoins les plus sombres de la forêt.

Je réfléchis à ce problème pendant plusieurs jours jusqu'à ce que j'entendis parler de gitans qui avaient établi leur campement près du village. Je savais que l'hostilité ouverte des villageois envers ces gens interdirait aux gitans de s'aventurer dans les murs. Donc, si mon plan ne fonctionnait pas et que les villageois ne se référaient pas à leurs anciennes croyances des Peuples souterrains pour expliquer l'enlèvement et la substitution de l'enfant, alors ils ne chercheraient pas plus loin que les gitans et leur campement voisin. Je ne suis pas certain que cela puisse être considéré comme un véritable échec dans mon désir de reproduire le conte tel que je l'ai recueilli, puisque, au cours de mes recherches, je me suis souvent demandé si ce n'était pas, en effet, les gitans ou autres peuples itinérants qui avaient inspiré les contes des Peuples souterrains. J'ai toujours reconnu la méfiance et l'hostilité que nous ressentons instinctivement envers l'étranger et l'étrange comme étant un outil potentiel de manipulation. Dans ce cas, les préjugés des ignorants me fournissaient un rempart contre tout soupçon.

J'élaborais ainsi un plan pour enlever un enfant dans le cas où il s'en trouvât un du même âge dans le camp des gitans...

Fabel reposa le livre ouvert sur la table basse. La température de la pièce semblait être tombée de plusieurs degrés : une fraîcheur malveillante s'échappait du livre ouvert devant lui. Là, décrit dans un carnet de voyage fictif, figurait un plan d'enlèvement et de meurtre basé sur le conte populaire de « L'Enfant échangé » recueilli par les Grimm. L'approche méticuleuse que le Jacob Grimm de fiction avait entreprise transparaissait dans le planning et les préparatifs de ce tueur moderne bien trop réel. Fabel pensa de nouveau à la fille sur la plage. Une vie trop jeune éteinte pour satisfaire quelque imagination torturée.

Il fut brutalement ramené à la réalité et au présent par la sonnerie du téléphone. C'était Anna.

– Salut, chef... J'ai une identité pour l'adolescente de la plage. Et cette fois, je crois que c'est la bonne.

19

« Yeux bleus » avait dorénavant un nom : Martha.

Après leur dernier fiasco avec les Ehlers, Anna Wolff n'avait pas encore contacté les parents. Elle avait, cependant, obtenu du Bundeskriminalamt une photo de la jeune fille qui avait disparu depuis le mardi précédent : Martha Schmidt, de Kassel, en Hesse. Fabel fixa le portrait, un agrandissement d'un photomaton. Il n'y avait aucun doute. Cette fois-ci, la photo ne déclencha pas de sonnerie d'alarme dans la tête de Fabel. Il fut simplement empli d'une profonde tristesse.

Anna Wolff, ses grands yeux marron exempts de leur étincelle habituelle, l'air pâle et les traits tirés, se tenait près de Fabel. Elle avait dû travailler sans relâche pour découvrir l'identité de la fille. Quand elle parla, sa voix était plombée de fatigue.

– Sa disparition a été déclarée le mardi, mais elle a probablement été enlevée avant.

Fabel l'interrogea du regard.

– Les parents sont tous les deux des toxicos, expliqua Anna. Martha avait l'habitude de disparaître pendant des jours avant de revenir. La police de la Hesse n'a pas attribué de priorité particulière à cette dernière disparition. Les parents ont déjà été dénoncés à deux reprises pour négligence vis-à-vis de Martha, mais j'ai le sentiment que le père n'est presque jamais là.

Fabel aspira profondément en parcourant les notes du dossier faxé depuis Kassel. Les parents étaient des junkies et avaient commis des petits vols pour satisfaire leur dépendance. La mère était connue pour avoir eu recours à la prostitution. La sous-classe allemande : le Peuple souterrain. Et de Kassel : l'endroit où avaient vécu les frères Grimm pendant plusieurs années. Kassel, une ville tranquille, ordinaire, avait récemment fait parler d'elle dans les journaux à cause de l'affaire du « Cannibale de Rotenburg » qui avait choqué cette Allemagne qui se croyait revenue de tout. Armin Meiwes avait été inculpé pour assistance au suicide de Bernd Brandes, qui s'était porté volontaire pour se faire manger. Meiwes avait filmé tout le drame : l'amputation du pénis de Brandes, Meiwes assis à côté de lui pour manger le membre détaché ; puis Meiwes l'avait drogué avant de le poignarder et de le découper en morceaux qu'il avait congelés. Avant son arrestation, Meiwes avait consommé près de vingt kilos de sa victime, si tant est qu'on puisse considérer Brandes comme une victime. Il avait été juste plus déterminé que les autres, un parmi tant d'autres individus à avoir postulé auprès de Meiwes pour se faire manger. Ils s'étaient rencontrés par le biais d'un site Internet d'homos cannibales.

Un site Internet d'homos cannibales. Parfois, en dépit de la nature même de son travail, Fabel trouvait presque impossible d'accepter le monde qui s'était soudain formé autour de lui. Toutes sortes de désirs et d'appétits malsains semblaient trouver un espace où s'épanouir. Aujourd'hui, il y avait cette autre histoire sinistre associée à Kassel.

– Vous feriez mieux de contacter les parents, ou au moins la mère, pour procéder à l'identification, dit Fabel.

– J'ai été en contact avec l'assistante sociale en charge du dossier de Martha, répondit Anna. Elle va annoncer la nouvelle aux parents, si cela les intéresse, et elle s'arrangera pour que l'un des deux se rende à l'identification officielle.

– Je suppose que c'est pour cette raison qu'on n'avait pas de trace d'elle jusque-là. Elle n'a pas dû fréquenter beaucoup l'école.

Fabel scruta la photo. Ce visage qu'il avait fixé sur la plage du Blankenese. Sur le photomaton, Martha souriait mais ses yeux étaient tristes, trop vieux et expérimentés pour ses seize ans. Une gamine du même âge à peu près que sa fille, qui déjà posait sur le monde des yeux azur brillants qui en avaient trop vu.

— Une idée exacte du lieu et de la date de sa disparition ?

— Non. N'importe quand entre vingt et une heures dimanche et... eh bien, la déclaration de sa disparition le mardi, je suppose. Vous voulez que je me rende là-bas... à Kassel, je veux dire, pour commencer à poser des questions ?

— Non, répondit Fabel en se frottant les yeux. Laissez ça à la police de la Hesse, au moins pour le moment. Il n'y a rien d'important à découvrir là-bas, à moins que les policiers locaux ne trouvent un témoin de son enlèvement. Mais demandez-leur d'interroger toutes les personnes avec lesquelles Martha était en contact et qui auraient un lien avec Hambourg. D'après moi, notre tueur est d'ici, de Hambourg ou de sa périphérie, et il n'a aucune relation directe avec Martha Schmidt ou quiconque de ses connaissances. Essayez d'obtenir le maximum de détails possibles sur ses derniers déplacements.

Il sourit à son officier.

— Rentrez chez vous, Anna, et dormez un peu. On se remettra au travail demain matin.

Anna acquiesça avec lassitude et sortit du bureau. Fabel, assis, prit son carnet de croquis, raya l'inscription « Yeux bleus » et la remplaça par « Martha Schmidt ». Avant de quitter le Präsidium, il punaisa la photo sur le tableau dans la salle de conférences.

20

Mardi 23 mars, 11 h 10 – Institut médico-légal, Eppendorf, Hambourg.

Le père ne faisait clairement plus partie du tableau.

Ulrike Schmidt était une petite femme qui semblait avoir quarante ans mais Fabel savait, d'après les informations fournies par la police de Kassel, qu'elle n'était qu'au milieu de la trentaine. Elle avait dû être jolie autrefois, mais elle affichait dorénavant la fatigue et les traits durs de la junkie. Le bleu de ses yeux manquait de brillant et ses cernes étaient ceux de l'amertume. Ses cheveux d'un blond éteint avaient été rassemblés à la hâte en une queue de cheval. La veste et le pantalon qu'elle portait avaient dû passer pour convenables encore récemment, mais ils n'étaient plus à la mode depuis plus d'une décennie. Aux yeux de Fabel, elle avait pioché dans sa maigre garde-robe avec l'idée de s'habiller de manière appropriée pour la circonstance.

Et la circonstance était l'identification de sa fille décédée.

– Je suis venue en train, déclara-t-elle, juste pour dire quelque chose, tandis qu'ils attendaient que le corps soit apporté dans la salle d'observation.

Fabel sourit d'un air désolé. Anna resta muette.

Avant de se rendre à la morgue de l'institut médico-légal, Fabel et Anna avaient reçu Ulrike Schmidt au Polizeipräsidium pour l'interroger au sujet de sa fille. Fabel se rappela de quelle manière il s'était préparé à fouiller chaque recoin de la vie de la jeune morte, cette étrangère pour lui, qu'il connaîtrait bientôt de manière intime. Pourtant, il ne connaissait toujours pas la fille de la plage. Pendant quelques heures, elle avait été quelqu'un d'autre avant de redevenir personne. Dans la salle d'interrogatoire de la Mordkommission, Anna et Fabel s'étaient efforcés d'étoffer le nom de « Martha Schmidt » afin de redonner vie à une adolescente morte, dans leur esprit. L'autopsie avait révélé que Martha avait été sexuellement active et ils avaient interrogé la mère concernant les petits amis de sa fille, concernant ses fréquentations, ce qu'elle faisait de ses loisirs et du temps où elle aurait dû être à l'école. Mais les réponses d'Ulrike Schmidt avaient été vagues et hésitantes, comme si elle avait décrit une connaissance, une personne à la périphérie de sa conscience, plutôt que sa propre chair, sa fille.

À présent, ils étaient assis dans l'antichambre de la morgue, à attendre qu'on les appelle pour identifier le corps de Martha. Et tout ce dont Ulrike Schmidt trouvait à parler, c'était de son voyage.

— Puis j'ai pris le métro à la gare centrale, continuat-elle d'un air fatigué.

Quand on leur demanda d'approcher et que le drap fut replié pour découvrir le visage du corps sur le chariot, Ulrike Schmidt baissa les yeux sans trahir la moindre expression. Pendant un moment, la panique gonfla dans la poitrine de Fabel. Allaient-ils vivre un nouvel échec avec l'identification du corps de « l'Enfant échangée » ? Puis Ulrike Schmidt acquiesça.

— Oui... Oui, c'est ma Martha.

Pas de larmes. Pas de sanglots. Elle fixait le visage d'un regard vide et tendit la main vers lui, vers la joue, mais se ravisa avant de la laisser retomber mollement.

— Vous êtes certaine que c'est votre fille ? demanda Anna d'une voix tranchante.

Fabel lui décocha un regard d'avertissement.

— Oui. C'est Martha, répondit Ulrike Schmidt sans quitter des yeux le visage de sa fille. C'était une gentille fille. Vraiment une gentille fille. Elle s'occupait de tout. D'elle.

— Le jour où elle a disparu, est-ce qu'il s'est passé quelque chose d'inhabituel ? demanda Anna. Ou avez-vous remarqué un inconnu rôdant dans le coin ?

Ulrike Schmidt secoua la tête. Elle tourna ses yeux mornes et éteints vers Anna.

— La police m'a déjà demandé tout ça. Je veux dire les policiers de Kassel.

Puis son regard se posa de nouveau sur la jeune morte sur le chariot. La fille qui était morte parce qu'elle ressemblait à quelqu'un d'autre.

— Je leur ai dit. À propos de ce jour-là... que ce n'était pas un bon jour pour moi. J'étais un peu à côté de la plaque. Martha est sortie, je suppose.

Anna fixait le profil d'Ulrike Schmidt. Avec dureté. Schmidt n'avait pas conscience du reproche silencieux de l'officier de police.

— Nous serons en mesure de vous restituer bientôt le corps, Frau Schmidt, dit Fabel. Je suppose que vous souhaitez qu'il soit rapatrié à Kassel pour l'enterrement ?

— Pourquoi ? Elle est morte. Elle s'en fiche. Ça n'a plus d'importance pour elle maintenant.

Ulrike Schmidt se tourna vers Fabel. Ses yeux étaient bordés de rouge, mais pas de chagrin.

— Il y a un endroit joli par ici ?

Fabel acquiesça.

— Vous ne voudrez pas lui rendre visite ? demanda Anna d'une voix rendue coupante et amère par l'incrédulité. Vous recueillir sur sa tombe ?

Ulrike Schmidt secoua la tête.

— Je n'étais pas faite pour être mère. J'étais une mauvaise mère quand elle était vivante, je ne vois pas comment cela pourrait s'arranger maintenant qu'elle est morte. Elle mérite mieux.

— Oui, dit Anna. Je le pense moi aussi.

— Anna ! intervint Fabel.

Mais Ulrike Schmidt soit ignora le reproche d'Anna, soit pensa qu'elle avait raison. Elle fixa le corps de Martha en silence pendant un moment avant de s'adresser à Fabel.

– Je dois signer quelque chose ?

Après qu'Ulrike Schmidt fut partie prendre son train, Anna et Fabel sortirent de l'institut médico-légal. La lumière du soleil, filtrée par un drap laiteux de nuages, donnait à toute chose des contours doux. Fabel chaussa ses lunettes de soleil. Les mains sur les hanches, il leva les yeux vers le ciel en grimaçant. Puis il se tourna vers Anna.

– Ne refaites jamais ça, Kommissarin Wolff. Quoi que vous pensiez de gens comme Frau Schmidt, vous ne pouvez en aucun cas donner voix à vos opinions de cette manière. Chacun a le droit d'éprouver le chagrin à sa façon.

Anna ricana.

– Elle n'éprouvait aucun chagrin. C'est juste une camée qui attend son prochain fix. Elle se fiche complètement de ce qu'il va advenir du corps de sa fille.

– Votre rôle n'est pas de juger, Anna. Malheureusement cela fait partie du travail d'un officier de la Mord-kommission. Nous n'avons pas seulement affaire à la mort, mais également aux suites. À ses conséquences. Et parfois, cela implique d'être diplomate. De se mordre la langue. Si vous n'en êtes pas capable, votre place n'est pas parmi nous. Suis-je assez clair ?

– Oui, chef, répondit Anna en se frottant le crâne en un geste de frustration. C'est juste... c'est juste qu'elle est censée être une mère, pour l'amour de Dieu. Il devrait y avoir une sorte de... je ne sais pas... d'instinct qui se réveille. Celui de protéger ses enfants. De les aimer.

– Cela ne fonctionne pas toujours comme ça.

– Elle a laissé arriver ce qui est arrivé à Martha, déclara Anna sur le ton du défi. Elle l'a apparemment frappée quand elle était petite... Il y a la fracture du poignet alors que Martha devait avoir cinq ans et Dieu seul sait ce que cette gamine a subi entre-temps. Mais, pire que tout, elle a laissé cette pauvre gosse se débrouiller toute seule dans un monde plein de danger. Au final, elle a été enlevée par un fou, a passé Dieu sait combien de temps morte de peur avant d'être tuée. Et cette vache n'a même pas le cœur de lui offrir un enterrement décent, ni même de visiter sa tombe.

Elle secoua la tête d'un air incrédule.

— Quand je pense aux Ehlers, une famille déchirée pendant trois longues années parce qu'ils n'ont aucun corps à enterrer, pas de tombe pour se recueillir... et puis cette salope sans pitié qui se fiche complètement de ce qu'on va faire du corps de sa fille.

— Quoi que nous pensions de cette femme, Anna, c'est la mère d'un enfant assassiné. Elle n'a pas tué Martha et nous ne sommes même pas en mesure de prouver que ses négligences aient pu impliquer sa responsabilité dans ce drame. Et cela signifie que nous allons devoir la considérer comme n'importe quel autre parent en deuil. Est-ce que je suis toujours clair ?

— Oui, Herr Hauptkommissar.

Anna marqua une pause.

— Dans le rapport de Kassel, il est dit que la mère se prostituait occasionnellement. Vous ne croyez pas qu'elle ait pu changer les rôles pour prostituer sa fille ? Je veux dire, nous savons que Martha avait des partenaires sexuels.

— J'en doute. D'après ce que j'ai lu du rapport, c'était juste, comme vous l'avez souligné, occasionnel, pour satisfaire sa dépendance quand c'était nécessaire. Je doute que Frau Schmidt soit capable de s'organiser assez pour quoi que ce soit d'autre. De toute façon, vous avez entendu la façon dont elle a parlé de sa fille. Elle n'avait de toute évidence pas une relation intime avec elle et j'ai le sentiment que la fille et la mère vivaient chacune leur vie. Qu'elles s'occupaient de leurs propres affaires.

— Peut-être Martha était-elle la mieux organisée des deux, hasarda Anna. Peut-être bossait-elle pour son compte.

— Je ne crois pas. Il n'y a rien qui puisse le suggérer dans les rapports de la police et des services sociaux. Elle n'avait aucune dépendance à entretenir. Non. Je pense juste qu'elle s'efforçait d'être une adolescente aussi normale que son environnement familial le lui permettait.

Fabel demeura silencieux pendant un moment, à penser à sa fille Gabi et à combien Martha Schmidt lui avait rappelé son enfant. Trois filles environ du même âge, qui se ressemblaient : Martha Schmidt, Paula Ehlers et Gabi. Il frissonna au plus profond de lui-même. Un univers de possibilités illimitées.

– On retourne au Präsidium... Je dois me rendre à une boulangerie.

21

Mardi 23 mars, 14 h 10 – Bostelbek, Heimfeld, sud de Hambourg.

Le temps avait pris un mauvais tour. La promesse de printemps de la semaine passée, qui s'était étirée jusqu'à cette matinée lumineuse, s'effaçait maintenant dans le ciel sans joie, malmené de bourrasques, et qui pesait sur le nord de l'Allemagne. Fabel ne savait trop pourquoi – peut-être parce que c'était une vieille affaire familiale et parce qu'il associait toujours les boulangeries avec l'artisanat –, mais il fut surpris de découvrir que le Fournil Albertus consistait en un grand bâtiment industriel proche de l'autoroute A7. « Pour faciliter la distribution », avait expliqué Vera Schiller en conduisant Fabel et Werner jusqu'à son bureau. « Nous livrons des pâtisseries, des cafés et des restaurants dans tout le nord et le centre de l'Allemagne. Nous avons établi d'excellentes relations avec nos clients et nous envoyons souvent nos employés ayant le plus d'ancienneté livrer personnellement les commandes les plus importantes. Bien sûr, nous avons notre propre service de livraison et trois camionnettes presque constamment sur la route. »

Vera leur servait le discours standard destiné à tous les visiteurs des lieux. Il était plus formaté pour d'éventuels clients que pour des officiers de la police criminelle.

Son bureau était vaste mais plus fonctionnel que somptueux : un cadre très différent de l'élégance classique de la villa Schiller. Comme Frau Schiller prenait place et invitait

Fabel et Werner à s'asseoir, Werner donna un coup de coude discret à son patron en désignant du regard un second bureau, à l'extrémité de la pièce. Personne ne l'occupait mais le plateau était encombré de papiers et de brochures. Derrière, sur un planning mural, figuraient des dates et des lieux de rendez-vous. Fabel fut un millième de seconde trop lent à se tourner vers Vera Schiller.

– Oui, Herr Kriminalhauptkommissar, dit-elle. Ceci est le bureau de Markus. Je vous en prie, prenez la liberté de...

Elle considéra brièvement le mot.

– ... d'examiner ce que bon vous semble. Je vous conduirai également au rez-de-chaussée pour vous faire rencontrer Herr Biedermeyer, notre chef-boulanger. Il vous en dira plus sur l'autre victime.

– Je vous remercie, Frau Schiller. Nous apprécions votre coopération.

Fabel était sur le point de répéter que toute cette situation devait être pénible pour elle mais il jugea cette déclaration redondante. Non, pas redondante, inappropriée. Rien de tout cela n'était pénible pour elle ; c'était gênant. Il la dévisagea. Il n'y avait trace d'aucun sentiment sous le calme de surface. Aucun signe de larmes récemment versées, ni de manque de sommeil. Ni aucune méchanceté de sa part quand elle avait fait référence à Hanna Grünn sous le terme de « l'autre victime ». C'était simplement une description adéquate. La froideur de Vera Schiller était bien plus qu'un givre superficiel : une stérilité complète qui prenait son cœur dans la glace. Fabel l'avait rencontrée deux fois : la première dans la maison qu'elle avait partagée avec son mari et, aujourd'hui, dans le bureau qu'elle avait partagé avec son mari. Pourtant, moins de quarante-huit heures après le décès de son époux, il n'y avait aucune place pour ce « sentiment d'inachevé » qu'Anna Wolff avait évoqué en parlant de visiter le foyer d'une victime.

Il en fallait beaucoup pour déstabiliser Fabel, mais Vera Schiller était une des personnes les plus effrayantes qu'il ait jamais rencontrées.

– Y a-t-il, d'après vous, quelqu'un qui aurait pu vouloir du mal à votre mari, Frau Schiller ?

Les lèvres soigneusement maquillées s'ouvrirent sur des dents parfaites. Cela n'avait rien à voir avec un sourire.

– Pas spécialement, Herr Kriminalhauptkommissar. Pas quelqu'un que je puisse précisément nommer mais, dans l'absolu, oui. Il doit bien y avoir dans la nature une douzaine de maris et de petits amis cocus qui auraient voulu du mal à Markus.

– Hanna Grünn avait-elle un petit ami ? demanda Werner.

Frau Schiller se tourna vers lui. Le sourire qui n'en était pas un disparut.

– Je ne me tiens pas au courant de la vie privée de mes employés, Herr Kriminaloberkommissar Meyer.

Elle se leva avec brusquerie, comme il en allait de tous ses mouvements.

– Je vais vous conduire au niveau de la boulangerie. Herr Biedermeyer sera en mesure de vous fournir des détails plus précis concernant la fille qui a été assassinée.

L'espace principal de la boulangerie était divisé par un réseau de tapis roulants sur lesquels les produits étaient assemblés ou préparés. L'air lui-même était pâteux, lourd des parfums de la farine et de la cuisson. D'énormes fours en acier brossé s'alignaient sur deux murs et le personnel était vêtu de blouses blanches, de casquettes et de résilles de protection. N'avait été l'atmosphère presque comestible, on aurait pu croire à une usine de semi-conducteurs ou à quelque vision datant des années 1960 d'une salle de contrôle futuriste. Encore une fois, la réalité jurait avec l'idée que Fabel se faisait d'une boulangerie traditionnelle allemande.

Vera Schiller les précéda pour descendre au niveau de l'usine et les conduisit vers un homme de très grande taille, puissamment bâti, qu'elle présenta comme étant Franz Biedermeyer, le chef-boulanger. Elle tourna les talons avant que Fabel ait pu la remercier. Un silence embarrassé s'installa, que Biedermeyer rompit en souriant aimablement.

– Excusez Frau Schiller, dit-il. Je crois qu'elle vit mal cette situation.

– Elle semble au contraire très bien s'en sortir, répondit Fabel en s'efforçant de ne pas avoir l'air sarcastique.

– C'est sa manière d'être, Herr Fabel. C'est une bonne patronne et elle traite très bien son personnel. Et je ne peux pas imaginer qu'elle prenne cette perte autrement que très mal. Herr et Frau Schiller étaient des partenaires très efficaces, même formidables. En affaires, en tout cas.

– Et d'un point de vue plus personnel ? demanda Werner.

À nouveau, le chef-boulanger eut un sourire aimable et haussa les épaules. Les ridules qui bordaient les yeux de Biedermeyer suggéraient que c'était un homme qui souriait beaucoup. Fabel pensa à son frère, Lex, dont la personnalité espiègle transparaissait toujours dans et autour de ses yeux.

– Je ne sais vraiment rien de leur relation personnelle. Mais, au travail, ils formaient une bonne équipe. Frau Schiller est une femme d'affaires intelligente et elle connaît tout de la stratégie commerciale. Cette boulangerie est restée très profitable durant une période négative pour le commerce allemand en général. Et Herr Schiller était un excellent commercial. Il savait très bien y faire avec les clients.

– J'ai cru comprendre qu'il savait également y faire avec les femmes, ajouta Fabel.

– Il y avait des rumeurs... Ça, je ne peux le nier. Mais, je vous le répète, je n'ai pas à m'interroger sur de tels sujets et votre avis vaut le mien quant à savoir si Frau Schiller était au courant et de quelle manière cela a affecté son mariage. Excusez-moi...

Quand ils l'avaient rejoint, Biedermeyer était occupé à décorer un gâteau et tenait entre son pouce et son index épais un petit motif compliqué en massepain. Le chef-boulanger le déposa avec précaution sur le comptoir d'acier poli. Sans doute pour se conformer à des règles d'hygiène, Biedermeyer portait des gants en latex blanc recouverts de fine poussière de farine. Ses mains paraissaient trop grosses et ses doigts trop maladroits pour qu'on puisse imaginer le chef-boulanger se charger d'un décor délicat ou d'une pâtisserie raffinée.

— Et sa relation avec Hanna Grünn ? demanda Werner. Vous étiez au courant ?

— Non. Mais ça ne me surprend pas. Je savais que Hanna était, comment dire, un peu imprudente dans le choix de ses petits amis. Encore une fois, il y avait des rumeurs de toutes sortes. Certaines étaient malveillantes, bien entendu. Mais je ne me rappelle pas avoir entendu quelqu'un suggérer qu'il se passait quoi que ce soit entre Hanna et Herr Schiller.

— Malveillantes ? Vous avez dit que certaines de ces rumeurs étaient malveillantes.

— Hanna était une jeune fille très attirante. Vous savez comment les femmes peuvent être vaches entre elles. Mais Hanna ne se rendait pas non plus service. Elle ne cachait pas qu'elle méprisait son travail et, plus particulièrement, les autres femmes de la chaîne de production.

— Elle avait des ennemies ici ? demanda Fabel en désignant la salle d'un mouvement de tête.

— Qui aurait pu la détester au point de vouloir la tuer ? demanda Biedermeyer en éclatant de rire et en secouant la tête. Personne n'aurait pris la peine de l'envisager. On ne l'aimait pas, mais personne ne la haïssait.

— Et que pensiez-vous d'elle ? demanda Fabel.

Le sourire de Biedermeyer se teinta de tristesse.

— J'étais son chef. Son travail laissait toujours un peu à désirer et je devais lui parler de temps à autre. Mais j'étais désolé pour elle.

— Pourquoi ?

— Elle était perdue. Je suppose qu'on pourrait décrire son état comme ça. Elle détestait travailler ici. Être ici. Je pense qu'elle avait des ambitions, mais qu'elle n'avait aucun moyen de les satisfaire.

— Et ses petits amis ? demanda Werner.

Un jeune apprenti passa en poussant un chariot à plateaux de deux mètres de haut ; chaque plateau était couvert de tourbillons de pâte crue. Les trois hommes s'écartèrent avant que Biedermeyer ne réponde.

– Oui. Je crois qu'elle en avait un. Je ne sais rien sur lui, sinon qu'il passait la prendre de temps en temps en moto. Il avait mauvais genre.

Biedermeyer marqua une pause.

– C'est vrai qu'on les a retrouvés ensemble ? Herr Schiller et Fräulein Grünn ?

Fabel sourit.

– Merci de nous avoir accordé de votre temps, Herr Biedermeyer.

Sur le parking, Fabel se tourna vers Werner et exprima à voix haute ce qu'ils pensaient tous les deux.

– Une moto. Je crois que nous devrions demander à l'équipe scientifique de définir un modèle et une marque d'après les traces que nous avons trouvées au Naturpark.

22

Mardi 23 mars, 18 h 30 – Station de métro de la gare centrale, Hambourg.

Ces derniers temps, Ingrid Wallenstein détestait prendre le métro. Le monde avait changé au-delà de son entendement et il s'y trouvait tant de gens indésirables. Des jeunes. Des gens dangereux. Des cinglés. Comme le « bousculeur des trains de banlieue », qui avait poussé des voyageurs sous les trains. Cela faisait des mois que la police le cherchait. Quel genre d'individu pouvait être capable d'une chose pareille ? Et pourquoi le monde avait-il tant changé ces cinquante dernières années ? Dieu savait si Frau Wallenstein et ceux de sa génération avaient traversé assez de drames pour les rendre fous, mais ça ne suffisait pas. Et toutes ces générations d'après-guerre n'étaient préoccupées que par une chose : avoir tout ce qu'ils voulaient au moment où ils le désiraient. C'est pourquoi elle ne donnait que très peu de son temps aux jeunes : ils n'avaient pas eu à vivre ce que la génération de Frau Wallenstein avait dû endurer, et pourtant ils n'étaient pas contents. Ils étaient devenus grossiers, négligents et irrespectueux. Si seulement ils avaient subi ce qu'elle avait subi enfant puis jeune femme. La guerre, et la terreur et la destruction qu'elle avait apportées. Puis, par la suite, la faim, le manque ; tous devant travailler ensemble pour reconstruire, réparer, pour remettre les choses d'aplomb. Pas aujourd'hui : aujourd'hui, les jeunes jetaient tout. Rien n'avait de valeur à leurs yeux. Ils n'appréciaient rien.

Depuis qu'elle avait entendu parler du « bousculeur des trains de banlieue », Frau Wallenstein faisait toujours attention à s'asseoir ou bien à s'adosser au mur du quai en attendant le train.

Son genou était douloureux et elle s'appuya lourdement sur sa canne en balayant le quai du regard pour avoir une vue d'ensemble de ses compagnons de voyage. Il n'y avait là qu'une poignée d'individus, deux d'entre eux affublés de ces minuscules écouteurs d'où se balançaient des fils. Frau Wallenstein détestait ces appareils. Si on était assis près d'un de ces jeunes dans le bus ou le train et qu'il écoutait une de ces horribles musiques qu'ils affectionnent, on avait la sensation d'avoir une guêpe en train de bourdonner de manière désagréable près de soi. Pourquoi faisaient-ils ça ? C'était donc si terrible d'entendre les bruits du monde alentour et, Dieu les en garde, d'avoir une discussion avec quelqu'un ?

Elle regarda plus loin sur le quai. Il y avait une jeune femme assise sur un banc. Au moins, celle-ci était-elle habillée à peu près décemment. Le genou de Frau Wallenstein la faisait toujours davantage souffrir quand elle restait trop longtemps debout. Maudissant en silence son articulation arthritique, elle s'installa donc près de la jeune femme en lui adressant un bonjour. La jeune femme lui répondit par un sourire. Mais quel triste sourire. Frau Wallenstein remarqua qu'elle n'était peut-être pas aussi nette qu'il lui avait semblé de loin. Son visage était pâle, ses yeux cernés de noir. Elle se demanda si elle n'avait pas fait une erreur en s'asseyant près d'elle.

— Vous allez bien, ma chère ? demanda Frau Wallenstein. Vous avez mauvaise mine.

— Je vais bien, merci, répondit la femme. Je n'ai pas été bien pendant assez longtemps, mais ça va mieux. Je vais aller mieux maintenant.

— Oh, fit Frau Wallenstein, se demandant ce qu'elle pouvait ajouter et regrettant déjà d'avoir entamé la conversation.

La jeune femme avait l'air si étrange. Peut-être était-ce une droguée. Frau Wallenstein ne ratait jamais un épisode de *Adelheid und ihre Mörder* et *Grossstadtrevier*[1]. On y voyait toujours des drogués qui ressemblaient à cette femme. Mais peut-être que celle-ci avait tout simplement été malade.

— Je suis allée voir ma petite fille.

Le visage de la femme faiblissait comme s'il s'efforçait de s'accrocher à ses lèvres qui bougeaient.

— Je suis allée voir ma petite fille aujourd'hui.

— Oh, comme c'est adorable. Quel âge a-t-elle ?

— Elle a seize ans. Oui, seize ans.

La jeune femme fouilla ses poches. Son chemisier, sous la veste, était délavé et usé, et elle ne semblait pas avoir de sac à main. Elle sortit une photo cornée et froissée et la tendit à Frau Wallenstein : on y voyait un nourrisson ordinaire avec les mêmes cheveux blonds et ternes que sa mère.

— Oui, dit la femme au visage pâle. Ma petite Martha. Mon petit bébé. Elle avait tellement d'énergie. Une coquine. C'est comme ça que je l'appelais quand elle était bébé : ma petite coquine...

Frau Wallenstein se sentait décidément très mal à l'aise, et pourtant cette jeune femme l'inquiétait. Elle avait l'air si triste et délaissée. La vieille dame fut soulagée de percevoir le grondement du métro qui approchait. La jeune femme se leva et regarda dans le tunnel en direction du bruit du train. Elle semblait soudain très vive. Frau Wallenstein se leva à son tour, mais plus lentement, en s'appuyant sur sa canne.

— Eh bien, où se trouve votre petite fille ? demanda-t-elle, plus pour combler les dernières secondes de leur rencontre que par réel intérêt.

La jeune femme se tourna vers elle.

— Là où je vais maintenant... Pour être avec ma petite Martha. Je vais être une bonne mère à partir d'aujourd'hui...

Le visage de la jeune femme s'agita, exprima soudain un certain bonheur. Le métro émergea du tunnel, roulant assez vite. La femme sourit à Frau Wallenstein.

— Au revoir, c'était bon de vous parler.

---

1. Ce sont deux séries policières de la télévision allemande.

– Au revoir, mon petit, répondit Frau Wallenstein.

Frau Wallenstein était sur le point d'ajouter autre chose mais la jeune femme s'avançait vers le bord du quai. Et elle ne s'arrêta pas. Frau Wallenstein fixa l'endroit où aurait dû se trouver la femme, mais elle n'était plus là.

Quand le train percuta le corps, il y eut un bruit d'impact écœurant qui résonna dans la station. Puis les cris des autres voyageurs s'élevèrent.

Frau Wallenstein ne bougea pas, appuyée sur sa canne pour soulager son genou arthritique douloureux. Elle fixait l'endroit où s'était tenue une jeune femme avec qui elle discutait il y a une minute encore.

Elle s'était jetée sous le train. Pourquoi ciel avait-elle donc fait cela ? Dans quel monde vivait-on ?

23

Mercredi 24 mars, 13 h 10 – Buxtehude, Basse-Saxe.

Il fallut à peine plus d'une demi-heure à Fabel et Werner pour atteindre Buxtehude. Le ciel s'était éclairci et une lumière austère baignait maintenant la petite ville. Pourtant un vent plein de colère gifla et tira l'imper de Fabel quand les deux hommes sortirent de la voiture pour rejoindre le petit restaurant sur Westfleth, dans les vieux quartiers. Buxtehude ressemblait à une petite ville hollandaise qui aurait, d'une manière ou d'une autre, dérivé vers l'est jusqu'à entrer en collision avec Hambourg. La rivière Este se divisait en deux cours, l'Ostviver et la Westviver, et traversait la vieille ville, démultipliée en canaux qu'enjambaient une demi-douzaine de ponts de style hollandais. Le bâtiment qui hébergeait le restaurant comprimé entre ses voisins devait contempler ces canaux et ces ponts depuis au moins deux siècles.

En entrant dans la ville, Fabel avait été frappé par un autre détail : même les noms des rues, Gebrüder-Grimm-Weg, Rotkäppchenweg et Dornröschenweg – rue des frères Grimm, rue du Petit Chaperon rouge et rue de la Belle au bois dormant –, semblaient conspirer pour rappeler à Fabel les tonalités obscures tapies dans les recoins de l'enquête. Chaque fois qu'il entendait le nom des frères Grimm, il pensait à Jacob Grimm en tant que personnage du roman de Weiss. L'homme respecté et historique s'effaçait devant le monstre pédant de la fiction. Les théories de l'auteur semblaient fonctionner.

Ils s'assirent près de la fenêtre pour contempler le canal de Fleth Haven, bordé d'arbres et de barrières blanches, et au-delà vers l'Ostfleth. Un petit navire de transport datant du dix-neuvième était exposé, amarré au quai, et ses fanions multicolores claquaient sans cesse dans la brise vive. Fabel jeta un œil au menu et commanda une salade de thon et une bouteille d'eau minérale. Werner, quant à lui, étudia complètement la carte avant d'opter pour le Schweineschnitzel et du café. Même dans ce petit geste minutieux, Werner avait illustré avec clarté la différence qui existait entre eux. En tant que policiers. En tant qu'hommes. En tant qu'amis.

— Je suis en train de lire ce bouquin, commença Fabel.

Il fixait, par la fenêtre, le vent qui taquinait le vieux bateau en lui rappelant ses jours de navigation sur l'Ewer, à transporter du thé, de la farine, du bois, le long des rivières du nord de l'Allemagne.

— Ce bouquin écrit par un type du nom de Gerhard Weiss. Ça s'appelle *La Route des contes*. Il parle de Jacob Grimm, en fait, ce n'est pas vraiment lui, mais le roman décrit des meurtres inspirés des contes de fées des frères Grimm.

— Merde. Il y a un lien ?

Fabel se détourna de la fenêtre.

— Je ne sais pas. C'est un peu inquiétant, non ?

— Je suis d'accord, répondit Werner qui posa sa tasse de café en fronçant les sourcils. Pourquoi tu n'en as pas parlé plus tôt ?

— Je n'ai commencé ce livre qu'hier soir. Et j'en ai entendu parler par hasard. Je n'y pensais pas, c'était à la périphérie de notre affaire mais maintenant que j'ai commencé à le lire...

D'après l'expression de Werner, Fabel était passé à côté de quelque chose.

— Si tu veux mon avis, cela demande qu'on se penche sur la question. Pour ce qu'on en sait, notre tueur peut très bien cheminer dans ce livre au lieu de tout simplement lire les contes des frères Grimm, leurs *Légendes allemandes* et tout ce qu'ils ont pu recueillir.

— Un tueur en série qui se servirait d'un roman comme manuel scolaire ? s'exclama Fabel en éclatant d'un rire amer. C'est envisageable.

— Jan, tu sais que nous allons devoir nous renseigner sur cet auteur...

— Weiss, intervint Fabel.

Il se tourna de nouveau pour regarder le bateau. Des embarcations similaires avaient navigué sur les rivières et les canaux bien avant l'époque où Jacob et Wilhelm Grimm avaient parcouru l'Allemagne pour recueillir les contes, les légendes et les mythes. Et avant eux, d'autres bateaux s'étaient croisés en cet endroit pour y échanger des marchandises, du temps où ces contes, légendes et mythes trouvaient voix pour la première fois. Un pays d'autrefois. Un pays d'autrefois et le cœur de l'Europe, voilà comment le père de Fabel avait expliqué l'Allemagne à son fils. Un endroit où les choses étaient ressenties de manière plus précise, vécues de façon plus intense qu'ailleurs.

— Je vais m'en occuper, dit finalement Fabel.

Le contraste avec la villa des Schiller était on ne peut plus marquant. La famille Grünn louait un appartement dans un immeuble qui en comprenait six, dans la banlieue de Buxtehude. L'immeuble, le terrain qui l'entourait et l'appartement des Grünn étaient propres et bien entretenus. Mais quand Fabel et Werner se joignirent dans le salon à Herr et Frau Grünn ainsi qu'à Lena, la sœur de Hanna âgée de dix-huit ans, ils eurent le sentiment que la capacité d'accueil du lieu avait été dépassée.

Le contraste avec le dernier interrogatoire de Fabel ne résidait pas seulement dans l'environnement. Au contraire de Vera Schiller, le sentiment de perte éclatait ici à l'état brut et immédiat. Fabel ne put s'empêcher de penser à une autre comparaison. Cette fois, avec les Ehlers, qui croyant avoir retrouvé leur enfant disparue, morte, avaient finalement découvert qu'ils avaient été les victimes d'un canular d'une intolérable cruauté. À l'opposé des Ehlers, la famille Grünn avait au moins accès au soulagement d'un intense chagrin. Ils auraient un corps à enterrer.

Erik Grünn était un homme fort et bien bâti, doté d'une tignasse de cheveux blond cendré qui n'avait pas bougé en cinquante-deux ans. Sa femme Anja et sa fille présentaient toutes deux des touches de la beauté de Hanna Grünn, mais dans des proportions moindres. Ils répondirent tous les trois avec une politesse de plomb aux questions des officiers. Les Grünn étaient prêts à coopérer, mais il fut vite clair que l'entretien n'allait pas déboucher sur grand-chose. Hanna ne leur avait pas beaucoup parlé de sa vie à Hambourg, hormis ses espoirs d'obtenir rapidement un contrat de mannequin. Entre-temps, elle leur avait dit que tout se passait bien au Fournil Albertus et qu'elle espérait prochainement une promotion. Bien entendu, Fabel savait qu'elle avait menti, fort de ce que lui avait appris Biedermeyer, le supérieur direct de Hanna à la boulangerie. Hanna avait gardé un contact plutôt réservé avec sa famille, et elle avait tenu secrète une grande partie de sa vie. Fabel s'était senti gauche, presque coupable, d'exposer les circonstances de la mort de Hanna, à savoir qu'elle avait une aventure avec son patron et qu'il était l'autre victime. Il avait sondé leurs réactions : le choc de Frau Grünn n'était pas feint, tout comme la honte qui assombrit le visage de Herr Grünn. Lena se contenta de fixer le sol.

— Et que savez-vous d'éventuels autres petits amis ? Avait-elle quelqu'un en particulier ?

À cette question, une tension s'installa entre les membres de la famille.

— Personne, répondit un peu trop rapidement Herr Grünn. Hanna avait le choix. Elle ne cherchait pas à avoir une relation sérieuse avec qui que ce soit.

— Et Herr Schiller ? Hanna vous a-t-elle déjà parlé de son aventure avec lui ?

— Herr Fabel, répondit Frau Grünn, je tiens à ce que vous sachiez que nous n'avons pas appris à notre fille à... à fréquenter des hommes mariés.

— Alors Hanna ne vous en aurait pas parlé.

— Elle n'aurait pas osé, répondit Herr Grünn.

Fabel comprit que, même dans la mort, Hanna subissait la colère noire de son père. Il se demanda simplement quel degré de noirceur cette colère avait atteint quand sa fille était une enfant et si cela expliquait les relations minimalistes que Hanna avait entretenues avec sa famille.

En les quittant, Fabel et Werner exprimèrent pour la seconde fois leurs condoléances. Lena déclara à ses parents qu'elle raccompagnait les policiers. Au lieu de les saluer à la porte, la jeune fille les mena en silence en bas de l'escalier de l'immeuble. Dans le hall d'entrée, elle s'adressa à eux à voix basse, presque du ton de la conspiration.

— Mutti et Papi ne sont pas au courant, mais Hanna sortait avec quelqu'un. Pas son patron... quelqu'un avant lui.

— Il avait une moto ? demanda Fabel.

Lena sembla surprise.

— Oui... Oui, en effet. Vous êtes au courant ?

— Comment s'appelle-t-il, Lena ?

— Olsen. Peter Olsen. Il habite à Wilhelmsburg. C'est un mécanicien spécialisé dans les motos. Je crois qu'il travaille à son compte.

Les yeux bleu clair de Lena s'obscurcirent.

— Hanna aimait que les hommes dépensent de l'argent pour elle. Mais j'ai l'impression que Peter était plutôt une aventure de passage. L'argent, c'est ce qui intéressait Hanna. Pas les mains pleines de cambouis.

— Tu l'as déjà rencontré ?

Lena secoua la tête.

— Mais elle m'en a parlé au téléphone. Mutti et Papi sortent le vendredi soir. Elle appelait à ce moment-là et me racontait plein de choses.

— Elle a mentionné Markus Schiller ? demanda Werner. Ou sa femme, Vera Schiller ?

Il y eut un bruit dans l'escalier, comme une porte qui s'ouvrait, et Lena lança un regard nerveux vers l'étage.

— Non. Non, je ne peux pas dire. Pas directement. Hanna m'a juste dit qu'elle sortait avec quelqu'un de nouveau, mais elle ne m'en a pas raconté plus. Cela ne m'est jamais venu à l'esprit que ça pouvait être son patron. Mais je sais juste qu'elle avait peur que Peter l'apprenne. Je suis désolée, je vous ai dit tout ce que je savais. Je pensais simplement que vous deviez être au courant à propos de Peter.

– Merci, Lena, lui dit Fabel en souriant.

C'était une jolie jeune fille intelligente de dix-huit ans, qui continuerait son parcours dans la vie en portant les cicatrices de ce drame. Profondes, invisibles, mais toujours présentes.

– Tu nous as été d'une grande aide.

Lena était sur le point de s'engager dans l'escalier quand elle s'immobilisa.

– Il y a une dernière chose, Herr Hauptkommissar. Je crois que Peter était violent. Je crois que c'est pour ça qu'elle craignait qu'il entende parler de son aventure avec cet autre homme.

24

Jeudi 25 mars, 10 h 10 – Wilhelmsburg, Hambourg.

Retrouver la trace d'Olsen n'avait pas été difficile. Son casier n'était pas très lourd mais à voir les délits qui y figuraient, il avait assez facilement recours à ses poings pour régler les problèmes. Trois condamnations pour agression, et il s'en était également tiré avec un avertissement pour un délit commercial : il avait vendu des pièces d'une moto volée.

Wilhelmsburg est le plus gros Stadtteil de Hambourg, le plus grand district de la ville. C'est en réalité une île sur l'Elbe, l'île fluviale la plus importante d'Europe, un endroit hérissé de ponts, dont le Köhlbrandbrücke, qui relie l'île à la ville au nord et à Harburg au sud. Wilhelmsburg offre une apparence étrange et presque incertaine, un mélange de paysage rural et d'industrie lourde : les moutons paissent dans des champs jouxtant d'imposants hangars industriels. Wilhelmsburg a aussi une réputation de quartier difficile. On le surnomme souvent en plaisantant le « Bronx de Hambourg » et les immigrés représentent plus d'un tiers de sa population.

Peter Olsen vendait et réparait des motos dans un bâtiment industriel délabré au bord de la rivière, dans l'ombre de la raffinerie. Fabel décida de se faire accompagner de Werner et d'Anna pour interroger Olsen et il demanda à une unité SchuPo de les rejoindre sur les lieux. Il n'avait pas assez de preuves pour l'arrêter, mais était tout de même parvenu à obtenir un mandat des bureaux du procureur afin de saisir sa moto en vue d'un examen forensique.

Fabel se gara sur le trottoir envahi de mauvaises herbes, près du grillage de deux mètres de haut qui entourait l'atelier d'Olsen. En attendant l'arrivée de l'unité SchuPo, il inspecta le hangar et la cour du regard. Les squelettes de quatre ou cinq motos gisaient, emmêlés, abandonnés à la rouille, et un gros rottweiler, couché sur le côté, levait de temps à autre sa tête massive pour lancer un regard indolent sur son royaume. Pas moyen de voir si le chien était attaché.

– Werner, appelle le poste de Wilhelmsburg, dit Fabel, sans quitter l'atelier des yeux. Demande s'ils peuvent nous envoyer un maître-chien. Je n'aime pas l'allure du toutou d'Olsen.

Une camionnette vert et blanc de la police se gara derrière eux. Le rottweiler devait être dressé à réagir aux véhicules de police car, à peine la camionnette s'était-elle arrêtée que l'animal, bondissant sur ses pattes, se mit à aboyer puissamment dans sa direction. Un grand type en bleu de travail sortit de l'atelier en s'essuyant les mains sur un chiffon. Il était massif, costaud, avec d'énormes épaules entre lesquelles une tête sans cou semblait avoir été enfoncée : c'était le pendant humain du rottweiler qui gardait sa cour. L'homme jeta un regard dur vers l'animal et marmonna quelque chose, puis il regarda en direction des véhicules de police avant de faire volte-face et de disparaître dans l'atelier.

– Oublie le maître-chien, Werner, dit Fabel. Nous ferions mieux d'aller bavarder avec notre copain maintenant.

En approchant du portail, il devint clair que le chien n'était pas attaché. Il bondit vers le groupe de policiers avec une vitesse et une agilité remarquables. Fabel nota avec soulagement que le portail était fermé par une chaîne et un cadenas. Le rottweiler grondait et aboyait méchamment, en dévoilant ses crocs blancs. Olsen réapparut à la porte de son atelier.

— Qu'est-ce que vous voulez ?

Sa voix, masquée par les aboiements continus du chien, était à peine audible à une telle distance.

— Nous avons un mandat, Herr Olsen, cria Fabel en brandissant le document afin qu'Olsen le voie. Et nous aimerions vous poser quelques questions.

Le chien se jetait à présent contre le portail, faisant trembler la grille et se tendre la chaîne qui la fermait.

— Voudriez-vous rappeler votre chien, Herr Olsen ? Nous avons besoin de vous poser quelques questions.

Olsen eut un geste dédaigneux et s'apprêta à rentrer dans l'atelier. Fabel fit un signe de tête à Werner, qui dégaina son arme, fit claquer l'affût et visa la tête du rottweiler.

— Adolf ! cria Olsen.

Obéissant, le chien rejoignit l'endroit où il était allongé quelques minutes plus tôt, mais il demeura sur ses pattes, vigilant.

— *Adolf ?* répéta Anna en jetant un œil vers Fabel.

Sur un nouveau signe de tête de son chef, Werner glissa son arme dans son holster. Olsen s'approcha de la grille avec un trousseau de clés et déverrouilla le cadenas. Il ouvrit le portail et se tint, gravement, sur le côté.

— Pourriez-vous attacher votre chien, s'il vous plaît, Herr Olsen ? demanda Fabel en lui tendant un exemplaire du mandat. Et pourrions-nous voir votre moto, s'il vous plaît ? Votre véhicule personnel. Le numéro d'immatriculation est spécifié sur le mandat.

Olsen désigna l'atelier d'un mouvement brusque de la tête.

— Elle est là-bas. Oubliez pour le chien. Il ne fera de mal à personne, à moins que je ne lui en donne l'ordre.

Ils se dirigèrent vers le bâtiment sous le regard scrutateur d'Adolf. Olsen l'avait attaché à l'aide d'une chaîne solide. Le chien était nerveux et ses yeux passaient des officiers de police à Olsen comme s'il attendait l'ordre d'attaquer.

L'intérieur de l'atelier était étonnamment propre et lumineux. Les rugissements gras de Rammstein ou d'un groupe de rock similaire se déversaient d'un lecteur de CD. Olsen baissa le volume, mais sans éteindre, comme pour signifier que ce n'était là qu'une interruption provisoire de sa journée. Fabel s'était attendu à trouver des murs couverts des habituels posters érotiques voire porno mais il ne vit que des clichés assez esthétiques de bolides ou des illustrations techniques. Au fond de l'atelier, des motos étaient alignées, dont de toute évidence des modèles anciens. Le sol qu'Olsen devait balayer régulièrement était en ciment et, sur un mur occupé par des étagères, s'empilaient des plateaux en plastique rouge et des boîtes, chaque élément soigneusement étiqueté. Fabel observa longuement Olsen. Un homme grand, approchant de la trentaine, qui aurait presque été beau si ses traits n'avaient été un rien trop grossiers. De plus, il avait une vilaine peau brouillée. Le rangement et l'étiquetage méticuleux contrastaient avec l'apparence rustre d'Olsen. Fabel s'approcha des compartiments de pièces pour jeter un œil aux étiquettes.

— Vous cherchez quelque chose en particulier ? demanda Olsen d'une voix neutre, manifestement décidé à ne pas coopérer. Je croyais que vous vouliez voir ma moto ?

— Oui...

Fabel s'éloigna des bacs de rangement. L'écriture sur les étiquettes était petite et nette, mais Fabel n'aurait su dire si c'était la même que sur les messages des scènes de crime.

— Oui, s'il vous plaît.

Une grosse moto américaine trônait au centre de l'atelier, sur un support. Plusieurs pièces du moteur avaient été démontées et posées sur le sol. Encore une fois, Fabel apprécia l'ordre et le soin d'Olsen. Il s'affairait probablement sur sa moto quand ils étaient arrivés.

— Non, pas celle-ci. Là-bas, dit Olsen en désignant une BMW argent et gris.

Fabel n'était pas connaisseur, mais il releva le modèle, une R1100S. Il fallait admettre qu'une certaine beauté se dégageait de cette machine : une menace élégante, aux lignes pures, qui transmettait la sensation de vitesse même au repos. Bizarrement, la moto rappela à Fabel le chien de garde d'Olsen : chargée de puissance refoulée, de violence même, crevant d'être libérée. Fabel fit un signe de tête aux deux officiers en uniforme qui poussèrent l'engin vers l'extérieur et la camionnette stationnée.

— Vous en avez besoin pour quoi ? demanda Olsen.

Fabel ignora la question.

— Vous êtes au courant à propos de Hanna Grünn ? Je suppose que vous en avez entendu parler ?

— Oui, j'en ai entendu parler, dit-il en feignant l'indifférence.

— Vous ne semblez pas particulièrement bouleversé, Herr Olsen, constata Anna Wolff. Je veux dire, je croyais que vous étiez son petit ami.

Olsen s'esclaffa sans cacher son amertume.

— Son petit ami ? Pas moi. J'étais juste une bonne poire. Une des nombreuses bonnes poires de Hanna. Ça fait des mois qu'elle m'a largué.

— Pas d'après les gens qui travaillaient avec elle. On nous a dit que vous passiez la prendre en moto. Jusqu'à très récemment encore.

— Peut-être, en effet. Elle m'utilisait. Je me laissais utiliser. Qu'est-ce que je peux dire de plus ?

Olsen devait fréquenter régulièrement les salles de musculation, à voir ses épaules et ses bras sous sa combinaison de mécano. Il n'était pas difficile de l'imaginer dominant Schiller, plus léger, plus petit, et le tuant en deux coups de couteau acéré.

— Herr Olsen, où vous trouviez-vous vendredi soir ? demanda Anna. Le 19, jusqu'au samedi matin ?

Olsen haussa les épaules. Tu en fais trop dans le registre détaché, pensa Fabel. Tu as quelque chose à cacher.

— Je suis sorti boire un verre. Dans Wilhelmsburg. Puis je suis rentré chez moi vers minuit.

— Où êtes-vous allé ?

— Au Pélican. C'est un nouveau bar en centre-ville. Je voulais voir de quoi ça avait l'air.

— On vous y a vu ? demanda Anna. Quelqu'un peut-il confirmer que vous vous y trouviez ?

Olsen fit une grimace pour souligner la stupidité de cette question.

– On était des centaines. Je vous le répète, ça vient d'ouvrir et apparemment je n'étais pas le seul à avoir eu l'idée d'y aller, mais je n'ai rencontré personne de ma connaissance.

Fabel eut un geste presque désolé.

– Dans ce cas, je crains que nous devions vous demander de nous suivre, Herr Olsen. Vous ne nous fournissez pas assez d'informations pour que nous puissions vous écarter de notre enquête.

Olsen laissa échapper un soupir résigné.

– D'accord. Mais je n'y peux rien si je n'ai pas d'alibi. Si j'étais coupable de quelque chose, j'aurais fait un effort pour vous en fournir un. Ça va prendre longtemps ? J'ai des réparations à finir.

– Nous vous garderons le temps qu'il faudra pour découvrir la vérité. Je vous en prie, Herr Olsen.

– Je peux fermer l'atelier avant de partir ?

– Bien sûr.

Il y avait une issue dans le mur du fond. Olsen s'en approcha et tourna la clé dans la serrure. Puis il sortit, suivi des trois officiers. Le chien s'était endormi dans la cour.

– Si je dois passer la nuit au poste, il faut que je m'arrange pour que le chien ait à manger.

Il s'arrêta soudain pour jeter un regard vers l'atelier.

– Merde ! L'alarme. Je ne peux pas laisser les motos là-dedans sans brancher l'alarme. Je peux y retourner ?

Fabel acquiesça.

– Werner, accompagne Herr Olsen, s'il te plaît.

Quand ils furent hors d'écoute, Anna se tourna vers Fabel.

– Vous n'avez pas l'impression qu'on parie sur un perdant avec lui ?

– Je sais ce que vous pensez. J'ai le sentiment que la seule chose qu'il tente de nous cacher, c'est combien la mort de Hanna l'a touché...

Soudain un rugissement guttural et désespéré s'éleva de l'intérieur de l'atelier. Anna et Fabel échangèrent un regard avant de se précipiter. Le chien, réveillé en sursaut par le bruit et son instinct de prédateur excité par les deux officiers en pleine course, se mit à s'agiter furieusement, ses mâchoires claquant dans le vide. Fabel dévia sa course en espérant qu'il avait correctement évalué la longueur de la chaîne qui retenait le rottweiler. Ils avaient couvert la moitié de la distance quand Olsen surgit du coin du bâtiment sur une énorme machine rouge. Fabel et Anna se figèrent une seconde alors que la puissante moto de course filait droit sur eux. La tête d'Olsen disparaissait sous un casque rouge à la visière baissée, mais Fabel reconnut la combinaison tachée d'huile. Le mécanicien conduisait la moto comme une arme. La roue avant se leva légèrement quand il mit les gaz dans un vrombissement rageur.

L'adrénaline déferlant dans le corps de Fabel ralentit le temps. La moto roulait vite et, à présent, elle semblait se ruer sur eux, comme si Fabel la regardait à travers un objectif grossissant. Fabel et Anna s'écartèrent dans des directions opposées pour laisser la moto filer entre eux. Fabel roula plusieurs fois sur le sol avant de s'immobiliser. Il se relevait tout juste sur un genou quand une masse sombre le percuta. Pendant une fraction de seconde, il crut qu'Olsen avait fait demi-tour pour les achever. Puis, se retournant, il vit les énormes mâchoires du rottweiler foncer sur lui. Il rejeta la tête en arrière au moment où les dents claquèrent. Il reçut du mucus et de la salive froide sur la joue, mais le chien avait manqué sa cible. Il roula encore sur lui-même, cette fois dans la direction opposée, et ressentit une douleur aiguë quand il fut ralenti par un objet s'enfonçant dans son épaule. Il continua de rouler. Le grondement féroce et mauvais du chien se mua en un aboiement fou de frustration quand l'animal atteignit la limite de sa chaîne.

Fabel se releva. Anna Wolff, également sur pied, presque en position de départ de course, l'observait pour voir s'il allait bien. Au signe de tête qu'il lui adressa, elle fonça vers la voiture de Fabel et la camionnette de la police. Les deux officiers en uniforme restèrent comme abasourdis, chacun à l'extrémité de la moto qu'ils chargeaient à l'arrière de l'estafette. Changeant de direction, Anna se rua vers la moto plutôt que vers la voiture de Fabel.

— La clé de contact est dessus ? cria-t-elle aux deux SchuPo interdits.

Ils n'eurent pas le temps de répondre. Elle était déjà près de la moto et écartait le SchuPo qui en soulevait l'arrière. Elle fit rouler l'engin au bas du hayon, le démarra et partit en trombe dans la direction qu'Olsen avait prise.

Fabel empoigna son épaule. Le tissu de sa veste Jaeger était déchiré là où le rottweiler avait planté ses crocs. Son épaule semblait contusionnée mais le tissu de son col roulé était intact, et il n'y avait pas trace de sang. Il lança un regard plein de ressentiment au chien, qui lui répondit en tirant sur sa chaîne, se levant sur ses pattes arrière en s'agrippant, impuissant, au vide.

— Par ici ! cria Fabel à l'intention des deux officiers en uniforme tandis qu'il se précipitait vers la porte ouverte de l'atelier.

Werner était à terre, à demi assis. À l'aide d'un mouchoir déjà ensanglanté, il essayait vainement de contenir l'hémorragie du côté droit de sa tête. Fabel se laissa tomber à côté de lui et lui écarta la main pour inspecter la blessure. L'entaille était horrible, profonde et à vif, la chair du crâne distendue par une bosse. Fabel sortit son propre mouchoir pour remplacer l'autre, saturé de sang, pressant la main de Werner contre la plaie. Puis il passa le bras autour de ses épaules pour le soutenir.

— Tu vas bien ?

Le regard de son ami était vitreux et flou, mais il parvint à répondre d'un vague signe de tête qui ne rassura pas du tout Fabel. Les deux officiers en uniforme les avaient à présent rejoints. Fabel leur désigna les étagères d'un mouvement brutal de la tête.

— Vous, voyez si vous pouvez trouver une trousse de premiers secours là-bas. Et vous, appelez une ambulance.

Fabel examina le sol. La clé à molette, à la tête lourde et à la mâchoire coulissante couverte de sang, se trouvait à environ un mètre de Werner. La porte du fond de l'atelier était ouverte. Le salaud, pensa Fabel. Olsen avait un sacré sang-froid, il fallait le reconnaître. Il avait tranquillement ouvert la porte sous leurs yeux, tout en prétendant la fermer. Il avait planifié son numéro avec précision, devinant que, vu sa coopération impatiente et agacée, on n'enverrait qu'un seul flic avec lui pour enclencher l'alarme. Puis il avait frappé Werner avec la clé avant de se faufiler par la porte arrière, où la moto rouge devait attendre. Une moto que Fabel était certain de ne pas avoir vue parmi les autres dans l'atelier.

Werner remua en grognant comme s'il tentait de se lever. Mais Fabel le retint fermement.

– Tu ne bouges pas, Werner. On attend l'ambulance.

Fabel leva les yeux vers le policier en uniforme qui lui adressa un signe de tête.

– Elle est en chemin, Herr Kriminalhauptkommissar.

– Je ne voudrais pas être à la place d'Olsen quand tu vas lui mettre la main dessus, chef, dit Werner.

Fabel fut soulagé de constater que les yeux de Werner étaient moins vitreux, mais le regard était loin d'être vif.

– Tu peux en être sûr, personne ne s'amuse à amocher un membre de mon équipe.

– Non, ce n'est pas ce que je voulais dire, dit Werner en souriant faiblement et en désignant l'épaule déchirée. Ce n'est pas une de tes vestes préférées ?

Anna portait son habituelle veste en cuir, mais ses jambes n'étaient protégées que par le denim de son jean et son genou avait ripé sur l'asphalte lors du dernier virage. Si Olsen était aussi fort en conduite de moto qu'en réparation, ce qui était probable, elle devait rouler pleins gaz, ne serait-ce que pour l'apercevoir. Elle n'avait ni casque ni lunettes de soleil, aussi devait-elle plisser les paupières pour se protéger du vent qui rugissait chaque fois qu'elle accélérait dans une ligne droite. Recroquevillée derrière le capot de course de la moto, elle s'efforçait de réduire sa prise au vent et de s'en préserver le plus possible. La rue, vide de toute circulation, longeait la grille de la raffinerie, et elle accéléra à fond. En débouchant sur Hohe-Schaar-Strasse, elle avait obligé une Mercedes à freiner en faisant une embardée. Elle aperçut une tache rouge au loin. Dans un grondement, Olsen traversait le pont sur le Reiherstieg. Anna fit rugir la BMW. Elle estima la distance qui la séparait du prochain virage. Autrefois, Anna et son frère Julius avaient chacun une moto et partaient souvent en week-end ensemble : en France, en Bavière et même une fois jusqu'en Angleterre. Mais ensuite, leurs carrières respectives les accaparant, leurs escapades s'étaient faites plus rares et plus courtes. Et quand Julius s'était marié, ils avaient complètement cessé. Anna avait gardé sa moto jusqu'à l'année passée puis l'avait échangée contre une voiture. Elle ne gardait, comme seul souvenir de cette époque, que cette veste en cuir trop grande qu'elle portait presque tous les jours au travail.

Anna ralentit, appuyant doucement sur la pédale pour diminuer sa vitesse avant le virage serré, au bout de la ligne droite. Elle se pencha dans le tournant, se redressa à la sortie et laissa la force saccadée des cylindres l'emporter une nouvelle fois quand elle accéléra. Une autre longue rue droite s'ouvrait devant elle. Au bout de la rue, elle entrevit la tache rouge de la moto d'Olsen. Elle mit alors pleins gaz et la BMW s'élança de plus belle. Anna avait la bouche sèche, elle avait peur. Et cette idée l'électrisa. Elle savait qu'elle poussait la moto vers sa limite de deux cents kilomètres heure mais ne regardait pas le compteur. L'écart avec Olsen se réduisait : il n'avait apparemment pas jeté de coup d'œil dans son rétroviseur et ne prenait aucun risque. Il devait s'attendre à ce qu'ils le pourchassent en voiture, qu'ils ne soient pas capables de rivaliser avec lui en vitesse et en adresse. La distance rétrécissait. Ne regarde pas, pensait-elle, ne regarde pas encore, espèce de connard. Elle y était. Un mouvement presque imperceptible de la tête casquée de rouge et la moto d'Olsen s'élança d'un coup. Il ne pouvait prendre le large mais il pouvait maintenir une distance entre eux jusqu'à ce que l'un d'eux commette une erreur. C'était comme de jouer au premier qui se dégonfle tout en fonçant dans la même direction.

Ils approchèrent d'un nouveau virage qu'Olsen négocia mieux et plus vite qu'Anna, augmentant légèrement l'écart entre les deux motos. Le paysage industriel qu'ils avaient traversé jusque-là disparut. Ils étaient à présent entourés de champs boueux. La route décrivait de nombreux méandres et Anna se retrouva à plusieurs reprises déportée sur la gauche, heureuse qu'aucun véhicule n'arrive en sens inverse.

Un autre virage serré. Cette fois, Olsen fit une erreur d'estimation et parvint tout juste à le négocier, ce qui l'obligea à ralentir pour revenir sur la route. Anna réduisit l'écart entre eux à vingt mètres. Son univers se limitait à ce ruban de route et cette moto avec laquelle son corps se confondait totalement. C'était comme si son système nerveux était connecté au système électronique de la BMW et que chaque pensée, chaque impulsion, était transmise automatiquement à la machine. Son regard était focalisé sur la moto rouge devant elle. Elle était totalement concentrée, essayant d'anticiper chacune des réactions d'Olsen.

Ce qui impliquait qu'elle ne pouvait écarter d'un millimètre ses mains du guidon de la BMW. Hors de question de sortir son arme. Elle n'était pas non plus en mesure de téléphoner. Elle avait également perdu tout sens de l'orientation : elle avait tellement fixé son attention sur Olsen et sur la route qui défilait sous ses yeux qu'elle ne savait plus exactement où ils se trouvaient. Sa connaissance de Wilhelmsburg était déjà limitée en temps normal, mais l'excitation et le défi de la poursuite lui avaient fait ignorer tout repère. D'après la campagne plate alentour et la direction qu'ils suivaient, ils devaient rouler quelque part dans le Moorwereder, l'étrange pointe rurale de Wilhelmsburg qui avait échappé, curieusement, aux promoteurs.

Un nouveau virage et une nouvelle ligne droite. La moto d'Olsen s'élança pour regagner sa vitesse maximale. La poitrine d'Anna se serra quand elle comprit qu'ils allaient pénétrer dans une zone d'habitations. Ils dépassèrent à toute allure une pancarte indiquant qu'ils approchaient de Stillhorn. Olsen leur faisait faire un détour pour rejoindre l'autoroute A1. S'il allait trop vite, elle allait devoir ralentir et le laisser filer plutôt que de mettre en danger des civils. Mais ce n'était pas encore d'actualité.

La circulation devint plus dense. Olsen et Anna zigza-
guaient au milieu des voitures dont certaines, obligées de
freiner brutalement, lançaient de furieux coups de klaxon.
La ville prenait forme de façon plus concrète comme ils
approchaient du centre. Le cœur d'Anna cognait dans sa
poitrine. Derrière elle, une sirène de police retentit : s'agis-
sait-il de renforts ou simplement de la police de Stillhorn
qui prenait en chasse deux motos traversant l'endroit à une
vitesse démente ? Quoi qu'il en soit, elle était heureuse que
des collègues soient là quand elle finirait par coincer Olsen.
Loin devant, elle le vit freiner brutalement et tourner, la
moto glissant presque sous lui, tandis qu'il disparaissait
dans une petite rue transversale.

Anna manqua le tournant et dut faire demi-tour dans
la rue principale, provoquant de nouveaux coups de klaxon
courroucés. Quand elle s'engagea dans la ruelle, Olsen en
sortait à l'autre extrémité. Encore une fois, elle mit les gaz.
Le rugissement de la BMW retentit dans la ruelle étroite,
obligeant quelques piétons à s'aplatir contre les immeubles,
quand la machine fila en grondant. Cela devenait trop dangereux : elle allait perdre Olsen, sauf si elle le coinçait avant
qu'il ne disparaisse dans la ville.

Anna allait atteindre le bout de la rue quand une voiture de patrouille vert et blanc, gyrophare allumé, s'engagea dans la voie pour essayer de la bloquer. Anna gesticula
afin que la voiture s'écarte de son passage, mais le véhicule
stoppa dans un crissement de pneus, les portières s'ouvrirent et deux policiers en sortirent, les pistolets dégainés.
Ils visèrent Anna.

Elle freina d'un coup sec. La moto vira en présentant
le flanc à la voiture. La machine glissa sous Anna qui, s'écrasant sur le goudron, sentit immédiatement le denim se
déchirer et sa cuisse la brûler. Elle roula plusieurs fois sur
elle-même avant de s'immobiliser contre une voiture en
stationnement. La moto continua de glisser, sa carcasse de
métal frottant sur la route en l'aspergeant d'étincelles,
jusqu'à ce qu'elle percute l'avant de la voiture de police.

Un deuxième véhicule de patrouille se gara derrière
Anna. Les SchuPo abasourdis se dirigèrent vers elle en

rangeant leur arme alors que, toujours allongée à terre, une main posée sur sa cuisse écorchée, elle brandissait son insigne ovale de la Kriminalpolizei. Ils l'aidèrent à se relever et l'un d'entre eux lui expliqua qu'ils ne s'étaient pas doutés qu'elle était un officier de police en train de pourchasser un suspect.

Anna fixa la rue dans laquelle Olsen avait disparu, puis la BMW écrasée contre l'avant de la voiture de police. D'une voix calme et contenue, elle ordonna aux deux policiers en uniforme de contacter sa hiérarchie pour l'avertir que le suspect avait pris la fuite et demander s'il était possible d'envoyer un hélicoptère pour localiser Olsen. Puis, ayant pris une profonde inspiration, elle se mit à hurler, d'une voix dure et aiguë, aux quatre SchuPo :

– Espèces d'abrutis !

25

Mardi 25 mars, 16 h 30 – Hôpital de Wilhelmsburg, Hambourg.

Maria Klee, vêtue d'un tailleur pantalon gris anthracite agrémenté d'un corsage en lin noir, se tenait près de la fenêtre. Ses cheveux blonds étaient tirés en arrière et ses yeux gris étincelaient d'un éclat froid dans la lumière dure de l'hôpital. Elle paraissait toujours un peu trop élégante pour être une Kriminaloberkommissarin. Là, dans cette chambre d'hôpital, en compagnie de ses collègues épuisés et blessés, le contraste était encore plus flagrant.

– Bon..., dit-elle, en souriant et en tapotant ses dents parfaites du bout d'un stylo. L'un dans l'autre, je crois qu'on peut dire que ça s'est bien passé. La prochaine fois que vous avez besoin d'interroger quelqu'un, je crois que je ferais mieux de vous accompagner.

Fabel, affalé dans un fauteuil près du lit de Werner, éclata d'un rire sans joie. Il portait toujours sa veste Jaeger à l'épaule déchirée. Werner était allongé, le dos légèrement relevé. Le côté de son visage avait gonflé de manière grotesque et commençait à changer de couleur. Les radios et les scanners n'avaient révélé aucune fracture ni aucune lésion au cerveau, mais les médecins craignaient que l'hématome n'ait pu masquer une fracture à la naissance des cheveux. Werner reposait dans un no man's land entre l'état de conscience et le sommeil : les antalgiques qu'on lui avait administrés avaient un effet encore plus sédatif que la clé d'Olsen. Anna, vêtue d'une tunique d'hôpital, la cuisse couverte d'un énorme pansement, était assise dans un fauteuil roulant de l'autre côté du lit de Werner.

— C'est la fin de ma carrière de mannequin pour maillots de bain, avait-elle déclaré quand on l'avait amenée dans la chambre.

Sa folle course-poursuite au finale spectaculaire avait fait baver son mascara et son rouge à lèvres. Une infirmière lui avait donné des lingettes cosmétiques : sans maquillage, sa peau brillait à présent d'une pâleur presque translucide. Fabel, qui n'avait jamais vu Anna ainsi, fut surpris de constater combien elle paraissait plus jeune que ses vingt-sept ans. Et combien elle était jolie. Son visage ne collait pas avec l'agressivité qu'elle mettait à accomplir son devoir. Une agressivité qu'il fallait souvent contenir.

Fabel se leva avec lassitude de son fauteuil pour rejoindre Maria près de la fenêtre et ainsi faire face à Anna et Werner. Il avait, de toute évidence, quelque chose à annoncer et, comme Werner ne faisait pour le moment que de la figuration, Fabel s'adressa plus particulièrement à Anna et à Maria.

— Nul besoin de vous dire que tout ceci n'est pas bon.

Son ton suggérait que la pilule serait difficile à avaler.

— En gros, il ne reste plus que Maria et moi. Werner va être arrêté pendant au moins un mois. Anna, vous ne serez pas d'attaque pendant environ une semaine.

— Je vais bien, chef. Je serai de retour...

Fabel l'interrompit en levant la main.

— Vous ne m'êtes d'aucune utilité, Kommissarin Wolff, si vous n'êtes pas mobile à cent pour cent. Il faudra au moins une semaine avant que vous ne soyez d'attaque. Vous ne le sentez pas pour l'instant, mais les médecins ont prévu que vous souffririez quand tous les muscles déchirés commenceront à cicatriser. En plus, vous avez de la chance de ne pas avoir besoin d'une greffe de peau sur la cuisse.

— J'ai juste essayé d'empêcher Olsen de s'enfuir.

— Je ne condamne pas vos actions, Anna, répondit Fabel en souriant. Bien que Herr Brauner n'ait pas trop apprécié que vous emboutissiez une éventuelle preuve sous une voiture. Le fait est que je ne peux rien faire s'il n'y a que Maria pour travailler sur cette affaire avec moi.

L'expression d'Anna s'assombrit. Elle savait où il voulait en venir.

— Les autres équipes de la Morkommission peuvent nous fournir des officiers.

— Anna, je sais que vous étiez proche de Paul.

Paul Lindemann avait été l'équipier d'Anna : Paul et Anna étaient très différents, en bien des points, mais ils avaient formé une équipe soudée et très efficace.

— Mais j'ai besoin d'une équipe permanente complètement opérationnelle. Je vais recruter un nouveau membre.

Aucune détente dans l'expression d'Anna.

— Et ce sera mon nouveau partenaire ?

— Oui.

Maria haussa les sourcils. Les deux femmes savaient, pour avoir été choisies par lui personnellement, que Fabel était très sélectif dans le recrutement de ses collaborateurs. Il avait été, sans aucun doute, impressionné par quelqu'un.

— Vous allez demander au Kommissar Klatt de rejoindre l'équipe ? Le type de la police de Nordstedt ?

Le sourire de Fabel fut aussi énigmatique que son état d'épuisement et la douleur de son épaule le lui permettaient.

— Vous verrez bien.

26

Jeudi 25 mars, 18 heures – Wilhelmsburg, Hambourg.

S'il est un moyen sûr de pousser la police à vous mettre la main dessus, c'est d'agresser un officier. Dans les quinze minutes suivant le moment où Olsen avait frappé Werner, un mandat avait été lancé et les unités du Mobile Einsatz Kommando tenaient l'appartement d'Olsen, dans le quartier de Wilhelmsburg proche de l'ancienne fabrique de miel, sous haute surveillance. Aucun signe de vie : soit Olsen était aussitôt retourné chez lui et s'y terrait depuis, ce qui était peu probable et aurait été d'une bêtise monumentale, soit il savait qu'il devait rester aussi loin que possible de son appartement.

Le ciel gris pesait sur la ville quand Maria et Fabel s'arrêtèrent juste en face de l'immeuble d'Olsen. Fabel, arborant une nouvelle veste, avait pris deux cachets de codéine pour assourdir la douleur de son épaule ainsi que les battements qui lui martelaient le crâne. En sortant de la BMW, il fit un signe en direction d'un gros fourgon banalisé stationné à mi-rue. Cinq costauds en jean et sweat-shirt bondirent hors du véhicule et remontèrent rapidement la rue. Équipés de gilets pare-balles « POLIZEI » par-dessus leur tenue de civil, ils étaient également coiffés de passe-montagnes et de casques d'assaut. Deux d'entre eux transportaient un bélier trapu. Trois hommes supplémentaires, vêtus de façon identique, s'approchèrent en courant depuis une voiture garée à cinquante mètres environ dans la direction opposée. Quand le commandant du MEK s'immobilisa près de Fabel, ce dernier opina.

– Deuxième étage, 2b. Faites votre boulot.

Ils entendirent, depuis la rue, le fort impact du bélier contre la porte de l'appartement d'Olsen. Il y eut des cris puis le silence. Quelques minutes plus tard, le commandant du MEK émergea de la porte d'entrée de l'immeuble, sa cagoule et son casque dans une main, un SIG-Sauer automatique dans l'autre, un sourire vide sur les lèvres.

– Personne dans l'appartement, annonça-t-il.

– Merci, Herr Oberkommissar, répondit Fabel avant de se tourner vers Maria. On y va ?

La porte de l'appartement tenait encore sur ses gonds, mais le cadre explosé autour de la serrure n'était que longues échardes pointues. Fabel et Maria enfilèrent des gants de latex blanc avant de pénétrer dans les lieux. C'était un appartement de bonne taille : un salon spacieux, trois chambres, une grande cuisine-salle à manger et une salle de bains. Le mobilier était ancien et massif et Fabel remarqua combien l'endroit était rangé et propre. Le téléviseur du salon était peut-être un ancien modèle mais Olsen avait tout misé sur son équipement stéréo, une imposante chaîne Bang & Olufsen. La taille et la puissance des enceintes semblaient disproportionnées par rapport aux dimensions de la pièce, mais il était peu probable que les voisins osent venir se plaindre du boucan auprès d'Olsen. Les CD étaient rangés sur une étagère fixée au mur à côté de la chaîne. Olsen avait étiqueté sa collection de disques avec le même soin que sa réserve de pièces de rechange dans son atelier. Fabel inspecta de plus près les goûts musicaux d'Olsen : Rammstein, Die toten Hosen, Marilyn Manson. Pas le genre de truc qu'on écoute en fond sonore pendant un dîner.

Holger Brauner, le chef de l'équipe SpuSi, frappa à la porte dans le dos de Fabel.

– C'est une soirée privée ? Ou tout le monde est accepté ? dit-il avant de désigner d'un mouvement de tête le CD que Fabel avait à la main. Rammstein ? Je n'aurais jamais pensé que c'était ton style.

Fabel éclata de rire et reposa le CD sur l'étagère.

— Je voulais juste savoir s'il avait du James Last. Rien ne vaut un peu de *Hansi* après une dure journée.

— Et tu as eu une sacrée journée d'après les rumeurs... C'est vrai que tu as demandé une mutation dans l'équipe des maîtres-chiens ?

Sourire sarcastique de Fabel.

— Et, au fait, Herr Kriminalhauptkommissar, pourrais-tu toucher deux mots à Frau Wolff ? Je ne crois pas qu'elle ait bien saisi le concept de préservation de l'intégrité d'une pièce à conviction.

— Désolé pour la moto, Holger. Tu as trouvé une correspondance ?

— Bien sûr. L'empreinte que nous avons relevée sur la scène de crime provient d'un modèle de pneu de moto 120/70-ZR17. C'est un modèle standard de pneu avant sur la BMW R1100S. Le motif d'usure sur la moto d'Olsen correspond exactement à l'empreinte relevée. Alors c'est notre type. Ou, du moins, c'est bien sa moto qui se trouvait dans le parc naturel. Maintenant, nous avons besoin des bottes qu'il portait. Je vais jeter un coup d'œil.

— Il les a probablement sur lui, répondit Fabel en s'efforçant de se rappeler comment Olsen était chaussé en début de journée.

Maria avait fouillé la salle de bains et en rapporta des flacons d'aspect pharmaceutique.

— Herr Brauner, vous avez une idée de leur utilité ?

Brauner examina les flacons.

— Isotrétinoïne et peroxyde benzoïque... est-ce que votre type a une mauvaise peau, par hasard ?

— En effet, répondit Fabel.

— Ce sont des traitements pour l'acné, ajouta Brauner d'une voix traînante.

Il continua de fixer les flacons comme si une pensée bataillait pour faire surface et qu'il devait se concentrer pour l'aider à percer.

— Ces empreintes de pas étaient énormes. Pointure 50. Est-ce que votre type est vraiment grand ? Et très musclé ?

Maria et Fabel échangèrent un regard.

— Oui, Vraiment balaise.

— Cela peut paraître bizarre comme question mais y a-t-il autre chose, disons, d'étrange dans son apparence ? Est-ce que son torse est bombé ou bien louche-t-il d'un œil ?

— Tu plaisantes ? Ou tu penses le connaître ? s'esclaffa Fabel.

Brauner, qui fixait toujours le traitement contre l'acné, secoua la tête d'un air contrarié.

— Tu as remarqué quelque chose dans ce genre ?

— Non, dit Fabel. Il ne louche pas d'un œil et son torse n'est pas bombé. Ce n'est pas non plus un bossu à deux têtes.

— Non...

Le trait d'humour de Fabel ne toucha pas Brauner qui se parlait plus à lui-même qu'il ne s'adressait aux autres.

— Ce n'est pas obligé.

— Holger ? s'impatienta Fabel.

Brauner leva les yeux des médicaments.

— Désolé. Je pense à votre type et il se pourrait qu'il soit un de ces cas sur mille. Littéralement. Il n'a été condamné que pour violence, n'est-ce pas ? Des situations au cours desquelles il a perdu son sang-froid plutôt que des actes criminels prémédités ?

— D'après ce que j'en ai vu, oui, dit Fabel. À part une condamnation pour recel de pièces volées. Qu'est-ce que tu as, Holger ?

— Peut-être rien, mais Olsen est d'une nature explosive, d'une taille inhabituelle et puissamment bâti et il souffre d'acné à un âge où la plupart d'entre nous ont oublié ce désagrément. Il se peut qu'on soit en présence d'un Caryotype XYY.

— Le Syndrome du Surhomme ? demanda Fabel qui s'abandonna ensuite à la réflexion. Oui. Oui, ça pourrait coller. Maintenant que tu en parles, ça pourrait vraiment coller. Je ne savais pas concernant l'acné.

Fabel avait déjà rencontré un cas d'homme « XYY ».

Le syndrome du Caryotype XYY se manifeste quand, au lieu du type de chromosome normal « 46XY », un homme naît avec un chromosome mâle supplémentaire et un type de chromosome « 47XYY ». Ces « surhommes » se caractérisent par une taille excessive, des traits masculins plus grossiers, une maturité émotionnelle et sociale moins développée, et un organisme submergé par la testostérone. Ce qui donne souvent des tempéraments violents et explosifs. Les médecins sont partagés quant aux effets du XYY, s'il y en a, sur le comportement violent et les tendances criminelles, mais l'homme XYY que Fabel avait rencontré était, comme Olsen, énorme et d'une imprévisible violence. Des recherches controversées ont révélé un taux disproportionné d'hommes XYY dans la population carcérale : nombre de XYY, pourtant, mènent des existences productives et très fructueuses, canalisant leur agressivité dans des carrières dynamiques. Fabel regarda de nouveau le CD.

— Je ne sais pas, Holger. Ça collerait avec le rock agressif, mais son comportement à l'atelier était très détaché, cette façon qu'il a eue d'attirer Werner dans le garage, en témoigne. Il avait planifié sa stratégie de fuite.

— Il bouillait probablement à l'intérieur mais il s'était résolu à contenir son agressivité jusqu'à ce que se présente l'occasion de s'enfuir. Cela collerait avec la force démesurée. Il n'avait pas besoin de frapper aussi fort le Kriminaloberkommissar Meyer. Une classique perte de contrôle quand il explose.

— Ça ne devrait pas figurer dans son casier ? demanda Maria.

— Peut-être, répondit Brauner. S'il a été soumis au test du Caryotype lors de son arrestation. Et si, en effet, il est caryotype XYY. Il se peut qu'il soit juste un gros con impulsif.

Ils se séparèrent et entreprirent de fouiller le domicile d'Olsen, chacun de son côté, tels des visiteurs dans une galerie ou un musée, parcourant l'ensemble des yeux, puis s'arrêtant pour examiner de plus près un détail qui attirait leur attention. Rien ne suggérait l'ego psychotique comprimé d'un tueur en série, mais le sentiment de Fabel achoppait continuellement sur les contradictions de la personnalité d'Olsen. Tout était net et rangé. Fabel inspecta l'une des deux chambres. Apparemment celle d'Olsen. Les posters au mur correspondaient plus à la chambre d'un adolescent qu'à l'appartement d'un homme approchant la trentaine. Des objets personnels, une grosse montre bon marché, un peigne et une brosse, des articles de toilette et deux flacons d'after-shave, étaient disposés, bien alignés, sur sa commode. Fabel ouvrit les portes d'un placard contenant des vêtements et des chaussures de très grande taille, et il eut l'impression de rôder dans la chambre de quelque géant endormi. Sinon, la garde-robe d'Olsen était du genre pratique : un costume et une paire de chaussures habillés ; une demi-douzaine de tee-shirts aux noms et logos de groupes de rock agressifs, des tee-shirts pourtant pliés et rangés comme si sa maman était passée là le matin même ; deux jeans ; deux paires de bottes. Des bottes.

– Holger ! appela Fabel par-dessus son épaule en direction de l'autre pièce, tout en enfilant une paire de gants de latex.

Il souleva une paire de bottes pour en examiner les semelles. Les rainures étaient peu marquées. La deuxième paire semblait plus solide. Chaque botte comportait dix couples d'œillets de laçage et deux sangles à boucle lourde. De toute évidence, des bottes de motard. Il allait les retourner quand Brauner entra dans la chambre. Le chef de l'équipe forensique lui tendit un cliché de l'empreinte relevée au Naturpark. Même Fabel était capable de conclure, au premier regard, que les bottes et l'empreinte concordaient.

Fabel prit les bottes l'une après l'autre entre son pouce et son index gantés de latex et les laissa tomber à l'intérieur du sac que lui tendait Brauner.

– Tout ce qu'il nous reste à faire maintenant, c'est trouver notre Cendrillon..., déclara Fabel.

27

Un autre rituel de la relation amoureuse : quand les amis de l'un devenaient les amis du couple. Fabel avait eu l'idée de ce repas et quand il vit Otto, son plus vieil ami, assis à discuter avec Susanne, il fut étonné d'être aussi content. La gêne des premiers instants s'était évaporée presque immédiatement sous l'effet de la chaleur méridionale et naturelle de Susanne. À l'évidence, Otto et Else l'appréciaient. Avaient une bonne opinion d'elle. Fabel n'était pas certain de savoir pourquoi leur opinion lui était à ce point importante. Peut-être parce qu'Otto et Else étaient présents lorsqu'il s'était marié avec Renate, et qu'ils s'étaient tous retrouvés autour d'une table de restaurant, comme ce soir, de nombreuses fois auparavant.

Il regarda Susanne et lui sourit. Ses cheveux noirs étaient remontés, révélant sa nuque et ses épaules. Cette femme était d'une beauté frappante et naturelle. Elle lui répondit par un sourire entendu. Fabel avait réservé une table dans un restaurant italien de Milchstrasse, à deux minutes à pied de chez lui. Son appartement n'avait qu'un seul inconvénient : il ne se prêtait pas aux petites réunions entre amis. Fabel était devenu un habitué de ce restaurant chaque fois qu'il avait des invités. Ils bavardaient de choses et d'autres quand Otto aborda le sujet des livres que Fabel avait achetés.

— Comment tu trouves le roman de Weiss ? demanda-t-il.

— Bien... Oui, ça va. Je comprends ce que tu voulais dire quand tu parlais de son style ampoulé. Mais c'est étonnant comme on est aspiré dans le monde qu'il décrit. Et comment on commence à associer Jacob Grimm au personnage de fiction plutôt qu'à l'homme historique. Ce qui est le but de la théorie de Weiss, je suppose.

Fabel marqua une pause.

— J'ai aussi parcouru les ouvrages des frères Grimm. Je savais qu'ils avaient recueilli beaucoup de contes populaires, mais je n'avais aucune idée du nombre. Sans compter tous ces mythes et légendes.

— C'étaient des hommes très consciencieux et talentueux. Ils formaient une équipe efficace. Leur travail sur la langue allemande, sur la linguistique en général, a été, tu le sais, révolutionnaire. Et son influence perdure. Ils ont défini les mécanismes du langage, comment les langues évoluaient et comment elles influaient les unes sur les autres. L'ironie, c'est qu'on se souvient d'eux en tant qu'auteurs de contes qu'ils n'ont effectivement pas écrits. Bon, pour dire vrai, ils ont quand même fait un travail d'édition et de réécriture sur les versions plus récentes, pour les rendre plus agréables à lire.

— Mmm, je sais, dit Susanne avant de boire une gorgée de vin. Pour une psychologue, les contes de fées sont fascinants. On y décèle des choses tellement profondes. Sur la sexualité, beaucoup sur la sexualité.

— Exactement, approuva Otto en lui adressant un sourire lumineux. Les frères Grimm n'étaient pas des écrivains, ils étaient des archivistes, des linguistes et des philologues qui voyageaient dans les contrées éloignées de la Hesse, et ailleurs dans le centre et le nord de l'Allemagne, pour recueillir des anciens contes et fables populaires. Au début, ils ne réécrivaient pas ni n'embellissaient les histoires traditionnelles qu'ils compilaient. Mais la plupart de ces contes n'étaient pas aussi agréables qu'ils sont apparus dans les éditions ultérieures, ou bien aussi niais et édulcorés que dans les versions de Disney ou autres. Quand leurs recueils se sont révélés être des best-sellers, plus particulièrement ceux de contes pour enfants, les frères Grimm ont été amenés à enlever les éléments les plus sombres ou même sexuels.

— C'est pour cette raison qu'on est toujours un peu effrayés par les contes de fées, déclara Susanne. On les raconte aux enfants quand ils sont couchés et ce sont véritablement des avertissements et des instructions sur la manière d'éviter le mal et tous types de dangers. Mais ils parlent également des dangers présents dans ce que nous connaissons et en quoi nous avons confiance. La maison. La menace provenant du connu et du familier apparaît autant dans ces fables que la peur de l'inconnu. Ce qui est amusant, c'est que la marâtre est l'un des thèmes les plus répandus.

— Weiss prétend que ces contes populaires sont les vérités fondamentales sur lesquelles se fondent nos peurs et nos préjugés, intervint Fabel. Comme Susanne le dit, notre psychologie. Il prétend que, chaque fois que nous nous installons pour lire un roman ou regarder un film, particulièrement si cela traite de sujets qui nous font peur, ce n'est qu'une nouvelle manière de se raconter ces contes de l'enfance.

Otto acquiesça énergiquement en pointant sa fourchette vers Fabel.

— Eh bien, il y a du vrai là-dedans. Qu'est-ce qu'on dit déjà ? qu'on ne peut jamais raconter que quatre histoires de base, ou bien est-ce six ?

Il haussa les épaules.

— Peu importe, dit Fabel. Tout cela est lié de façon étrange à une affaire sur laquelle j'enquête. En d'autres termes, c'est parler boulot, ce qui est strictement interdit.

— D'accord, fit Otto avec un sourire espiègle. Mais pour clore le sujet, je comprends pourquoi Jan s'intéresse aux contes de fées...

Susanne haussa un sourcil interrogateur.

— La Belle, déclara Otto en levant son verre vers Susanne avant de se tourner vers Fabel... Et la Bête.

28

Dimanche 28 mars, 23 h 20 – Blankenese, Hambourg.

La salle de la piscine couverte était plongée dans l'obscurité et le silence, l'eau muette dans la nuit.

Laura se déshabilla dans la cabine et se tint nue devant le miroir. Sa peau était encore parfaite, ses cheveux toujours d'un blond brillant et les courbes de son corps demeuraient douces et pures. Elle avait tellement sacrifié pour préserver ce corps et ce visage. Elle contempla cet idéal de perfection féminine pour lequel tant de photographes et de couturiers avaient payé si cher. Elle posa une paume sur son ventre. Il était plat. Compact. Il n'avait jamais été contraint de gonfler ni de se distendre. Baissant les yeux sur sa propre perfection, elle fut soudain envahie par le dégoût.

Elle entra nue dans la salle de la piscine, pour se laisser absorber par l'obscurité et la tranquillité. Inspirant profondément, elle regarda par-delà l'obsidienne brillante du bassin vers les larges vitres qui encadraient le paysage nocturne. Elle pouvait nager dans ce ciel, son esprit libre et clair. Elle alluma les projecteurs sous l'eau et une luminescence bleu pâle s'épanouit le long des bords de la piscine. Laura descendit dans la partie la moins profonde, laissant l'eau fraîche, presque froide, picoter et resserrer sa peau, lui donner la chair de poule, pincer ses mamelons. Elle avançait vers la partie profonde, l'eau d'un pâle bleu électrique se ridulant à chacun de ses pas, quand elle la vit.

Une silhouette. Une grande tache sombre dans la lumière bleu pâle du bassin. Il y avait quelque chose au fond de la piscine. Il y avait quelque chose au fond de la piscine et cela n'avait aucun sens. Laura avança vers la forme en fronçant les sourcils. Comment cette chose était-elle arrivée là ? Qui pouvait bien l'avoir laissée là ? Elle se rapprocha sans parvenir à définir ce qu'était cet objet immobile. Elle se trouvait environ à deux mètres quand la forme se déplia, se projetant du fond du bassin pour fendre la surface de l'eau d'un seul mouvement. La silhouette se détoura, énorme, dans la faible lumière bleue. Elle déferla sur Laura, la domina, referma en une seconde la distance qui les séparait. Le temps ralentit. La silhouette d'un homme ? Non. Sûrement trop grande. Trop rapide. Son corps était noir. Noir de mots. Il, cette chose, était couvert de mots. Des milliers de mots en vieux caractères allemands. En travers du vaste torse. Des mots qui montaient en spirale et s'enroulaient autour des bras. Cela n'avait aucun sens. Une histoire sous la forme d'un géant se précipitait sur elle. Il était sur elle à présent. Une main lui agrippa la gorge pendant que l'autre enfonçait sa tête dans l'eau bleu illuminée. Oui. Un homme. Un homme, mais un homme énorme, un mastodonte, couvert de mots écrits à l'ancienne. Sa poigne était d'une fermeté inébranlable, mais il ne serrait pas, comme s'il savait quelle pression exercer sans faire de dégâts. Des mains larges, à la force démesurée. Laura avait la tête sous l'eau. La peur vint alors. Elle essaya de crier, son nez et sa bouche se remplirent de l'eau faiblement chlorée et la peur prit alors la forme de la panique aveuglante de son instinct de survie. Elle se débattit sauvagement, s'agrippant aux bras et au corps de son agresseur, mais il semblait de pierre. Elle suffoquait et, à chaque tentative d'inspiration, l'eau inondait davantage son corps élancé. Au fur et à mesure que ses poumons se remplissaient, les contorsions et la peur refluaient. Ses membres cessèrent de battre l'eau. La sérénité et la beauté de son visage furent restituées.

Une joie profonde emplit l'esprit mourant de Laura von Klosterstadt. C'était juste. C'était ce qui devait arriver. Le châtiment et le pardon. Sa mère avait toujours eu raison : Laura était mauvaise. Elle ne valait rien. Impropre à être mère. Impropre à être épouse. Mais, à présent, elle était pardonnée. Cette joie dans la mort lui venait de la conscience de deux choses. Dorénavant, elle ne vieillirait pas. Dorénavant, elle serait avec son enfant.

29

Lundi 29 mars, 8 h 40 – Parc public, Winterhude, Hambourg.

Fabel leva les yeux vers le bâtiment qui émergeait des arbres alentour, dominant la vaste étendue de gazon devant lui. Les arches incroyablement hautes de la façade de brique rouge semblaient s'étirer, comme si la structure entière était happée vers le ciel par une main invisible. Les nuages filaient au-dessus de l'immense dôme. Fabel avait toujours été fasciné par cet édifice : si vous ignoriez sa destination initiale, et si sa fonction actuelle n'avait pas été gravée sur son fronton, vous pourriez passer des heures à essayer de deviner quel était son usage premier. Fabel l'avait toujours comparé à un immense temple de quelque ancienne religion oubliée : en partie égyptien, en partie grec, en partie extraterrestre.

À l'origine, le planétarium avait été un château d'eau. Au moment de sa construction, l'Allemagne était submergée par un sentiment de confiance généré par la récente unification et l'aube d'un nouveau siècle, tout cela ajouté au zèle presque religieux de l'ingénierie civique. Aujourd'hui, le bâtiment était toujours là, après avoir été témoin de l'échec du siècle passé et avoir vu l'Allemagne se désunifier puis se réunifier. Le gigantesque château d'eau était à présent le planétarium, monument le plus célèbre du Winterhude.

Fabel parcourut des yeux le vaste espace du parc devant le planétarium. À deux cents mètres de lui, se déployait une barrière temporaire faite de piquets de métal reliés par du ruban de police. D'un côté de la barrière, des policiers, de l'autre, une foule grossissante.

— On dirait que la rumeur sur l'identité de notre victime a déjà circulé, fit Maria en rejoignant Fabel sur les marches. On va bientôt avoir les journalistes et la télévision sur le dos.

Fabel descendit vers la pelouse. L'équipe scientifique et technique avait dressé une grande tente blanche afin de protéger la scène de crime. Fabel et Maria enfilèrent des sur-chaussures avant d'écarter le rideau de la tente. Holger Brauner, penché sur le corps, se releva à leur arrivée. Une jeune femme nue était allongée sur l'herbe, jambes serrées et mains croisées sur sa poitrine. Ses extraordinaires cheveux dorés avaient été brossés et déployés autour de sa tête comme des rayons de soleil. Une petite mèche avait intentionnellement été coupée, laissant un espace vide. Même dans la mort, la beauté du visage de la femme et de son corps aux formes parfaites était exceptionnelle. Ses yeux étaient clos, une rose rouge était glissée entre ses mains croisées et sa poitrine. Elle semblait dormir. Fabel baissa les yeux sur elle, sur la structure parfaite d'os et de chair, une architecture qui s'effondrerait bientôt et se désagrégerait. Mais, pour le moment, la pâleur de la mort donnait à sa peau une perfection de porcelaine.

— Je suppose que je n'ai pas besoin de faire les présentations, dit Holger Brauner en s'accroupissant de nouveau près du corps.

Fabel ricana. Il avait dû batailler pour établir l'identité de la première victime, ce ne serait pas le cas pour celle-ci. Presque tout Hambourg était capable de la reconnaître. Dès qu'il avait vu son visage, Fabel avait su qu'il regardait Laura von Klosterstadt, le « super-mannequin » exposé sur les panneaux et dans les magazines de toute l'Allemagne. Comme le « von » le suggérait, Laura était issue d'une famille d'aristocrates. L'importance des von Klosterstadt ne tenait pas à la noblesse fatiguée de la famille mais bien à son actuelle influence commerciale et politique. La situation serait compliquée, Fabel le savait. Une tempête médiatique grossissait à l'extérieur de la tente de scène de crime.

Le radar de Fabel annonçait déjà l'intervention fou-droyante de ces messieurs en haut lieu.

— Mon Dieu, dit-il enfin. Je déteste les meurtres de célébrités.

— Et que dire d'une célébrité assassinée par un tueur en série que tu pourchasses ?

Brauner brandit un sachet de pièces à conviction contenant un minuscule morceau de papier jaune.

— Oh mon Dieu, non ! s'exclama Fabel. Dis-moi que ce n'est pas vrai.

— J'ai bien peur que si, répondit Brauner en se levant. Ça dépassait légèrement de ses mains. Voilà pourquoi j'ai suggéré à la première équipe arrivée sur les lieux de t'appeler. C'est ton type, encore une fois, Jan.

Fabel examina la note au travers du plastique. Même papier. Même écriture à l'encre rouge, minuscule, nette jusqu'à l'obsession. Cette fois, un seul mot figurait sur la note : *Dornröschen*.

— Églantine ? demanda Maria qui s'était rapprochée.

— Un conte des frères Grimm. Plus connu de nos jours sous le titre de « La Belle au bois dormant », à cause de son adaptation par Hollywood.

— Regardez ça, dit Brauner en désignant la main de la femme morte, celle qui tenait la rose.

Une épine avait été profondément enfoncée dans le gras du pouce.

— Pas de sang. Cela a été fait volontairement, post-mortem.

— C'est de cette manière qu'Églantine ou la Belle au bois dormant s'est endormie. Elle s'est piqué le pouce.

— Je croyais que c'était avec un fuseau, pas avec une rose, fit remarquer Maria.

Fabel se releva. Laura von Klosterstadt reposait à jamais, et pourtant il s'attendait à ce qu'elle laisse échapper un soupir satisfait et ensommeillé avant de rouler sur le côté.

— Il mélange les métaphores, ou il condense les éléments des contes, comme vous voulez. La Belle au bois dormant s'est en effet piqué le doigt sur un fuseau, le jour de ses quinze ans mais, pendant qu'elle dormait, son château a été cerné par des églantiers, une superbe et infranchissable protection. Je suppose que le planétarium est censé représenter le château.

Fabel se tourna vers Brauner.

— Tu peux avancer une hypothèse sur la cause de la mort ?

— Pas pour le moment. Il y a très peu de signes de violence, à part un léger hématome au cou, mais ça ne suffit pas pour déclarer une mort par strangulation. Möller sera en mesure de te le dire après son examen.

Fabel désigna vaguement l'éventail de cheveux dorés.

— Qu'est-ce que tu penses des cheveux ? Le fait qu'il en ait coupé une mèche. Je ne vois aucun lien avec l'histoire de la Belle au bois dormant.

— Ton avis vaut le mien, répondit Brauner. Peut-être un trophée. Elle a de très beaux cheveux, évidemment. C'est peut-être l'élément qui l'a caractérisée aux yeux du tueur.

— Non... non, je ne crois pas. Pourquoi commencer à garder des trophées maintenant ? Il n'a rien pris des trois autres corps.

— Rien que nous sachions, dit Brauner. Mais peut-être que cette histoire de cheveux signifie autre chose. Une sorte de message.

Le ciel s'était un peu éclairci quand Fabel et Maria sortirent de la tente. Les briques rouges du planétarium semblaient avoir été lavées par la pluie et faisaient tache dans la lumière froide.

— Ce salaud, s'enhardit Maria. C'est évident qu'il y a un message là-dessous.

Fabel agita la main en direction d'un rideau d'arbres, mais son geste suggérait un point plus éloigné.

— On voit cet endroit depuis le Polizeipräsidium. On est plein sud. En fait, le sommet du planétarium est clairement visible depuis les derniers étages du Präsidium. Il s'exhibe devant nous, littéralement.

Maria croisa les bras en penchant légèrement la tête.

– Bon, notre principal suspect à ce jour est Olsen et nous l'avons approché de très près. Sans doute y a-t-il un message dans son choix du lieu. Nous l'avons approché, alors il se rapproche. Comme tu l'as fait remarquer, pratiquement sous les yeux du siège de la police.

– Possible. Il se pourrait aussi que le choix du lieu ait un rapport avec son histoire.

– L'histoire du parc public ?

Fabel agita la tête.

– Pas particulièrement. Mais cet endroit, Winterhude. C'est une terre ancienne, Maria. Dont l'histoire remonte à bien avant que Hambourg ne s'épanouisse autour. Il y a eu un village ici à l'âge de pierre. Je suppose que tout sens profond n'a rien à voir avec le choix du tueur d'agir si près du Präsidium, mais il existe peut-être quelque chose dans l'histoire du lieu.

Quand Fabel était à l'université, il avait passé nombre d'étés là, dans le parc public, une pile de livres à son côté. Personne ne connaissait avec certitude l'origine du nom de « Winterhude », mais *Hude* était un vieux mot du bas allemand qui signifiait « lieu protégé ». Fabel avait toujours éprouvé un étrange bien-être à se trouver sur un sol qui avait été en permanence occupé pendant six mille ans. Comme si l'endroit le mettait en relation avec l'histoire qu'il étudiait.

– Ou bien l'endroit pouvait simplement correspondre au genre de lieu dont il avait besoin pour mettre en scène son fantasme, poursuivit Maria.

Fabel était sur le point de lui répondre quand un gros 4 × 4 Mercedes traversa la pelouse et se gara près du cordon de police. Deux hommes en sortirent. Fabel les reconnut immédiatement.

– Merde.

Il n'éprouva aucune satisfaction à constater combien son radar à personnes en haut lieu fonctionnait.

– On avait besoin de ça.

Les deux hommes du 4 × 4 se dirigèrent vers Fabel et Maria. Le premier avait la cinquantaine, les cheveux coupés ras presque blancs, tout comme la barbe, à l'exception de quelques touches d'un ancien blond. Il était vêtu d'un costume gris clair qu'il réussissait à porter comme s'il s'agissait d'un uniforme de SchuPo.

– Bonjour, Herr Kriminaldirektor, dit Fabel à son patron, Horst van Heiden.

Le deuxième homme, au teint rose, était plus petit et plus rond. Fabel, qui avait reconnu le ministre de l'Intérieur du sénat de Hambourg, fit un bref salut de la tête.

– Herr Innensenator Ganz...

– Bonjour, Herr Kriminalhauptkommissar Fabel.

Van Heiden désigna la tente d'un mouvement de tête.

– C'est vrai ?

– Qu'est-ce qui est vrai, Herr Kriminaldirektor ?

Fabel savait tout à fait ce que van Heiden demandait, mais il voulait bien être pendu s'il divulguait volontairement devant Ganz des informations sur une affaire en cours. Il avait déjà eu affaire à lui par le passé : c'était un politicien carriériste et, en tant que ministre en charge du crime et de la sécurité à Hambourg, il semblait tenir la police personnellement responsable pour chaque grosse affaire causant l'effroi de la population ou l'embarras du gouvernement de la ville.

Le visage de van Heiden, jamais avenant au meilleur des cas, s'assombrit.

– Est-ce vrai, Herr Kriminalhauptkommissar, que le corps découvert ce matin est celui de Laura von Klosterstadt, le mannequin ?

– Pour le moment, il n'a été procédé à aucune identification positive, Herr Kriminaldirektor.

Fabel fixa ostensiblement Ganz.

– Et je ne tiens certainement pas à ce que l'on annonce publiquement quoi que ce soit avant que nous n'en ayons pris l'initiative.

Le teint déjà rubicond de Ganz vira au rouge profond.

– Ma présence ici est personnelle autant que professionnelle, Herr Fabel. Je suis un ami de longue date de la famille. En fait, j'ai assisté à la fête d'anniversaire de Laura samedi dernier. Je connais Peter von Klosterstadt depuis des années. Si c'est en effet sa fille, je souhaiterais annoncer personnellement la nouvelle à la famille.

Ganz réfléchit un moment. Il semblait au bord du malaise.

— Je pourrais identifier le corps, si vous le souhaitez.

— Je suis désolé, Herr Innensenator, ceci demeure une scène de crime sécurisée. Je suis certain que vous comprenez. De toute façon, votre présence là-bas pourrait paraître... disons, déplacée.

— Fabel !

La voix de van Heiden était plus implorante que menaçante. Fabel soupira.

— Oui, il semblerait que le corps soit celui de Laura von Klosterstadt. Nous ne savons actuellement rien de l'heure estimée du décès ni sa cause, mais il s'agit certainement d'un meurtre.

Il marqua une pause.

— En fait, nous sommes pratiquement certains qu'elle a été la victime d'un tueur en série qui a déjà assassiné trois personnes, peut-être quatre.

L'expression de van Heiden s'obscurcit davantage. Ganz secoua la tête d'un air incrédule.

— Comment cela a-t-il pu arriver ? Comment cela a-t-il pu arriver à Laura ?

— Je ne suis pas certain de comprendre votre question, Herr Ganz. Voulez-vous dire : comment cela a-t-il pu arriver à une personne avec une telle image publique ? Plutôt qu'à une vendeuse anonyme ?

— C'est assez !

Fabel était parvenu à embraser la mèche notoirement courte de van Heiden. Ganz leva la main pour interrompre le Kriminaldirektor.

— C'est bon, Horst.

Aucune animosité ne transparaissait sur le visage rubicond et potelé.

— Ce n'est pas ça, Herr Fabel. Ce n'est pas ça du tout. Je suis, j'étais le parrain de Laura. Je la connaissais depuis qu'elle était enfant.

– Je suis désolé, Herr Ganz. Je n'aurais pas dû. Vous dites que vous l'avez vue samedi dernier ?

– Oui. À sa fête d'anniversaire. Pour ses trente et un ans. Dans sa villa du Blankenese.

– Y avait-il beaucoup d'invités ?

– Oh oui. Je dirais plus d'une centaine. Peut-être cent cinquante.

– Quelque chose de particulier s'est-il produit ? Un incident ?

Ganz eut un petit rire.

– C'était une soirée mondaine, Herr Fabel. De telles réceptions sont soigneusement préparées et arrangées. Chaque personne présente est là pour une raison bien particulière, du simple besoin de se montrer à celui de faire des affaires. Alors non, il n'y a pas eu d'*incidents*.

– Avait-elle un conjoint ? Un petit ami ?

– Non. Pas de petit ami. Pas de conjoint. Ou plutôt, personne d'importance que je puisse me rappeler. En dépit de toute sa beauté et de sa fortune, la pauvre Laura était une personne très seule. Je dirais que la personne la plus proche d'elle était Heinz. Heinz Schnauber. Son agent.

– Avaient-ils une liaison ?

Nouveau petit rire.

– Non. Rien de tel. Heinz est membre de la brigade *Schwul ist Cool*[1].

– Gay ?

– Très. Mais c'était un ami dévoué pour Laura. Il va être dévasté par la nouvelle.

Une équipe de la télévision s'était approchée du cordon de police. Plusieurs photographes de presse pointaient leurs téléobjectifs sur eux, comme des snipers attendant pour tirer que le terrain soit dégagé.

– Je crois que nous commençons à attirer l'attention. Herr Ganz, je souhaiterais vous parler un peu plus de Fräulein von Klosterstadt, mais dans un endroit moins public. En attendant, j'apprécierais beaucoup que vous parliez à la famille. Et si je peux me permettre de vous faire une sug-

---

1. Littéralement : Homo, c'est cool.

gestion, Herr Kriminaldirektor, je pense que ce serait une très bonne idée que vous soyez présent.

Van Heiden acquiesça. Fabel regarda les deux hommes repartir en direction du 4 × 4. Ganz, habituellement très amical avec la presse, éloigna les reporters d'un geste de la main avec la même détermination agacée que van Heiden. La dernière fois que les chemins de Ganz et de Fabel s'étaient croisés, la friction avait été de taille. La dernière fois, Ganz avait considéré que le tueur en série que pourchassait Fabel générait un nombre embarrassant de gros titres. Cette fois, la mort avait touché Ganz de trop près pour qu'il se soucie d'une mauvaise presse.

Fabel leva les yeux vers le vaste édifice de la tour du planétarium. Il y avait un message ici. Et il ne le comprenait pas.

30

Lundi 29 mars, 10 h 10 – Polizeipräsidium, Hambourg.

En jetant un rapide coup d'œil autour de la table de conférence, Fabel constata l'absence de Werner et d'Anna. Il ne restait que Maria et lui de l'équipe de base. Il avait détaché deux Kommissars, Petra Maas et Hans Rödger, de la Commission spéciale des crimes sexuels dirigée par la Kriminalhauptkommissarin Ute Walraf, qui avait ses bureaux au même étage du Präsidium. Fabel connaissait bien ces deux détectives et estimait leur compétence, mais ils n'appartenaient pas à son équipe habituelle. Il se sentait vulnérable. Olsen, si c'était Olsen qui commettait ces crimes, s'enhardissait et devenait plus prolifique, bien qu'il ait failli être capturé. Fabel et son équipe devraient agir aussi rapidement et efficacement que possible pour l'empêcher de tuer de nouveau.

Susanne et Klatt, le Kommissar de Nordtstedt, étaient également présents. Maria commençait tout juste à briefer l'équipe quand on frappa à la porte. Un grand officier SchuPo aux cheveux blond sable resta planté avec un air embarrassé sur le seuil.

– Ah... Kommissar Hermann, dit Fabel en désignant une place libre d'un geste de la main. Merci d'être venu. J'ai pensé que vous aimeriez participer à ce briefing.

Le visage de Hermann s'illumina quand il s'assit, posant sa casquette vert et blanc ainsi qu'un carnet de notes sur le plateau en merisier.

– Le Kommissar Hermann, expliqua Fabel aux autres, est l'officier qui a identifié le double meurtre du parc naturel de Harburger Berge comme appartenant à une éventuelle série d'assassinats. Il a également très bien réagi en sécurisant le lieu du crime pour l'équipe forensique.

Hermann remercia Fabel d'un hochement de tête. Maria poursuivit, résumant ce qu'ils savaient, et ce qu'ils ne savaient pas, au jour du dernier meurtre, mais sans oublier les trois précédents.

Quand elle eut fini, Fabel prit la parole.

– Nous avons un suspect violent et imprévisible en fuite. Peter Olsen. Vingt-neuf ans, un casier pour violence. Il avait une liaison avec Hanna Grünn, dont le corps a été retrouvé près de celui de Markus Schiller dans le parc naturel de Harburger Berge. Nous avons donc un lien et un mobile possible. Mais il nous reste toujours à déterminer la connexion, s'il en existe une, avec les autres victimes. Nous croyons également qu'il est peut-être ce qu'on appelle un Caryotype XYY... c'est un désordre génétique qui peut le prédisposer à une rage violente. Frau Doktor Eckhardt ?

– Nous naissons tous avec une combinaison de chromosomes, expliqua Susanne. Les hommes sont XY, les femme sont XX. Parfois, pourtant, ces combinaisons peuvent varier. Cela peut mener au Syndrome de Down, à celui de Turner, ou à des conditions intersexuées comme l'hermaphroditisme. Ou encore, on peut être doté d'un chromosome mâle ou femelle supplémentaire. Chez les hommes, on appelle ça XYY ou le Syndrome du Surhomme. De tels hommes peuvent être excessivement grands, exceptionnellement musclés et sont souvent très agressifs, avec des tempéraments qu'ils ne peuvent contrôler. Il arrive qu'ils développent un acné important, qu'ils aient des problèmes osseux et musculaires. La recherche actuelle suggère qu'ils possèdent un QI normal, bien que légèrement inférieur à la moyenne. Ils peuvent pourtant rencontrer des problèmes au cours de leur scolarité car ils sont immatures malgré leur croissance. Le Kriminahauptkommissar Fabel a décrit Olsen comme possédant un goût presque adolescent en matière de musique et de décoration.

Susanne marqua une pause et s'appuya au dossier de son fauteuil.

— Par respect pour la diversité des opinions médicales, je dois signaler qu'il y a un grand débat autour de l'impact possible du XYY sur la criminalité. Cette discussion a été lancée avec le cas d'un tueur en série des États-Unis, de Chicago, je crois, du nom de Richard Speck. Il a tué huit infirmières dans les années 60, puis a fait appel à la clémence du jury sous prétexte qu'il était caryotype XYY. Il est apparu plus tard que le diagnostic était erroné et cela a jeté le discrédit sur l'argument du XYY pendant un moment. Sans compter qu'il y a de nombreux hommes XYY qui contrôlent leur tempérament. J'ai connu un psychologue très respecté qui était XYY. Il avait mis au point des stratégies pour gérer les difficultés que ce caryotype provoquait plus particulièrement sur son humeur.

— Et, ajouta Fabel, nous ne sommes pas certains qu'Olsen soit XYY. D'après ce que nous savons, il n'a jamais subi de test de Caryotype. Mais nous savons d'expérience qu'il peut être extrêmement violent et n'a aucun scrupule à blesser des officiers de police. Et, si c'est notre homme, il est capable de trancher une gorge d'un seul geste.

Fabel remarqua que Susanne avait ôté ses lunettes et les faisait tourner d'un air pensif entre ses mains.

— Frau Doktor ?

— Désolée, j'étais en train de penser que c'est l'élément qui ne coïncide pas, selon moi. Si Olsen est XYY, alors c'est un homme plein de rage. Le XYY typique en milieu carcéral s'y trouve pour violences conjugales ou autres agressions dues à la perte de maîtrise de soi. Quand il a frappé le Kriminaloberkommissar Meyer, il l'a fait avec une violence excessive qui n'était pas nécessaire. Je crois que si c'était notre tueur, nous aurions des traces d'excès de rage psychotique... des coups de couteau répétés, des blessures infligées post-mortem qui lui permettent de continuer d'agresser sa victime même après sa mort. Une gorge tranchée d'un simple geste ne semble pas coller avec le profil XYY.

— Mais cela ne l'exclut pas ?

— Non. Probablement pas.

Fabel ouvrit le dossier devant lui. Les réserves émises par Susanne n'étaient pas l'unique origine de la sonnette d'alarme qui retentissait quelque part au fond de son esprit. Si Olsen avait assassiné Hanna Grünn et Markus Schiller, cela aurait été un crime passionnel, de fureur mue par la jalousie. Ça ne correspondait pas avec l'étrange mise en scène des corps. Puis il y avait la fille trouvée sur la plage du Blankenese et le dernier meurtre. Toutes ces notes apparemment écrites de la même main.

Maria lut dans les pensées de Fabel.

— Je ne suis pas convaincue par Olsen. Il aurait plutôt essayé de faire profil bas pendant un temps, si l'on considère que la moitié de la police de Hambourg est à sa recherche.

— Je ne sais pas, Maria. Pour l'instant, c'est notre suspect principal, mais je ne parviens pas à saisir la personnalité d'Olsen. Ou peut-être le problème est-il inverse. J'espère encore découvrir qu'Olsen est différent de ce qu'il paraît. Nous l'avons localisé dans le périmètre des meurtres du Naturpark, c'est une certitude. Il guettait, il les attendait. Nous avons l'empreinte de sa botte et une correspondance avec les marques de ses pneus de moto. Ce doit être lui, le tueur. C'est avec les deux autres meurtres que je n'arrive pas à trouver de rapport. Ni même avec le thème des contes des frères Grimm.

Il se tourna vers Susanne.

— Pourquoi Olsen commettrait-il deux meurtres avec un mobile et deux autres sans ?

— Il n'existe pas de meurtre sans mobile. Même les actes de violence les plus hasardeux sont inspirés par un quelconque désir ou besoin. Il se pourrait que dans l'esprit d'Olsen, il n'y ait aucun lien avec les deux autres meurtres, que son engagement dans cette sorte de croisade des frères Grimm. Il peut avoir inclus Grünn et Schiller parce que cela l'arrangeait de combiner ses objectifs. Ou bien de mélanger affaires et plaisir.

— *Faire d'une pierre deux coups*, ajouta Fabel, en anglais.

Les autres le fixèrent d'un regard vide.

— Peu importe, dit Fabel avant de se concentrer sur le dossier et le visage presque beau d'Olsen. Peut-être ces victimes ne sont-elles pas choisies au hasard comme nous l'avons pensé tout d'abord. Peut-être qu'Olsen les choisit pour ce qu'elles sont et ce qu'elles représentent. Sa dernière victime était un mannequin réputé pour sa beauté et elle était installée dans la mort comme la Belle au bois dormant. La première fille était issue d'une famille marginale comme les peuples souterrains qui étaient censés laisser leurs enfants à la place de ceux qu'ils enlevaient. Mais il reste une question : est-ce Olsen qui a enlevé la première fillette, Paula Ehlers, il y a trois ans ?

Ce fut Klatt, l'officier de Norderstedt, qui répondit :

— Je suis convaincu que c'est ce qu'il a fait. La ressemblance entre les deux victimes est troublante. Celui qui a enlevé et tué Martha Schmidt a enlevé Paula Ehlers.

Fabel acquiesça. Il lui semblait évident, en dépit du fait qu'il n'avait vu aucune des deux filles en vie, qu'elles se ressemblaient trop pour que ce soit une coïncidence.

— Et qu'en est-il des autres victimes, Hänsel et Gretel ? Si Olsen a choisi de combiner sa jalousie sexuelle avec son « thème de meurtre », alors il a dû y avoir conflit. Il savait pertinemment que ses victimes n'étaient pas frère et sœur.

— Il n'a probablement pas ressenti le besoin d'être aussi « littéral », déclara Petra Maas, la Kommissarin que Fabel avait débauchée.

C'était une grande femme, fine, la trentaine avancée, aux cheveux châtain clair encadrant un visage intelligent.

— Par exemple, poursuivit-elle, sa dernière victime correspondait à la Belle au bois dormant ou Églantine en raison de sa beauté reconnue, mais elle avait deux fois l'âge du personnage du conte de fées. La plupart des desseins psychotiques impliquent une certaine souplesse. Nous rencontrons le même genre de cas dans la SoKo des Crimes sexuels. Les violeurs récidivistes et les tueurs en série partagent les mêmes psychoses. Si Olsen est bien votre « tueur de contes de fées », il considère probablement la pertinence de ses victimes en termes généraux plutôt que spécifiques.

– Ou peut-être voit-il quelque chose de spécifique dans les deux victimes du Naturpark que nous ne voyons pas, suggéra Susanne.

Fabel, le regard fixé sur le plateau de la table, repensa à la villa opulente des Schiller, leur bureau fonctionnel, la froideur de Vera Schiller.

– D'accord. Hanna Grünn était une employée de l'entreprise de Markus Schiller. Ou, plus précisément, une employée de l'entreprise dirigée par Markus Schiller pour sa femme, Vera. C'était elle le véritable pouvoir derrière l'affaire, puisqu'elle l'a héritée de son père. Il y a quelque chose qui nous échappe à ce sujet ?

– Peut-être le tueur a-t-il désigné Vera Schiller, de façon allégorique, comme étant la marâtre, et Hanna et Markus rempliraient les rôles des enfants perdus dans les bois, proposa Hans Rödger, l'autre officier de la SoKo des Crimes sexuels.

– Ce n'est pas très convaincant, contra Henk Hermann, le SchuPo Kommissar. Mais, si c'est vrai, alors le tueur connaissait au moins quelque chose de la vie des victimes. Ce qui nous ramène à Olsen.

– Mais que savait le tueur des autres victimes ? demanda Fabel. Quel était son lien avec elles ?

Susanne fit pivoter son fauteuil pour lui faire face.

– Qu'il connaisse l'histoire de ses victimes ne veut pas forcément dire qu'il ait eu des contacts significatifs avec elles. Si nous écartons Olsen de la discussion pendant un moment, le tueur pouvait très bien attendre qu'un couple d'amoureux, n'importe quel couple d'amoureux, se retrouve dans cet endroit pour un rendez-vous galant et les tuer, comme a procédé le Fils de Sam aux États-Unis.

Fabel regarda par la fenêtre le parc du Winterhuder et la ville au-delà.

– Ce qui me préoccupe, c'est qu'il devient de plus en plus téméraire.

– Mais cela signifie également qu'il est peut-être moins vigilant.

La voix provenait du seuil de la pièce. Une jolie jeune femme, les cheveux courts, noirs, un rouge à lèvres trop rouge et une veste en cuir plutôt usée, s'approcha de la table. Elle se déplaçait avec une aisance exagérée mais elle grimaça légèrement en s'asseyant.

– Vous devriez être en train de récupérer, dit-il.

– Je vais bien, chef, répondit Anna Wolff qui ajouta, quand Fabel haussa les sourcils : Et je suis en état de reprendre du service.

Fabel convoqua Anna et Maria dans son bureau après la réunion. Fabel n'était pas persuadé qu'Anna soit capable d'autre chose que de petites missions, mais il devait admettre qu'il était content de la voir de retour. L'équipe qu'il avait créée était meilleure que la somme de ses éléments : chaque officier possédait ses propres capacités et forces qui étaient multipliées par leur association aux autres. Quand un membre manquait à l'appel, l'équipe était affaiblie, et pas seulement en nombre. Fabel savait que, à l'image d'Anna, Werner reprendrait du service avant le feu vert des médecins. En revanche, la blessure de Werner était plus sérieuse et son retour n'était pas pour tout de suite.

Fabel observa les deux femmes de son équipe. Anna se tenait raide sur sa chaise, essayant toujours de dissimuler la gêne occasionnée par sa blessure à la cuisse. À côté d'Anna, Maria était assise, comme à l'accoutumée, dans une attitude tranquille. Pourtant, moins d'un an auparavant, une blessure infligée au cours d'une enquête avait mis la vie de Maria en danger. Un officier récupéré, un en récupération et un autre à l'hôpital : Fabel n'aimait pas ça. Pas du tout. La procédure d'enquête devenait une entreprise de plus en plus périlleuse. Il lui fallait absolument renforcer son équipe.

– Anna, j'ai besoin que vous fassiez de nouveau équipe avec quelqu'un. Toi aussi, Maria, au moins jusqu'à ce que Werner sorte de l'hôpital. Comme vous l'avez constaté, j'ai détaché Petra Maas et Hans Rödger de la SoKo des Crimes sexuels. Ils sont bons. Je vais demander que leur affectation soit prolongée au moins jusqu'à la fin de cette enquête. Mais nous avons besoin d'un nouvel élément permanent dans notre équipe. J'ai repoussé cette évidence pendant un moment, me disant qu'il nous fallait prendre le temps d'accepter la mort de Paul, mais il se trouve aussi que je n'avais pas remarqué d'élément capable d'intégrer notre équipe. Jusqu'à aujourd'hui.

– Klatt ? demanda Anna.

Fabel ne répondit pas. Il se leva, se dirigea vers la porte du bureau qu'il ouvrit pour jeter un œil dans le bureau principal de la Mordkommission.

– Vous pouvez venir, s'il vous plaît ?

Un grand officier en uniforme entra. Maria se leva en souriant. Anna resta assise, l'air grave et résigné.

– Herr Kommissar Hermann, dit Fabel. Vous avez déjà rencontré la Kriminaloberkommissarin Klee. Et voici la Kriminalkommissarin Wolff avec qui vous travaillerez...

31

Mardi 30 mars, 9 h 40 – Blankenese, Hambourg.

Fabel et Maria se retrouvèrent à la villa de Laura von Klosterstadt au Blankenese. De façon prévisible, c'était une propriété énorme. De construction plus récente que les habitations voisines, elle avait incontestablement subi l'influence du Jugendstil et rappelait à plusieurs égards ces opulentes demeures californiennes de style Art déco qui peuplaient les films noirs hollywoodiens des années 1930 et 1940. En se garant dans l'allée, Fabel eut le sentiment qu'il aurait dû descendre d'une Oldsmobile et relever le col de son imperméable.

L'intérieur était tout en espaces ouverts et lignes épurées. Fabel et Maria entrèrent dans un vaste hall de réception très haut de plafond. Face à eux, une élégante fenêtre cintrée occupait toute la hauteur de la pièce. Son vitrail moderniste apportait l'unique touche de couleur à ce hall entièrement blanc.

– L'avantage du minimalisme, c'est que tu peux en abuser, déclara Fabel avant de laisser échapper un petit rire qui mourut aussitôt sous le regard ahuri de Maria.

Fabel fut surpris de voir que Hugo Ganz, l'Innensenator, les attendait. Son teint était encore plus rubicond que d'habitude. À son côté se tenait un jeune homme de vingt-sept, vingt-huit ans tout au plus, vêtu d'un costume bien trop classique, comme pour se parer d'un supplément d'autorité. Il avait les mêmes traits fins et les mêmes cheveux blond clair que la femme assassinée, qui semblaient déplacés chez un homme.

— Herr Kriminalhauptkommissar Fabel, je vous présente Hubert von Klosterstadt, le frère de Laura, dit Ganz.

— Je suis désolé pour la mort de votre sœur, Herr von Klosterstadt, dit Fabel en lui serrant la main.

La main du jeune homme était fraîche et sa poignée superficielle. Il accepta les condoléances de Fabel d'un léger signe de tête. Les yeux bleu pâle était clairs et francs. Soit il contenait son chagrin dans cette froideur glaciale, soit la mort de sa sœur l'affectait modérément.

— Avez-vous progressé dans votre enquête, Herr Kriminalhauptkommissar ?

Ganz parla avant que Fabel n'ait la chance de répondre.

— Le suspect principal a pris la fuite, Hubert. Un psychopathe du nom d'Olsen. Mais ce n'est qu'une question de temps avant que le Kriminalhauptkommissar Fabel et son équipe le retrouvent et l'arrêtent.

Fabel demeura silencieux un moment. De toute évidence, le Kriminaldirektor van Heiden tenait Ganz parfaitement informé de chaque détail de l'enquête et, à son tour, l'Innensenator transmettait l'information comme il l'entendait à qui il voulait. Fabel décida sur-le-champ de ne plus faire son rapport à van Heiden.

— Nous gardons plusieurs pistes ouvertes, déclara-t-il en lançant à Ganz un regard lourd de sens. Vivez-vous ici, Herr von Klosterstadt ?

— Non. Mon Dieu, non. Le Palais de Glace ? C'était le repaire de solitude de Laura. Je possède un appartement sur l'Alster. Je suis uniquement là pour apporter mon aide.

— Et vos parents, ont-ils été informés ?

— Ils rentrent de New York, répondit Hubert. Ils assistaient à une réception caritative... en hommage aux victimes allemandes du 11-Septembre.

— Nous avons demandé à la police new-yorkaise de les avertir, expliqua Maria.

Fabel acquiesça.

– Si cela ne vous dérange pas, j'aimerais visiter la maison.

Hubert, affichant un sourire poli et froid, indiqua une des pièces donnant sur l'entrée.

– Je serai dans le bureau avec Herr Ganz. Je dois trier certains papiers de Laura.

– Si cela ne vous ennuie pas, Herr von Klosterstadt, dit Maria, nous souhaiterions que vous ne touchiez à rien pour le moment. Nous devons tout vérifier au préalable.

– Bien sûr.

La température du sourire de Hubert chuta de quelques degrés supplémentaires. Ganz posa une main avunculaire sur le coude du jeune homme.

– Nous irons patienter chez moi, Hubert.

Fabel et Maria parcoururent la villa, passant d'une pièce à l'autre comme un couple d'acheteurs potentiels. Laura von Klosterstadt avait sans aucun doute un goût excellent en matière de mobilier et de décoration. Un goût sobre. Trop sobre. Comme si elle avait délibérément cherché à combiner l'opulence avec le dénuement spartiate. Une pièce en particulier intrigua Fabel : une vaste salle aérée, envahie par la lumière provenant d'une baie orientée plein sud. C'était le genre d'espace que la plupart des gens choisiraient comme pièce principale, pourtant elle n'était meublée que d'une commode avec une chaîne stéréo et d'une chaise à dossier droit placée, à la manière d'un trône, au centre de la pièce, face à la fenêtre. Fabel sentit que, malgré son vide apparent, cette pièce avait été maintes fois occupée. Il en émanait un sentiment d'affliction, de solitude et Fabel sut que Laura von Klosterstadt avait été une femme très perturbée. Il s'approcha de la commode et ouvrit un tiroir. Il contenait une poignée de CD, uniquement de musique classique contemporaine. Fabel fut étonné de découvrir que les goûts musicaux de Laura von Klosterstadt étaient assez semblables aux siens. Il y avait là des disques de compositeurs contemporains scandinaves ou baltes, Arvo Pärt et Georg Pelecis, ainsi que *Musica Dolorosa* de Peteris Vask. Un CD était glissé dans le lecteur : le *Cantus*

Arcticus, Opus 61 du compositeur finnois Einojuhani Rauta-vaara.

Fabel mit le lecteur en marche et s'assit sur la chaise. Une flûte imitait l'essor et la chute d'un oiseau. Puis le *Cantus* débutait, pas avec des voix humaines mais des chants d'oiseaux de mer arctiques. Le chœur des oiseaux enfla, les cris dissonants des sternes et des mouettes se mélangeant, et la flûte et les cuivres laissèrent la place à d'amples mouvements d'orchestre et des ondulations de harpe. Fabel avait déjà entendu ce morceau. En fait, il possédait ce CD et, comme toujours, il fut transporté vers un immense paysage de glace arctique : un horizon imaginaire aussi nu que superbe. Le Palais de Glace. Fabel se rappela l'expression que Hubert, le frère de Laura, avait utilisée pour décrire cette maison, pour décrire l'isolement glacé de sa sœur.

Il écouta la musique encore un peu avant d'éteindre la chaîne. Maria et lui poursuivirent leur visite : une invasion tranquille bien qu'impitoyable des endroits les plus privés de la vie d'une autre personne. Ils feuilletèrent les livres de Laura, fouillèrent ses placards et, dans le dressing qui donnait sur la chambre, ils passèrent en revue ses produits de beauté sur l'imposante coiffeuse années 1930 au miroir illuminé.

Fabel et Maria parvinrent à l'arrière de la maison. Des doubles portes s'ouvraient sur une longue salle avec une piscine. D'un côté, elle longeait le mur et de l'autre, elle était bordée d'une cabine-vestiaire et d'un sauna. Des fenêtres occupaient l'extrémité sur toute sa largeur. Fabel ne voyait que le ciel. C'était comme contempler une peinture mouvante représentant des nuages.

– Ouah ! s'exclama Maria à côté de lui. Ça a dû coûter une fortune.

Fabel s'imagina en train de nager vers le ciel. Comme dans la pièce du rez-de-chaussée décorée avec parcimonie, Laura von Klosterstadt avait laissé quelque chose d'elle en ce lieu. C'était un autre endroit propice à la méditation solitaire. L'idée d'une fête au bord de la piscine était déplacée. Fabel longea le bassin jusqu'aux fenêtres. De là, il voyait les terrasses des remblais du Blankenese plongeant sous lui jusqu'à ce que le paysage s'aplanisse près de la rive de l'Elbe, et plus loin, vers le patchwork vert de l'Altes Land. Laura s'était placée au-dessus de tous. Hors de portée.

La sonnerie insistante du téléphone portable de Fabel, résonnant dans la vaste salle carrelée, fit sursauter les deux officiers. C'était Anna

— Salut, chef, vous êtes encore chez Laura von Klosterstadt ?

— Oui. J'y suis avec Maria. Pourquoi ?

— Est-ce qu'il y aurait une piscine, par hasard ?

Fabel jeta un regard alentour, troublé, comme pour s'assurer de l'endroit où il se trouvait.

— En fait, nous sommes justement au bord de la piscine.

— Je sécuriserais les lieux si j'étais vous, chef. Je vous envoie Herr Brauner et son équipe tout de suite.

Fabel plongea son regard dans l'eau soyeuse. Il connaissait la réponse avant même de poser la question.

— Qu'est-ce que vous avez découvert, Anna ?

— Herr Doktor Möller vient juste de confirmer la cause de la mort de Laura von Klosterstadt. Noyade. L'eau recueillie dans ses poumons et ses voies respiratoires était chlorée.

32

Mardi 30 mars, 14 h 40 – Bergedorf, Hambourg.

Fabel, qui avait mal estimé la numérotation des maisons, se gara trop bas dans Ernst-Mantius-Strasse. En remontant la rue, il passa devant trois villas imposantes, chacune d'elles exprimant une variante subtile dans la richesse. Il était à Bergedorf, à l'opposé de Blankenese, de l'autre côté de la ville, et pourtant ici aussi tout lui rappelait que Hambourg était la ville la plus riche d'Allemagne et que ses revenus personnels étaient limités.

Bien que faisant partie de Hambourg, Bergedorf possédait son identité propre et était connu comme étant « la ville dans la ville ». Dans ce quartier résidentiel, chaque propriété que Fabel dépassait valait plusieurs millions d'euros. Il vérifia le numéro de chacune jusqu'à parvenir à celle qu'il cherchait. Comme ses voisines, cette villa s'élevait sur trois niveaux. Ses murs étaient peints à la chaux d'un discret bleu gris sur lequel les stucs décoratifs blancs ressortaient propres et frais. Une des pièces du rez-de-chaussée avançait dans le jardin, son toit formant un balcon pour la pièce de l'étage supérieur. Des marquises bleu et blanc abritaient les fenêtres du soleil qui avait encore à faire ses preuves ce jour-là.

Fabel sonna à la porte, et un homme massif aux yeux de charbon lui ouvrit. Ses cheveux épais et sombres, généreusement striés de blanc, étaient rejetés en arrière. Son front large surplombait une arcade sourcilière prononcée.

La mâchoire lourde avançait légèrement sous la bouche charnue. Sans le feu d'une intelligence sombre brûlant dans son regard, le physique aurait presque pu être celui d'un homme de Neandertal.

– Kriminalhauptkommissar Fabel ? demanda en souriant l'homme sur le pas de la porte.

– Merci de me recevoir, Herr Weiss...

Gerhard Weiss recula d'un pas pour inviter Fabel à entrer. Ce dernier avait vu la photo de Weiss sur la couverture de *La Route des contes* : elle était assez ressemblante mais ne révélait rien de la taille formidable de l'auteur, comparable à celle d'Olsen. Deux mètres cinq, estima Fabel, soulagé de sortir de l'ombre de Weiss quand celui-ci le précéda dans un bureau donnant sur l'entrée et l'invita à s'asseoir.

La pièce était vaste, certainement la pièce principale du rez-de-chaussée et celle qui était coiffée d'un balcon à l'étage supérieur. Les essences de bois, sombres et riches, dominaient : l'énorme bureau avait dû requérir l'abattage de la moitié d'une forêt tropicale d'acajou et trois des quatre murs étaient garnis, du sol au plafond, d'étagères en noyer surchargées de livres. Seul le plancher était d'un bois plus clair. Probablement du chêne rouge, pensa Fabel. Les lustres du plafond ainsi que la lampe de bureau projetaient des flaques de lumière sur les diverses surfaces. Cet éclairage supplémentaire était nécessaire, même en plein aprèsmidi : le bois sombre et verni semblait aspirer la lumière du jour se déversant des fenêtres qui donnaient sur le jardin et la rue au-delà. La surface du bureau de Weiss était impeccablement rangée. Sur le bord, une ancienne édition des contes de Grimm et, au centre, l'ordinateur portable de Weiss. Le meuble était cependant dominé par une sculpture étonnante. Elle aussi en bois, mais d'un bois très noir, comme l'ébène. Weiss surprit le regard de Fabel.

– Extraordinaire, n'est-ce pas ?

– Oui... Oui, en effet.

Fabel contemplait la sculpture. C'était un loup stylisé : le corps était étiré et légèrement tordu et la lourde tête tournée de côté, les dents découvertes. On avait l'impression que le loup, ayant entendu quelque chose derrière lui, s'était subitement retourné, figé dans cet instant crispé, sinueux et transitoire entre la surprise et l'attaque. Le travail était magnifique, mais Fabel ne parvenait pas à savoir si la sculpture était superbe ou hideuse.

– Le sculpteur était un homme très talentueux et remarquable. Il l'a réalisée pour moi, expliqua Weiss. Un artiste au talent unique. Et un lycanthrope.

Fabel éclata de rire.

– Un loup-garou ? Ça n'existe pas.

– Bien sûr que si, Herr Kriminalhauptkommissar. La lycanthropie existe, pas comme un phénomène surnaturel de transformation d'homme en bête, mais comme une affection psychiatrique reconnue. Ce sont des personnes qui croient se transformer en loups.

Weiss pencha son énorme tête pour admirer la sculpture.

– C'était un de mes amis proches. Il était tout à fait sain d'esprit, excepté les nuits de pleine lune. Il était alors pris d'une crise qui le faisait se tordre et se débattre, arracher tous ses vêtements avant de s'endormir. Il ne se passait rien d'autre. Rien de plus qu'une sorte d'attaque provoquée par les subtils changements de pression dans les fluides du cerveau et tout cela causé par la pleine lune. Des gens ont été témoins de ces crises, dont moi. Mais ce que nous voyions ne correspondait en aucun cas à ce qu'il vivait. Alors je lui ai demandé de capturer ce moment.

Les yeux de Weiss balayèrent la statue comme une lampe torche.

– Et voilà ce qu'il a réalisé.

– Je vois, répondit Fabel en examinant de nouveau l'œuvre d'art qu'il avait fini par qualifier de hideuse. Et que lui est-il arrivé ? A-t-il été soigné avec succès ?

– Malheureusement non. Il passait de plus en plus de temps en institution. Finalement il n'a plus supporté et il s'est pendu.

– Je suis désolé.

Les vastes épaules de Weiss se soulevèrent avec dédain, mais d'un mouvement si imperceptible qu'on ne pouvait appeler cela un haussement.

– Vous avez un nom intéressant, Herr Kriminalhaupt-kommissar. Fabel. Tout à fait approprié pour mes travaux, les fables, comme vous le savez.

– Je crois que ce nom est d'origine danoise. C'est plus commun à Hambourg que dans n'importe quelle autre ville allemande, bien que je sois frison d'origine.

– Fascinant. Que puis-je pour vous, Herr Fabel ? demanda Weiss en insistant sur le nom de Fabel comme s'il jouait encore avec.

Fabel lui exposa les meurtres sur lesquels il enquêtait et de quelle manière ces crimes étaient liés aux contes de Grimm. Il avança que ces meurtres s'inspiraient peut-être du roman de Weiss, *La Route des contes*. Un moment de silence suivit ces explications. Fabel devina alors une légère lueur de satisfaction dans l'expression de l'auteur.

– Il est également évident que nous avons affaire à un tueur en série, conclut Fabel.

– Ou à des tueurs en série, dit Weiss. Vous a-t-il jamais traversé l'esprit que vous aviez peut-être affaire à deux personnes ? Si ces crimes sont liés par le thème des contes de Grimm, il est peut-être important de se rappeler qu'il existait, après tout, deux frères Grimm.

– Évidemment, nous n'avons pas écarté cette hypo-thèse.

En vérité, Fabel n'avait pas réellement envisagé qu'il puisse s'agir d'un tandem. Il n'était pas impossible que deux tueurs œuvrent ensemble, comme il ne l'avait que trop compris lors d'une récente enquête. Ce qui pouvait expliquer pourquoi Olsen avait un mobile pour les meurtres du parc naturel mais pas pour les autres. Fabel changea de cap.

– Auriez-vous reçu, eh bien, des lettres bizarres ces derniers temps, Herr Weiss ? Il se peut que notre tueur, ou nos tueurs, ait cherché à entrer en contact avec vous.

Weiss éclata de rire.

– Des lettres bizarres ?

Il se leva et se dirigea vers une écritoire en bois adossée au seul mur dénué d'étagères. Au-dessus de l'écritoire, le mur était couvert d'anciennes illustrations encadrées. Weiss prit un gros dossier et revint vers Fabel. Il jeta le dossier sur le bureau avant de s'asseoir.

— Et ce n'est le courrier que des trois ou quatre derniers mois. Je serais fort surpris que vous trouviez autre chose que des lettres « bizarres » là-dedans.

D'un geste, il invita Fabel à jeter un coup d'œil. Il y avait là des douzaines de lettres, certaines avec des photos, d'autres avec des coupures de journaux que l'expéditeur pensait pouvoir être utiles à Weiss. La plupart semblaient concerner les romans de *fantasy* de Weiss, les *Wahlwelten* : des individus aux existences tristes et vaines cherchaient le réconfort en lui demandant de les intégrer dans l'une de ses histoires. Dans une lettre explicitement sexuelle, une femme implorait Weiss d'être son « gros méchant loup ». La lettre était accompagnée d'une photo de l'expéditrice, nue à l'exception d'un chaperon rouge, une femme obèse d'environ cinquante ans, dont le corps avait de toute évidence perdu depuis des années la bataille inégale livrée contre l'apesanteur.

— Et cette quantité est infime comparée à ce qui arrive électroniquement sur mon site personnel et celui de mon éditeur, expliqua Weiss.

— Vous répondez à ces courriers ?

— Plus maintenant, non. Avant, oui. Ou au moins à ceux qui étaient raisonnablement sains et décents. Mais aujourd'hui, je n'ai tout simplement plus le temps. C'est pour cette raison que j'ai commencé à facturer des frais d'écriture pour inclure des lecteurs comme personnages dans mes romans de *Wahlwelten*.

Fabel ricana.

— Alors combien me demanderiez-vous pour avoir un rôle dans un de vos romans ?

— Herr Fabel, une des leçons principales des contes de fées est qu'il faut bien faire attention au souhait que l'on formule. Je pourrais vous intégrer à un de mes romans juste parce que vous me semblez être un personnage intéressant, avec un nom inhabituel. Au contraire des gens qui paient pour devenir des personnages, vous m'avez rencontré. J'ai une idée de vous. Et, une fois que vous êtes dans une de mes histoires, j'ai un contrôle total sur vous. Moi et moi seul décide de votre destin. De votre vie comme de votre mort.

Weiss se tut. Ses yeux sombres étincelèrent sous ses épais sourcils. La sculpture du loup-garou restait figée dans son rictus. Une voiture passa dans la rue.

— Mais, habituellement, je demande cinq mille euros pour une apparition d'une demi-page.

Weiss sourit. Fabel secoua la tête.

— Le prix de la célébrité, dit Fabel, et il tapota du doigt le dossier. Puis-je les emporter ?

— Si vous pensez qu'elles peuvent vous être d'une quelconque aide, répondit Weiss en haussant les épaules.

— Merci. Au fait, j'ai commencé la lecture de *La Route des contes*.

— Et vous aimez ?

— Disons que je trouve cela intéressant, répondit Fabel. Je suis trop concerné par un lien possible avec ces meurtres pour estimer ses qualités littéraires. Et je pense en effet qu'il peut y avoir un lien.

Weiss s'appuya contre le dossier de son fauteuil, croisa les doigts, les deux index joints, et tapota son menton. Un geste exagéré de réflexion.

— Cela m'attristerait énormément si c'était le cas, Herr Kriminalhauptkommissar. Mais le thème principal de toute mon œuvre est que l'art imite la vie et que la vie imite l'art. Je ne peux pas inciter quelqu'un à commettre un meurtre par le biais de mon écriture. Il existe déjà des tueurs ou des tueurs potentiels. Ils peuvent peut-être chercher à imiter une méthode ou un décor... ou bien même un thème, mais ils commettront de toute façon leurs meurtres, qu'ils lisent mes livres ou non. Finalement, ils ne s'inspirent pas de moi. C'est moi qui m'inspire d'eux. Comme les écrivains l'ont toujours fait.

Weiss posa doucement ses doigts sur le volume de contes relié de cuir.

— Comme les frères Grimm ?

Weiss sourit. Là encore, son regard s'embrasa d'étincelles sombres.

– Les frères Grimm étaient des universitaires. Ils cherchaient la connaissance absolue, les origines de notre langue et de notre culture. Comme tous les hommes de science de leur époque, alors que la science émergeait en tant que nouvelle religion de l'Europe occidentale, ils se sont efforcés de scruter notre passé au microscope et de le disséquer. Mais il n'existe aucune vérité absolue. Il n'existe aucun passé définitif. C'est un temps, pas un lieu. Ce que les frères Grimm ont découvert, c'était le même monde que celui dans lequel ils vivaient, le même monde que celui dans lequel nous vivons aujourd'hui. Ce que les Grimm ont découvert, c'est que seuls les cadres de référence diffèrent.

– Qu'entendez-vous par là ?

Weiss se leva de nouveau et invita Fabel à le suivre jusqu'au mur couvert de cadres protégeant des illustrations issues d'ouvrages datant du dix-neuvième et du début du vingtième.

– Le conte a fait plus qu'inspirer des interprétations littéraires, expliqua Weiss. Les artistes les plus reconnus ont prêté leurs talents pour illustrer ces histoires. Voici ma collection : Gustave Doré, Hermann Vogel, Edmund Dulac, Arthur Rackham, Fernande Biegler, Georg Cruickshank, Eugen Neureuther, chacun offrant une interprétation subtilement différente.

Weiss attira l'attention de Fabel sur une illustration en particulier : une femme entrait dans une pièce au sol dallé de pierre, une clé lui échappait des mains sous l'effet de la terreur. Un billot de bois et une hache étaient dessinés au premier plan, couverts de sang, tout comme l'était le sol alentour. Les cadavres de plusieurs femmes en chemise de nuit étaient suspendus aux murs, comme à des crochets de boucher.

– J'imagine que ce genre de scène, peut-être pas à ce point, vous est familier, Herr Fabel. C'est une scène de crime. Cette pauvre femme ici, dit Weiss en tapotant le verre du cadre, vient clairement de pénétrer dans l'antre d'un tueur en série.

Le regard de Fabel fixait l'image dont le style était typique des illustrations du dix-neuvième. La scène lui rappelait trop de choses.

— D'où provient cette illustration ? demanda-t-il.

— C'est l'œuvre de Hermann Vogel. Fin des années 1880. Il s'agit d'une illustration du conte de Charles Perrault, « Barbe bleue ». Un conte français narrant de quelle manière un noble monstrueux punit la curiosité de ses femmes en les tuant et les mutilant dans une pièce close de son château. C'est une histoire. Une fable. Mais il n'empêche qu'elle délivre une vérité universelle. Quand Perrault a écrit cette version, les souvenirs de réelles atrocités commises par des nobles étaient encore frais dans la psyché des Français. Gille de Rais, maréchal de France et compagnon d'armes de Jeanne d'Arc, par exemple, qui a sodomisé et tué des centaines de garçons pour nourrir ses vices pervers et non réprimés. Ou bien Cunmar le Maudit, qui gouvernait la Bretagne au sixième siècle. Cunmar, ou Conomor, si vous préférez, est peut-être la référence historique la plus proche de Barbe bleue. Il a décapité chacune de ses femmes, pour couper finalement la tête de la superbe et pieuse Triphine qui était enceinte. Soit dit en passant, cette histoire se raconte dans toute l'Europe : les frères Grimm l'ont recueillie sous le nom de « L'Oiseau d'Ourdi », les Italiens l'appellent « Nez d'argent » et le Barbe bleue anglais s'appelle « Mr Fox ». Toutes ces histoires parlent de la curiosité féminine conduisant à la chambre cachée et ensanglantée. La chambre du meurtre.

Weiss marqua une pause comme pour apprécier l'illustration.

— Hermann Vogel, l'auteur de cette œuvre, était allemand. Même s'il illustrait un conte français, il n'a pu s'empêcher d'introduire quelques éléments de son histoire culturelle... Le billot et la hache sont des emprunts faits au conte des Grimm. Il est vrai que ce conte est raconté dans toute l'Europe et les détails en sont généralement les mêmes. Il a bien dû y avoir des événements réels, que ce soient les crimes de Cunmar le Maudit ou autres, pour les inspirer. Voici ce que je pense : ces contes de mise en garde pour les enfants, ces fables anciennes et ces légendes, tendent tous à prouver que le violeur, le tueur en série ou le ravisseur d'enfants n'est pas un phénomène moderne. Le grand méchant loup n'a rien à voir avec les loups.

Weiss éclata de rire.

– De façon assez amusante, la malédiction qui a frappé Cunmar et lui a valu le surnom de « Maudit » est censée l'avoir transformé en loup-garou à cause de ses péchés... Finalement, toute l'histoire se mélange aux mythes et aux légendes.

Weiss prit un roman sur une étagère. Contrairement aux autres, c'était un livre récent : un ouvrage rigide sous une jaquette brillante. Il était écrit par un auteur dont Fabel ne reconnut pas le nom, mais qui semblait plutôt anglais ou américain qu'allemand. Weiss laissa tomber le livre sur le dossier de correspondance.

– De nos jours, nous réinventons continuellement ces contes. Les mêmes histoires, de nouveaux personnages. Celui-ci est un best-seller, il raconte la traque d'un tueur en série qui démembre ses victimes en guise de rituel. Ce sont nos contes d'aujourd'hui. Voilà nos fables, nos *Märchen*. À la place des elfes et des kobolds et des loups affamés guettant dans les recoins sombres des forêts, nous avons des cannibales, des tueurs qui dissèquent et des ravisseurs aux aguets dans les recoins sombres de nos villes. Il est dans notre nature de dissimuler notre mal derrière quelque chose d'extraordinaire ou de différent : des livres et des films sur les extraterrestres, les requins, les vampires, les fantômes, les sorcières. En fait, il n'existe qu'une bête plus dangereuse, plus menaçante qu'aucune autre dans l'histoire naturelle. Nous. L'être humain n'est pas seulement le premier prédateur de la planète, c'est aussi l'unique créature qui tue pour le seul plaisir de l'acte, pour une satisfaction sexuelle ou, en tant que groupe organisé, pour satisfaire des concepts abstraits de dogmes religieux, politiques ou sociaux. Il n'y a rien de plus meurtrier ni de plus menaçant que l'homme ou la femme ordinaire dans la rue. Mais c'est une évidence, bien entendu, vous n'avez fait que le constater par le biais de votre travail. Tout le reste, toutes les histoires d'horreur et les contes et la foi en une plus grande malveillance, n'est qu'un voile tiré sur le miroir dans lequel nous devons nous regarder tous les jours.

Weiss se rassit et invita Fabel à faire de même.

– Ce qui est le plus à craindre, c'est notre voisin, notre parent, l'homme ou la femme assis près de nous dans le métro... nous-mêmes. Et il nous est très difficile d'affronter la monstrueuse banalité de cet état de fait.

Weiss déplaça légèrement la lourde sculpture sur son bureau de sorte que les babines retroussées soient tournées vers Fabel.

– Voilà ce que nous avons en nous, Herr Kriminalhauptkommissar. Nous sommes les grands méchants loups.

Fabel fixa la statue, attiré par sa beauté hideuse. Il savait que Weiss avait raison. Ce dont l'écrivain parlait, il en avait lui-même eu la preuve dans son travail. La monstrueuse créativité dont l'esprit humain était capable quand il s'agissait de torturer autrui. De tuer.

– Alors vous affirmez que le tueur en série n'est pas un phénomène moderne ? Nous n'avions simplement pas de nom pour ce genre de personne ?

– Exactement. Nous naissons tous arrogants, Herr Fabel. Chacun de nous croit qu'il réinvente le monde dès l'instant où il naît. La triste vérité est que nous sommes juste de simples variations sur un même thème... ou du moins sur une expérience commune. Le bien et le mal de ce monde sont venus avec le premier homme. Cela n'a fait qu'évoluer avec nous. C'est pour cette raison que nous avons ces contes populaires et ces mythes anciens. Les frères Grimm ont recueilli, ils n'ont rien créé. Aucun de ces contes n'est de leur invention. Ce sont uniquement de vieux contes populaires rassemblés dans le cadre de leurs recherches linguistiques. L'existence de ces histoires et l'avertissement implicite qu'elles contiennent de « ne jamais s'éloigner de la maison » et de « se méfier des inconnus » prouvent que le tueur en série n'est pas un effet secondaire de notre vie moderne, il nous a suivis durant toute notre histoire. Et ces tueurs en série ont dû s'inspirer d'événements réels. Les véritables origines des contes doivent se trouver dans de véritables enlèvements, de véritables meurtres. Tout comme la vérité de la lycanthropie, le mythe du loup-garou, repose dans l'incapacité des générations précédentes à reconnaître, définir et comprendre la psychopathie. Herr Fabel, il est reconnu que nous fabriquons fréquemment la fiction à partir de faits. Ce que je revendique, c'est que nous créons également des faits à partir de la fiction.

Fabel observait Weiss pendant qu'il s'exprimait, en s'efforçant de découvrir ce qui pouvait allumer le feu sombre, la passion dans ses yeux.

— Alors quand vous écrivez que Jacob Grimm a été un assassin d'enfants, est-ce que vous croyez que votre acte de création fictive se traduit en une quelconque vérité ?

— Qu'est-ce que la vérité ?

Le sourire entendu de Weiss était presque condescendant, comme si Fabel ne possédait pas les ressources intellectuelles suffisantes pour traiter cette question.

— La vérité, répondit Fabel, est un fait absolu et irréfutable. Je côtoie la vérité, la vérité absolue, tous les jours. Je comprends ce que vous essayez de me faire comprendre, que parfois la vérité est abstraite ou subjective. Jacob Grimm n'était pas un assassin. La personne que je recherche est un meurtrier, c'est un fait irréfutable. La vérité. Ce que j'ai besoin d'établir, c'est jusqu'à quel point, si c'est le cas, votre livre a inspiré cet assassin.

Weiss eut un geste résigné de ses grosses mains puissantes.

— Posez vos questions, Herr Kriminalhauptkommissar...

L'entretien dura encore vingt minutes. Les connaissances de Weiss sur les mythes et les légendes étaient encyclopédiques et Fabel prenait des notes pendant que l'auteur parlait. Pourtant, quelque chose chez Weiss déplaisait à Fabel. Il émanait de lui une menace, pas seulement du fait de sa taille. Il ne dégageait pas la même impression de violence contenue qu'Olsen, non, c'était quelque chose dans ses yeux de charbon. Quelque chose de presque inhumain.

– Mais ce ne sont en fait que des contes ? demanda finalement Fabel. Vous ne pouvez pas croire qu'ils se sont inspirés d'événements réels ?

– Parce qu'ils ne le sont pas, à votre avis ? Prenez par exemple l'histoire russe de la cabane de la Baba Yaga dans laquelle tous les meubles sont faits d'os. Vous avez entendu parler d'Ed Gein, bien sûr, le tueur en série américain qui a inspiré le livre puis le film *Psychose* ainsi que *Le Silence des agneaux*. Quand la police a débarqué dans sa ferme, ils ont trouvé des chaises et des tabourets fabriqués à partir d'os humains, ainsi qu'une combinaison faite avec les peaux de femmes mortes. Je vous le répète, personne n'est unique. Il y aura eu d'innombrables Ed Gein avant celui-ci. Il est fort probable qu'une version plus ancienne ait inspiré la fable de la Baba Yaga. Et je vous en prie, gardez à l'esprit que nombre de contes de fées ont été édulcorés. Prenez votre victime, la Belle au bois dormant. Dans le conte d'origine, la Belle ne se réveillait pas sous l'effet d'un baiser chaste, c'était une histoire de viol, d'inceste et de cannibalisme.

Quand Fabel se retrouva dans la Ernst-Mantius-Strasse, le dossier de correspondance de Weiss sous le bras, il éprouva le besoin d'inspirer profondément pour se purifier. Il n'aurait su dire pourquoi, mais il avait le sentiment de s'être échappé d'un antre. Dans le bureau de Weiss, il s'était senti étouffé par tout ce bois sombre. Le soleil, qui avait percé, baignait les villas parfaites d'une lumière chaude. Fabel contempla chacune d'elles en retournant à sa voiture. Combien de pièces cachées, combien d'obscurs secrets se terraient derrière ces élégantes façades ? Il ouvrit son portable d'un coup sec.

– Maria ? C'est Fabel. Je veux que tu me fasses une recherche sur Gerhard Weiss. Tout ce que tu peux trouver...

33

Mardi 30 mars, 20 heures – Hôpital Mariahilf, Heimfeld, Hambourg.

– Je suis désolé, *Mutti*, je ne peux pas rester long-temps ce soir. J'ai tellement de préparatifs à faire. Je suis un garçon très très occupé, ces derniers temps, tu peux me croire.

D'un petit coup sec, il rapprocha sa chaise du lit en jetant des regards conspirateurs alentour.

– J'en ai fait un autre, lui chuchota-t-il à l'oreille. J'ai mis en scène une nouvelle histoire. Elle était tellement triste, celle-ci. Je l'ai vu dans son si beau visage quand elle m'a laissé entrer dans sa grande villa vide. Une princesse dans une tour d'ivoire. Je lui ai rendu un immense service, *Mutti*. Je ne voulais pas qu'elle souffre. Et maintenant, bien sûr, il faut que je prépare ton retour à la maison. J'ai été très pris par ça aussi.

Il caressa les cheveux de la vieille femme.

– Tu vas souffrir terriblement, je te le garantis.

Il y eut des bruits à l'extérieur de la chambre, des pas de socques, une infirmière marchait dans le couloir. Il se rassit sur sa chaise et attendit que les pas s'éloignent.

– Ce que je fais est merveilleux, mère. Je les renvoie à leur enfance. Dans ces précieux moments que je partage avec eux, j'entends par là, avant leur mort, tout ce qu'ils sont devenus disparaît... des années de vie adulte qui sont effacées, et ils redeviennent des petits enfants effrayés. Des petites âmes perdues terrifiées par le peu qu'ils comprennent de ce qui leur arrive.

Il se calma pendant un moment et la pièce demeura silencieuse à l'exception d'une discussion ponctuée de rires, un peu plus loin dans le couloir, dans un autre univers.

– La police est venue me voir, *Mutti*. Ce sont des gens très très stupides, tu sais. Ils pensent avoir toutes les réponses et ils n'ont rien. Ils n'ont aucune idée de ce à quoi ils ont affaire. Ils ne m'attraperont jamais.

Il ricana.

– Au moins, ils ne m'auront pas avant que toi et moi nous ne nous soyons amusés un peu. Qu'est-ce qui te fait le plus peur, mère ? Mourir, ou ne pas mourir assez vite ? Tu crains la douleur ? L'idée de souffrir ? Ce sera génial. Je peux te le dire, ta souffrance sera immense. Et le temps est bientôt venu, *Mutti*... bientôt.

34

Fabel, allongé, écoutait la respiration régulière et profonde de Susanne. Il trouvait sa présence de plus en plus apaisante : les rêves ne revenaient pas aussi souvent quand elle dormait près de lui. C'était comme si sa présence le berçait dans un sommeil meilleur. Pourtant, cette nuit, son esprit fonctionnait à plein régime. Il y avait tellement à faire. Cette enquête s'étoffait, s'étendait, comme une sombre tumeur maligne, se comprimant dans le peu d'espace qu'il restait de la vie privée de Fabel. Sur sa liste mentale des « tâches à faire », il y en avait tellement qui n'avaient pas été traitées. Sa mère vieillissait. Sa fille grandissait. Il n'accordait à aucune d'elles le temps qu'elles méritaient, et qu'il voulait leur consacrer. Sa relation avec Susanne était satisfaisante, mais elle ne prenait pas la forme définitive qu'elle aurait dû adopter à ce stade. Il ne lui donnait pas non plus l'attention dont elle avait besoin. Il fut surpris par le brusque accès de panique qui lui serra la poitrine à l'idée de la perdre.

Fabel avait appelé sa mère plusieurs fois ces derniers jours, mais il devait trouver le temps d'aller la voir à Norddeich. Lex avait dû retourner à Sylt pour s'occuper de son restaurant. Sa mère s'estimait tout à fait capable de prendre soin d'elle-même, mais Fabel avait besoin de la voir pour s'en assurer.

Il se leva et resta un moment assis au bord du lit. Il

lui semblait que, de toutes parts, tant de choses réclamaient son attention. Au moins, il avait comblé le vide dans son équipe. Pourtant, même cela posait des problèmes. Anna montrait les ficelles à Henk Hermann, mais les stratégies de recrutement peu orthodoxes de Fabel avaient déjà hérissé les plumes des bureaucrates au sein de la police de Hambourg. Techniquement, Fabel n'aurait dû rencontrer aucune difficulté pour accueillir Hermann dans les rangs de la SchuPo. En qualité de Polizeikommissar, Hermann avait déjà suivi la formation adéquate à l'école de Police voisine du Präsidium. Cependant, la branche en uniforme de la Police de Hambourg était toujours en manque d'officiers. Fabel allait devoir batailler pour transférer Hermann de façon permanente à la Kriminalpolizei. En attendant, il avait tout simplement détaché Hermann à la Mordkommission jusqu'à la fin de cette enquête. Hermann pourrait donc suivre le cours habituel. Une nouvelle équipe qui trouvait ses marques était toujours une période tendue et Fabel était également préoccupé par la réaction d'Anna Wolff à la présence d'un nouvel équipier. Elle était le franc-tireur de l'équipe : son impulsivité s'était clairement illustrée au cours de sa folle poursuite d'Olsen. Fabel ne décourageait pas complètement ce genre de tempérament : l'approche impulsive et intuitive d'Anna dans son travail lui donnait souvent un point de vue qui échappait aux autres. Mais elle avait besoin d'un contrepoids et, jusqu'à sa mort, Paul Lindemann avait rempli ce rôle. Pourtant, au début, il y avait eu des frictions entre eux. Fabel espérait qu'à présent Anna ayant plus d'expérience, plus de maturité, cela se passerait bien avec Henk Hermann. Mais, ayant remarqué son air boudeur quand il avait annoncé le recrutement de Hermann, Fabel avait prévu une sérieuse discussion avec elle. Aucun individu n'était plus important que l'équipe entière.

Aujourd'hui, Fabel semblait avoir perdu le contrôle de la majeure partie de cette affaire. Olsen avait disparu de la surface de la Terre : cela faisait une semaine qu'il était en fuite. Les trois premiers meurtres, et plus particulièrement le double assassinat du Naturpark, avaient déclenché l'habituel intérêt des médias. Mais tout avait changé après la mort de Laura von Klosterstadt. De son vivant, Laura possédait toutes les caractéristiques de la classe supérieure, plus la célébrité et la beauté. Devenue victime, Laura explosait dans tous les gros titres des journaux de Hambourg. De manière prévisible, la discrétion absolue dont Fabel s'était efforcé d'entourer l'affaire avait été compromise. Ses craintes concernant les informations que van Heiden transmettait à Ganz semblaient justifiées. Ganz ne souhaitait sûrement pas attiser les flammes de la publicité, mais le choix de ses confidents n'était pas judicieux. À dire vrai, la fuite pouvait provenir d'une centaine de sources potentielles. Peu importe, quelques jours plus tôt, Fabel avait allumé la télévision pour découvrir que la police de Hambourg pourchassait le *Märchenmörder*, le « Tueur des contes de fées ». Le jour suivant, Gerhard Weiss avait donné une interview au *Hamburger Journal* de la NDR. Les ventes de son livre avaient apparemment crevé le plafond en une journée et il annonçait à présent au public que la police de Hambourg était venue lui demander conseil au sujet des derniers meurtres.

Fabel se leva et gagna le salon. Les baies vitrées de son appartement encadraient le paysage nocturne étincelant du lac de l'Aussenalster et, plus loin, des lumières d'Uhlenhorst et de Hohenfelde. Même à cette heure, il pouvait suivre les phares d'un petit bateau traversant l'Alster. Ce panorama l'apaisait toujours. Il songea à Laura von Klosterstadt, nageant vers une autre perspective. Mais là où Fabel appréciait cette vue parce qu'elle le mettait en contact avec la ville, Laura avait dépensé une fortune à créer une architecture de l'isolement, une vue de ciel se détachant du paysage, la détachant, elle, des gens. Qu'est-ce qui avait pu pousser une jeune femme superbe et intelligente à se séquestrer de cette façon ?

Fabel imagina Laura nageant vers le ciel, la nuit encadrée dans ces immenses fenêtres. Mais il ne voyait qu'elle. Seule. Tout dans sa maison suggérait l'isolement, une retraite, loin d'une vie passée devant les objectifs et le regard du public. Une superbe femme seule qui nageait vers l'infini en provoquant des vaguelettes tranquilles sur l'eau soyeuse. Personne d'autre. Pourtant il y avait forcément eu quelqu'un d'autre, dans l'eau avec elle. L'autopsie avait révélé qu'elle avait été noyée dans cette piscine, et l'hématome sur son cou, infligé immédiatement avant sa mort, montrait qu'on l'avait maintenue sous l'eau. D'après Möller, l'anapath, la pression avait été appliquée d'une seule main ; les bleus correspondaient, sur un côté, à un pouce tendu, et sur l'autre, à la prise des autres doigts. Comme l'avait confirmé Möller, la main était énorme.

De grandes mains. Comme celles d'Olsen. Mais également comme celles de Gerhard Weiss.

Qui était-ce, Laura ? Qui se trouvait dans cette piscine avec toi ? Pourquoi aurais-tu choisi de partager cet isolement que tu avais bâti avec tant de soin ? Fabel contemplait la vue devant lui en interrogeant, dans sa tête, une femme morte. La famille avait été incapable d'apporter des réponses. Fabel avait rendu visite aux parents de Laura dans leur vaste propriété de l'Altes Land. Une expérience troublante. Hubert, le frère de Laura, avait présenté Fabel à ses parents. Peter von Klosterstadt et sa femme, Margarethe, étaient la quintessence de la froideur aristocratique. Peter, pourtant, n'avait pas semblé en grande forme. On sentait l'impact du décalage horaire et du chagrin dans son regard et ses réactions affaiblies. Margarethe von Klosterstadt, quant à elle, avait affiché une attitude glaciale. Son absence d'émotions avait rappelé à Fabel ses premières impressions concernant Hubert. Laura avait clairement hérité de la beauté de sa mère mais, dans le cas de Margarethe, c'était une beauté dure, intransigeante et cruelle. Elle devait avoir une petite cinquantaine, pourtant sa silhouette et la fermeté de sa peau auraient fait envie à des femmes deux fois plus jeunes. Elle avait jaugé Maria et Fabel avec une arrogance exercée, jusqu'à ce qu'il comprenne que, même au repos, ses traits présentaient le même masque. Elle lui avait déplu dès l'instant où il l'avait vue. Il avait également été troublé par l'attraction sexuelle qu'elle dégageait. L'entretien ne leur avait apporté aucune information de valeur, les parents s'étant contentés de diriger les policiers vers Heinz Schnauber, l'agent de Laura, qui avait probablement été son confident le plus proche. Il devait être ravagé par la nouvelle. De façon très prévisible, comme Margarethe von Klosterstadt l'avait suggéré.

Fabel prit conscience de la présence de Susanne dans son dos. Elle lui passa les bras autour de la taille et posa son menton sur son épaule pour partager la vue sur l'Alster. Il sentit la chaleur de son corps contre sa peau.

– Je suis désolé. Je ne voulais pas te réveiller.

– Ça va. Qu'est-ce que tu as ? Encore un mauvais rêve ?

Il tourna la tête pour l'embrasser.

– Non. Juste un peu préoccupé.

– À quel propos ?

Fabel pivota pour la prendre dans ses bras et l'embrasser longuement sur les lèvres.

– J'aimerais que tu viennes à Norddeich avec moi, dit-il. Je voudrais te présenter ma mère.

35

Mercredi 14 avril, 10 h 30 – Norderstedt, Hambourg.

Henk Hermann avait fait des efforts pour entretenir un semblant de conversation mais, après tant de réponses monosyllabiques, il avait laissé tomber pour regarder passer le paysage urbain pendant qu'Anna les conduisait à Norderstedt. Lorsqu'ils se garèrent devant la maison de la famille Ehlers, Anna se tourna vers Hermann et prononça sa première phrase correcte depuis leur départ du Präsidium.

– C'est moi qui interroge, d'accord ? Tu es là pour observer et apprendre, c'est clair ?

Hermann soupira en acquiesçant.

– Herr Klatt sait que nous sommes ici ? Le type de la KriPo de Norderstedt ?

Anna ne répondit pas. Elle était déjà à mi-chemin de l'allée menant à la porte d'entrée quand Hermann réussit à déboucler sa ceinture de sécurité.

Anna Wolff avait appelé Frau Ehlers pour annoncer leur visite. Elle ne voulait pas qu'ils croient que le corps de Paula avait été retrouvé, ni qu'il y avait des développements significatifs dans ce dossier. Anna souhaitait juste revoir quelques détails avec eux. Mais elle n'avait pas avoué son profond désir d'élucider pour quelle raison le nom de Paula avait été mis dans la main de « l'enfant échangée ». Avant toute chose, elle était submergée par l'envie d'être celle qui retrouverait Paula. Qui la ramènerait à sa famille, même si cela signifiait ramener un cadavre.

Anna fut surprise par la présence de Herr Ehlers. Un bleu de travail pâle, terni par une pellicule de poussière de brique ou d'un matériau similaire, pendait, tel un sac, sur son grand corps maigre. Plutôt que de tacher le mobilier du salon, il apporta une chaise de la cuisine pour s'asseoir. Frau Ehlers avait dû l'appeler à son travail et il était venu directement. Cette fois encore, Anna trouva l'intensité de leur attitude troublante et dérangeante : elle avait pourtant été claire, il n'y avait rien de nouveau. Anna présenta Henk Hermann. Frau Ehlers se rendit dans la cuisine d'où elle ressortit avec un plateau garni d'une cafetière, de tasses et de quelques biscuits.

Anna alla droit au but. Elle était là pour parler de l'ancien professeur d'allemand de Paula, Heinrich Fendrich.

— Nous l'avons répété tant de fois déjà, répliqua Frau Ehlers dont le visage était fatigué et tiré, comme par des années de manque de sommeil. Nous ne pouvons pas croire que Herr Fendrich ait quelque chose à voir avec la disparition de Paula.

— Comment pouvez-vous en être certains ? demanda Henk Hermann depuis le coin de la pièce où il était assis, sa tasse de café en équilibre sur son genou. Y a-t-il quelque chose en particulier qui vous donne cette certitude ? poursuivit-il sans paraître remarquer le regard noir que lui lançait Anna.

Herr Ehlers haussa les épaules.

— Après... Je veux dire, après la disparition de Paula, il nous a apporté beaucoup d'aide et de soutien. Il était vraiment, vraiment inquiet au sujet de Paula. D'une façon qui ne pouvait pas être feinte. Même quand la police n'arrêtait pas de l'interroger, tout ce temps, nous savions qu'ils cherchaient dans la mauvaise direction.

Anna acquiesça d'un air pensif.

— Écoutez, je sais que c'est une question à laquelle il est difficile de répondre, mais avez-vous jamais soupçonné que l'intérêt que portait Herr Fendrich à Paula ait pu être, disons, déplacé ?

Herr et Frau Ehlers échangèrent un regard qu'Anna ne parvint pas à déchiffrer. Puis le père secoua sa tête aux cheveux blond cendré.

— Non, non, jamais.

— Herr Fendrich semblait être le seul professeur pour qui Paula avait du temps, malheureusement, dit Frau Ehlers. Il est venu nous voir... peut-être six mois avant qu'elle disparaisse. J'ai pensé que c'était bizarre, un professeur qui venait à la maison et tout ça, mais il était très... je ne sais pas comment vous dire... très définitif, il pensait que Paula était intelligente, particulièrement en allemand, et que nous devions demander à rencontrer le principal de l'école. Mais aucun des autres professeurs de Paula ne semblait trouver qu'elle avait quelque chose de spécial et nous n'avons pas voulu lui donner trop d'espoir, de crainte qu'elle soit déçue par la suite.

Anna et Hermann étaient assis dans la VW devant la maison des Ehlers. Anna, immobile, les mains agrippées au volant, fixait le pare-brise.

— Je me trompe, ou est-ce qu'on se retrouve dans un cul-de-sac ? demanda Hermann.

Anna lui adressa un regard vide avant de tourner la clé de contact d'un geste volontaire.

— Pas encore. J'ai un petit détour à faire avant...

Sachant comment Fendrich réagirait à un nouvel interrogatoire, Anna décida là aussi d'annoncer sa visite. Tout en conduisant vers le sud, elle appela l'école où il enseignait, mais sans préciser qu'elle appartenait à la police de Hambourg. Fendrich prit la communication de mauvaise grâce, mais il accepta de les rencontrer au café sur l'esplanade de la gare de Rahlstedt.

Ils se garèrent dans un parking, à un pâté de maisons du café, et marchèrent sous un beau soleil que les nuages capricieux dissimulaient par intermittence. Fendrich était déjà là, à remuer une cuillère dans son cappuccino d'un air méditatif. À leur entrée, il leva la tête et jeta à Hermann un regard de soupçon indifférent. Anna présenta son nouvel équipier et ils s'installèrent autour de la table ronde.

— Que me voulez-vous, Kommissarin Wolff ? demanda Fendrich sur un ton de protestation lasse.

Anna remonta ses lunettes de soleil sur ses cheveux.

— Je veux retrouver Paula, Herr Fendrich. Soit elle est encore en vie et a subi Dieu sait quelles tortures pendant ces trois dernières années, soit, et nous savons tous deux que c'est le plus probable, elle repose morte quelque part. Cachée aux yeux du monde et de sa famille qui souhaite seulement vivre son deuil. Je ne connais pas la nature exacte de votre relation avec elle mais je crois qu'au fond vous vous intéressiez sincèrement à Paula. J'ai juste besoin de la retrouver. Et ce que j'attends de vous, Herr Fendrich, c'est n'importe quoi qui puisse me lancer dans la bonne direction.

Fendrich tournait la cuillère dans son cappuccino en contemplant la mousse.

— Connaissez-vous le dramaturge George Bernard Shaw ? demanda-t-il après avoir relevé la tête.

— C'est plus le truc de mon patron. Le Kriminalhauptkommissar Fabel aime tout ce qui est anglais.

— Shaw était irlandais. Il a dit un jour : « Ceux qui peuvent, agissent ; ceux qui ne peuvent pas, enseignent. » En gros, cette citation considère tous les professeurs comme des ratés. Mais elle nie aussi le fait qu'on puisse agir et enseigner à la fois. Je n'ai pas dévié vers cette profession, Frau Wolff. C'est une vocation. Je l'adore. Chaque jour, je me trouve face à des classes de jeunes esprits. Des esprits qui sont encore à former et à développer.

Se reculant sur sa chaise, il laissa échapper un petit rire amer. Sa main tenait toujours la cuillère et son attention était de nouveau fixée sur la surface de son café.

— Bien sûr, il existe une telle, eh bien, pollution, je suppose qu'on peut dire ça ainsi. Une pollution culturelle... venant de la télévision, d'Internet et de toutes ces technologies jetables dont on assomme la jeunesse d'aujourd'hui.

Mais de temps à autre, on rencontre un esprit frais et net qui aspire à ce qu'on élargisse et fasse exploser son horizon.

Le regard de Fendrich avait repris vie.

— Avez-vous une idée de ce qu'on peut ressentir à être harcelé par la police pour un crime pareil ? Non. Non, vous ne savez pas. Comme vous n'avez aucune idée de ce que c'est d'être dans cette situation quand vous êtes professeur. Quelqu'un à qui les parents confient ce qui leur est le plus précieux. Votre collègue, Herr Klatt, a quasiment détruit ma carrière. Il m'a quasiment détruit. Les élèves évitaient de se retrouver seuls avec moi. Des parents, et même des collègues, me considéraient avec une hostilité ostensible.

Il cessa de parler comme arrêté en pleine course sans savoir quelle direction il avait prise. Il regarda les deux officiers.

— Je ne suis pas un pédophile. Je n'éprouve aucun intérêt sexuel pour les jeunes filles ou les jeunes garçons. Aucun intérêt physique. C'est de leur esprit que je m'occupe. Et celui de Paula était un diamant. Un intellect cristallin, effroyablement aiguisé et pénétrant, à l'état brut. Il avait besoin d'être affiné et poli, mais son esprit était exceptionnel.

— Si c'était le cas, dit Anna, je ne comprends pas pourquoi vous êtes le seul à l'avoir constaté. Aucun autre professeur ne semblait voir en Paula autre chose qu'une élève moyenne. Même ses parents semblaient penser que vous faisiez erreur.

— Vous avez raison. Personne d'autre ne l'a vu. Et c'était parce qu'ils ne regardaient pas. On considérait souvent Paula comme une élève paresseuse et rêveuse, plutôt que lente d'esprit. C'est exactement ce qui se passe quand un enfant doué est piégé dans un environnement éducatif, ou même un environnement domestique dans ce cas précis, qui ne lui apporte pas suffisamment de défi intellectuel. L'autre point, c'est que le don de Paula se manifestait dans ma matière, elle avait une oreille naturelle et un certain talent pour l'allemand. Et quand elle écrivait... quand elle écrivait, c'était comme une chanson. Peu importe. En plus de ceux qui n'ont pas vu, il y a aussi ceux qui n'ont pas voulu voir.

– Ses parents ? demanda Henk Hermann.

– Exactement. Paula a écrit une histoire pour une rédaction que j'avais demandée. C'était presque, eh bien, un conte de fées. Elle dansait dans notre langue. Là, dans ce petit texte écrit d'une main d'enfant, j'ai eu l'impression d'être un promeneur. J'ai pris cette rédaction quand je suis allé rencontrer ses parents et je la leur ai donnée à lire. Rien. Cela ne voulait rien dire pour eux. Son père m'a demandé ce que savoir écrire des histoires apporterait à Paula quand elle devrait trouver un travail.

Fendrich semblait maintenant déserté par toute l'énergie qui l'avait jusqu'alors embrasé.

– Mais Paula est morte aujourd'hui. Comme vous le dites, vous le savez, je le sais.

– Comment pouvez-vous le savoir ? Comment pouvez-vous être certain qu'elle ne s'est pas enfuie, si elle avait le sentiment d'étouffer à ce point intellectuellement ? demanda Hermann.

– Parce qu'elle ne m'a pas écrit. Ni à personne d'autre. Si elle s'était enfuie de chez elle, je suis absolument certain qu'elle aurait laissé une lettre, un mot... quelque chose d'écrit. Comme je l'ai dit, c'était comme si le mot écrit avait été inventé pour Paula. Elle n'aurait pas entrepris un tel acte sans le mettre sur le papier pour le marquer. Elle m'aurait écrit.

Ils quittèrent le café ensemble. Hermann et Anna serrèrent la main de Fendrich avant de repartir vers le parking. Fendrich était venu à pied. L'école où il enseignait se trouvait dans la direction opposée, et pourtant il sembla hésiter à l'entrée de l'établissement. Anna et Hermann n'avaient parcouru que quelques mètres quand ils entendirent Fendrich appeler.

– Kriminalkommissarin Wolff ?

Quelque chose dans le langage corporel de Fendrich donna le sentiment à Anna qu'elle devait gérer ce moment seule. Elle tendit les clés de la voiture à Hermann.

– Ça t'ennuie ?

Hermann haussa les épaules et se dirigea vers la voiture. Fendrich retrouva Anna à mi-chemin.

– Kommissarin Wolff, je peux vous dire quelque chose ? Et que cela reste entre nous ?

– Je suis désolée, je ne sais pas si je peux faire une telle promesse...

Fendrich l'interrompit, comme s'il ne désirait pas entendre d'excuse qui l'empêchât de confier ce qu'il avait à confier.

– Il y a autre chose. Une chose que je n'ai pas avouée à la police à cette époque parce que... eh bien, je suppose parce que cela aurait été mal pris.

Anna s'efforçait de dissimuler son impatience, mais elle échoua.

– Rien dans ma relation avec Paula n'était déplacé, je vous le jure. Mais peu de temps avant qu'elle disparaisse, je lui ai fait un cadeau. Un livre. Je n'ai rien dit à l'époque parce que je savais que le Kommissar Klatt l'interpréterait à sa façon.

– Quel était ce livre ? demanda Anna. Quel livre avez-vous offert à Paula ?

– Je voulais qu'elle comprenne les bases de la tradition littéraire allemande. Je lui ai donné un exemplaire des *Contes de l'enfance et du foyer*. Des frères Grimm.

36

Mercredi 14 avril, 15 h 30 – Winterhude, Hambourg.

Le ciel était bleu à présent. Hambourg baignait dans une luminosité moins stérile, même si le soleil se terrait encore par intermittence derrière des paquets de nuages laiteux.

Dans une ville médiatique telle que Hambourg, Fabel devait toujours être prudent quand il discutait des enquêtes en public. Pour ses rendez-vous officieux avec son équipe, il avait jeté son dévolu sur deux endroits qu'il appréciait pareillement. D'abord le snack Schnell-Imbiss sur le port, tenu par un ancien flic, ami frison de Fabel. Puis le café qui se trouvait en face du bac de Winterhude. Niché derrière le pont, l'établissement était pourvu d'une terrasse qui s'étendait le long du canal de l'Alsterstreek, face à la flèche de St Johannis. Derrière la barrière en fer peinte en blanc, deux cygnes picoraient l'eau d'un air dédaigneux, là où un client du café avait jeté des miettes. Le décor se limitait à quelques tables et chaises en polypropylène sous des parasols imprimés de logos de marques de cigarettes, mais l'endroit était à la fois proche du Präsidium et assez éloigné pour fournir un dépaysement.

Ils étaient six au total. Fabel prit deux chaises à une table libre afin que tous puissent s'asseoir ensemble. Anna et Maria avaient l'habitude des réunions en plein air, tandis que les deux membres de la SoKo des Crimes sexuels, Petra Maas et Hans Rödger, semblaient déconcertés par le décor.

Henk Hermann, quant à lui, avait le sentiment d'avoir été admis dans un club très sélectif et plutôt secret.

Le serveur se présenta pour prendre les commandes, il salua Fabel par son nom et fit un bref commentaire sur le temps. Bien entendu, il ignorait que ces clients étaient des officiers de la Morkommission, les prenant probablement pour des cadres faisant une pause pendant un séminaire. Fabel attendit qu'il s'éloigne avant de s'adresser à son équipe.

— Nous nous y prenons mal. Je sais que vous mettez toute votre énergie dans cette enquête, mais j'ai l'impression qu'on génère plus de chaleur que de lumière. Nous avons trois suspects possibles : Fendrich, le professeur ; Weiss, l'écrivain, qui reste une vague hypothèse ; et notre numéro un, Olsen. Mais quand on les considère individuellement, aucun d'eux ne semble coller parfaitement.

Fabel s'arrêta de parler quand le serveur apporta les cafés.

— On peut considérer, poursuivit-il, que nous avons affaire à deux tueurs travaillant en tandem. Cela justifierait la théorie de Henk concernant le deuxième jeu d'empreintes relevées sur la scène de crime du parc. Peut-être avons-nous eu tort de les négliger.

— Ou il se pourrait que nous ayons un tueur principal et un imitateur ? hasarda Hermann.

Fabel secoua la tête.

— Le « thème » qui relie les meurtres est absolument cohérent et nous avons des preuves directes qui relient tous les assassinats. Les morceaux de papier jaune trouvés sur chaque scène de crime ne sont pas seulement identiques, ils semblent avoir été découpés dans la même feuille. Et l'écriture coïncide également. Deux tueurs travaillant en tandem, voilà qui expliquerait qu'Olsen soit le meurtrier du Naturpark et que quelqu'un d'autre ait commis les deux autres. Mais c'est la même main qui a écrit ces notes.

— Et... ? demanda Maria Klee avec un petit sourire entendu.

— Et... je n'arrive pas à imaginer une équipe. Nous avons déjà rencontré ce cas de figure dans une affaire précédente et celle-ci n'y ressemble pas du tout. C'est une main unique. Alors considérons tout d'abord Olsen. Qu'est-ce qu'on a ?

— Il me semble être une piste solide pour les meurtres du Naturpark, dit Maria. Il a un mobile pour tuer Grünn et Schiller, la jalousie sexuelle. Mais, comme tu dis, comment cela peut-il coïncider avec les autres meurtres ?

Fabel but une gorgée d'espresso.

— Cela ne colle tout simplement pas avec le profil d'Olsen. Il n'est que fureur. Notre type voit de la poésie dans sa violence. Olsen reste en première ligne de notre liste mais, pour en savoir plus, il va falloir le coincer. En attendant, qu'en est-il de Fendrich, Anna ?

— Ce n'est pas notre type. J'en suis certaine. Aurait-il des motivations sexuelles, ce qu'il nie, je ne crois pas qu'il les ait exprimées. J'ai vérifié et revérifié ses antécédents. Pas de casier. Pas de soupçons ou de problèmes dans sa carrière de professeur. Il semble qu'il n'ait pas eu de relation stable au cours des trois dernières années, après s'être séparé de sa petite amie de longue date, Rona Dorff. J'ai parlé à Rona. Elle enseigne la musique dans une autre école. Selon elle, leur relation était très tiède, au mieux, et ils se sont séparés après la disparition de Paula.

— Y a-t-il un lien ? demanda Fabel.

— Eh bien, oui, en effet. Mais cela tendrait à disculper Fendrich plutôt qu'à l'incriminer. Rona a dit que Fendrich était devenu obsédé par l'idée d'aider les Ehlers à retrouver Paula. Puis, quand Klatt, de la police de Norderstedt, lui est tombé sur le dos, il est devenu colérique et déprimé.

— Violent ?

— Non. Distant. D'après Rona, leur relation s'est effacée plutôt qu'elle n'a été rompue.

— Il se pourrait que le comportement de Fendrich après la disparition de Paula soit une couverture, avança Henk Hermann dont la voix laissait filtrer une certaine excitation. Beaucoup de meurtriers, après avoir commis leurs crimes, dissimulent leurs sentiments de culpabilité derrière le chagrin et l'inquiétude de peur d'être repérés.

Fabel avait été de nombreuses fois témoin de ce genre de comportement. En plus d'une occasion, les larmes de crocodile versées par un tueur au sang froid avaient su le convaincre.

— Ensuite, il y a l'analogie des Grimm que le tueur utilise, continua Hermann qui semblait tirer encouragement de l'appréciation de son nouveau patron. Nous savons que Martha Schmidt, la fille ressemblant à Paula et retrouvée sur la plage, était issue d'une classe très défavorisée, et le tueur en a profité pour la rapprocher des « peuples souterrains ». Fendrich a peut-être considéré que Paula était prisonnière des limites étouffantes du peu d'espoir que ses parents plaçaient en elle. Est-ce qu'il aurait pu avoir le sentiment, en la tuant, de la libérer ?

Fabel regarda Hermann en souriant.

— Vous êtes en train de lire le roman de Weiss, n'est-ce pas ?

Hermann rougit légèrement sous ses taches de rousseur, comme s'il avait été surpris en train de tricher en plein examen.

— Oui, Herr Erster Kriminalhauptkommissar. J'ai pensé que ce livre pourrait fournir de bonnes données de base.

— Vous avez raison. Et appelez-moi chef, c'est plus court. Qu'en pensez-vous, Anna ?

— C'est possible, je suppose. Bien qu'il ait apporté tout son soutien à la famille Ehlers, Fendrich n'a pu cacher son mépris pour la modestie de leurs aspirations. Mais Fendrich n'est lié qu'à la disparition de Paula Ehlers qui, techniquement, ne fait pas encore partie de cette enquête. Il n'a pas d'alibi pour les autres assassinats mais, comme vous savez, il vit seul dans cette grande maison qu'il partageait avec sa mère. S'il avait des alibis pour les autres victimes, alors j'aurais des soupçons. De toute façon, mon intuition me dit que ce n'est pas notre homme. Malgré tout, cette histoire de livre offert me préoccupe. Même s'il m'a volontairement communiqué cette information.

— D'accord, nous gardons Fendrich dans notre liste de suspects. Il ne nous reste plus que Weiss, l'écrivain...

— Eh bien, chef, dit Maria, c'est avant tout ton idée. Pourquoi l'inclure comme suspect ?

— Tout d'abord, il existe des parallèles troublants entre ces meurtres et le roman de Weiss. Dans les deux cas, nous avons le thème de Grimm. Dans les deux cas, un tueur en série met en scène des contes populaires. Weiss récolte l'attention des médias et augmente les ventes de son livre grâce à cette connexion.

Anna ricana.

— Vous ne suggérez quand même pas que ces meurtres font partie d'une campagne publicitaire pour son livre ?

— Pas spécialement. Mais peut-être que Weiss est capable de mettre en pratique ses théories. C'est sans aucun doute un connard arrogant et imbu de sa personne. Mais plus que ça, il me met mal à l'aise. Et il est grand. Très grand et puissant. Et l'autopsie de Laura von Klosterstadt suggérait qu'elle avait été maintenue sous l'eau par une main vraiment plus grande que la moyenne.

— Ce pourrait être Olsen, dit Anna. Ou, dans ce cas, Fendrich.

Fabel se tourna vers Maria.

— Q'as-tu trouvé sur Weiss, Maria ?

— Pas de condamnations criminelles. Quarante-sept ans, deux fois marié, deux fois divorcé, pas d'enfants. Il est né à Kiel, Schleswig-Holstein. Sa mère était italienne, d'origine aristocratique, et son père possédait une compagnie de navigation à Kiel. Il a reçu son éducation dans un internat privé très cher à Hambourg, ainsi qu'en Angleterre et en Italie. Université de Hambourg... Premier roman publié très peu de temps après son diplôme, sans grande réaction... Son premier volume des *Wahlwelten* est sorti en 1981 et a connu un énorme succès. Et c'est tout. Oh, il avait un frère. Plus jeune. Mais il est mort il y a dix ans.

Fabel fut piqué au vif.

— Un frère ? Mort ? Comment ?

— Un suicide, apparemment. Une sorte de maladie mentale.

— Dis-moi, Maria, il n'était pas sculpteur, par hasard ?

– En effet, oui. Comment le savais-tu ? demanda-t-elle d'un air surpris.

– Je pense avoir vu son travail, dit Fabel et la gueule grimaçante du loup sculpté dans l'ébène traversa son esprit.

Il regarda l'eau à côté d'eux. Les cygnes avaient tourné le dos au pain humide et voguaient paresseusement vers le pont.

– Le Kommissar Hermann a raison. Je crois que nous devrions tous considérer le livre de Weiss, *La Route des contes*, comme une lecture indispensable. Je vais m'assurer que chacun de vous en ait un exemplaire avant ce soir. Et je veux être sûr que vous le lisiez.

Fabel avait demandé à Anna de rester, lui disant qu'il la raccompagnerait au Präsidium. Henk Hermann avait traîné, indécis, jusqu'à ce que Fabel lui ordonne de repartir avec Maria. Quand ils furent seuls, Fabel commanda un autre café et leva un sourcil interrogateur vers Anna qui secoua la tête.

– Écoutez, Anna, commença-t-il. Vous êtes un officier de police exceptionnel. À mon avis, un véritable atout pour l'équipe. Mais il y a, euh, des sujets qu'il faut qu'on aborde...

– Comme ?

– Comme votre agressivité. Et il faut que vous travailliez plus comme membre de l'équipe et moins en cavalier seul.

L'expression d'Anna se durcit.

– Je croyais que c'était pour cette raison que vous nous aviez tous recrutés. À cause de notre individualité. Parce que nous étions tous différents.

– En effet, Anna. Mais vos talents individuels ne me sont utiles que s'ils sont combinés à ceux des autres membres de l'équipe.

– Je crois savoir où cela va nous mener... Henk Hermann ?

– Il est intelligent, Anna. Et il est vif. C'est un bon policier et je crois que vous ferez du bon travail ensemble. Mais seulement si vous lui en laissez la chance.

Anna ne répondit pas tout de suite, et finit par lancer à Fabel son habituel regard de défi.

— Est-ce que je rêve, ou ce n'est qu'une fichue coïncidence s'il ressemble à ce point à Paul Lindemann ? Je commence à me demander si, nous aussi, nous n'avons pas notre propre « enfant échangé ».

La plaisanterie d'Anna agaça Fabel et il ne réagit pas tout de suite. Ils se dirigèrent vers la BMW. Il déverrouilla les portes et, un coude appuyé sur le toit de la voiture, il fixa Anna.

— Je ne recrute pas mes officiers selon des critères sentimentaux, Kommissarin Wolff.

Puis il laissa échapper un petit rire, comprenant où elle voulait en venir. Hermann avait la même silhouette élancée, dégingandée, les mêmes cheveux blond sable que Paul Lindemann, l'officier qu'ils avaient perdu.

— En effet, il lui ressemble un peu. Mais ce n'est pas Paul. Et je l'ai recruté en raison de ses qualités et de son potentiel. J'ai besoin que vous travailliez avec lui. Il dépend autant de vous que de moi de développer ce potentiel, de faire ressortir le meilleur de lui. Et avant que vous ne l'évoquiez, je ne vous demande pas de jouer la baby-sitter. C'est juste qu'il a un sacré virage à négocier dans son apprentissage et je souhaiterais que vous l'aidiez, pas que vous lui mettiez des bâtons dans les roues. Et j'ajouterai qu'à mon avis, vous pouvez également apprendre deux ou trois choses de lui.

Ils prirent la route vers le Winterhude et le Polizeipräsidium. La lumière du soleil, blanchie par les nuages, s'assombrissait puis s'intensifiait, tel le reflet d'une humeur changeante. Anna resta silencieuse pendant une bonne partie du trajet, puis, tout d'un coup, elle se mit à parler :

— D'accord, chef. Je vais faire quelques efforts de rapprochement avec Hermann. Je sais que je peux être une tête de mule parfois, mais ce qui s'est passé l'an dernier, avec Paul, et le fait que Maria ait été blessée, cela m'a touchée. Paul était tellement droit, si respectueux des règles et précis dans tout ce qu'il faisait. Ça me tapait sur les nerfs. Mais c'était un type bien, sincère, et vous saviez toujours où vous en étiez avec lui.

Elle se tut. Fabel ne la regarda pas parce qu'il savait qu'Anna la petite dure n'aurait pas voulu qu'il la vît bouleversée.

— Il s'occupait de moi..., continua-t-elle d'une voix tendue. C'est ce qui m'empêche de dormir la nuit. Qu'il soit mort en essayant de me sauver. J'ai survécu et pas lui.

— Anna..., commença Fabel, mais elle l'interrompit, essayant de contrôler sa voix.

— Je vais proposer à Henk Hermann de bavarder un peu. Qu'on aille prendre un verre, quelque chose dans ce genre. Pour apprendre à nous connaître. D'accord ?

— D'accord, Anna.

Ils se garèrent devant le Präsidium. Anna posa la main sur la portière de la voiture mais ne fit aucun geste pour sortir. Elle tourna son regard franc vers Fabel.

— Et pourquoi pas Klatt ? demanda-t-elle brusquement et, comme Fabel avait l'air troublé, elle ajouta : J'étais persuadée que vous alliez demander à Klatt de rejoindre l'équipe. Je pense que l'idée lui a probablement également traversé l'esprit. Pourquoi avez-vous choisi Henk Hermann ?

Fabel sourit.

— Klatt est un bon policier, mais il n'a pas ce qu'il faut pour être un bon officier de la Mordkommission. Il s'est trop concentré sur Fendrich. Je ne sais pas, peut-être que Fendrich est notre type, mais Klatt s'est trop fermé aux autres possibilités. Si le tueur n'est pas Fendrich, alors, peut-être, dans les premiers jours de cette enquête, voire dans les premières heures cruciales, Klatt a omis de remarquer quelque chose à la périphérie de sa vision qui lui aurait permis de réduire l'écart entre lui et le ravisseur de Paula.

— Mon Dieu, chef, c'est un peu raide. Il n'y avait pas d'autre piste. Klatt s'est focalisé sur Fendrich parce qu'il n'y avait rien ni personne d'autre sur qui focaliser.

— D'après ce qu'il en a vu... enfin, peu importe, je le répète, c'est un bon policier. Mais vous vouliez savoir pourquoi j'ai choisi Henk Hermann plutôt que Robert Klatt. Ce sont les atouts de Herman et non les faiblesses de Klatt qui ont influé sur ma décision. Henk Hermann a été le premier officier sur la scène du parc naturel. Il s'est tenu là, a regardé les deux victimes dans cette minuscule clairière avec leurs gorges tranchées, et son premier réflexe a été de déplacer son attention hors de cet endroit. Rapidement. Il a fait le contraire de Klatt. Il a élargi son champ de vision et a travaillé dans deux directions en même temps : il a réfléchi en amont, depuis la scène de découverte des corps jusqu'au moment de la mort, et il a réfléchi en aval, en évaluant le rayon dans lequel les voitures avaient probablement été abandonnées. Et tout cela parce qu'il a reconnu d'emblée qu'il s'agissait d'une mise en scène.

Fabel était penché, les avant-bras appuyés sur le volant.

— Nous participons tous à une course, Anna. Chacun de nous dans la Mordkommission. Et le coup de feu du starter laisse toujours un homme à terre. Henk Hermann a été le plus rapide à s'éjecter des starting-blocks. C'est aussi simple et aussi compliqué que ça. Et j'ai besoin que vous fassiez votre possible pour bien travailler avec lui.

Anna fixa intensément Fabel comme si elle réfléchissait à ce qu'il venait de lui dire.

— D'accord, chef.

37

Mercredi 14 avril, 21 h 30 – St Pauli, Hambourg.

Max était un artiste.

Il se souciait énormément de son art. Il l'avait étudié, correctement, en effectuant des recherches sur ses origines, son histoire, son évolution. Max était tout à fait conscient qu'il avait le privilège de travailler sur le matériau le plus raffiné qui soit : le plus noble et le plus ancien. La toile sur laquelle il travaillait était la même que celle sur laquelle des artistes avaient travaillé durant des millénaires, probablement même avant qu'ils aient commencé à peindre les murs des cavernes. Oui, c'était un art. Grand, noble et raffiné. Et voilà pourquoi Max était, en cet instant, très agacé. Parce qu'en dépit du fait qu'il était en train de s'adonner à son art, il bandait comme un diable. Il fit tout son possible pour ne plus penser à cette érection qui tendait le cuir de son pantalon. Il essaya même de se concentrer sur les détails de son ouvrage mais ce n'était, après tout, que le motif le plus simple qui soit : un cœur entrelacé de fleurs qu'il aurait pu dessiner les yeux fermés. Il n'aurait pas accepté de tatouer le mont de Vénus rasé de cette prostituée à cette heure de la soirée s'il n'avait reçu un appel d'un de ses meilleurs clients, demandant à passer voir Max à dix heures. Il allait devoir attendre, de toute façon, aussi quand la pute s'était présentée, il avait pensé que mieux valait travailler.

– Ouh... Ça fait mal.

La jeune et jolie prostituée se tortilla et Max dut retirer l'aiguille à la hâte. Les lèvres intimes de la fille se tordirent près du visage de Max, qui sentit son ventre se raidir un peu plus.

— Ce ne sera plus très long..., dit-il d'une voix impatiente. Mais il ne faut pas bouger ou je vais faire une erreur.

La fille gloussa.

— Ça va être tellement classe ! s'exclama-t-elle avant de grimacer quand Max appliqua de nouveau l'aiguille. Les autres filles se font tatouer des trucs sans goût, mais on m'a dit que tu étais très doué. Un vrai artiste.

— Je suis flatté, répondit Max sans grande conviction. Mais laisse-moi finir ça.

Il essuya l'encre et le sang du tatouage, effleurant du pouce les lèvres du sexe. La fille gloussa encore.

— Tu sais, mon chou. On pourrait s'arranger pour le règlement. Je taille des super pipes, tu sais...

Max leva les yeux vers son visage. Elle ne devait pas avoir vingt ans.

— Non, merci, répondit-il en retournant à sa tâche. Si ça ne te dérange pas, je m'en tiens au cash.

— D'accord. Tu ne sais pas ce que tu rates.

Quand la fille fut sortie, Max inspira profondément en s'efforçant de se sortir de la tête l'image de sa chatte. Son client serait bientôt là. Max ressentit un frisson d'excitation : ce type était un connaisseur. Max considérait le travail qu'il avait fait sur lui comme son chef-d'œuvre. Mais le client avait refusé d'être photographié. Et Max n'avait pas discuté. Ce type était énorme. Massif. Personne n'avait envie de le contrarier. Mais sa taille était un avantage pour Max. Cela impliquait plus de surface de peau. C'était la plus grande toile sur laquelle Max avait jamais travaillé.

Cela avait pris des semaines, des mois pour compléter son œuvre. La douleur que son client avait dû endurer devait être incroyable. Supporter tant de peau à vif et enflammée. Et pourtant il était revenu, un jour par semaine, insistant pour que Max ferme sa boutique afin de ne travailler que sur lui, heure après heure. Ce client estimait véritablement le talent de Max. Ce dernier avait dû effectuer des recherches. Faire une étude. Se préparer. Tout en tatouant, Max parlait à son client de la noblesse de son art, de ce petit enfant pâle et maladif qui possédait ce talent artistique, comment personne n'avait prêté attention à lui. Max avait expliqué comment, à douze ans, il avait entrepris de créer son premier tatouage avec une aiguille et de l'encre de Chine. Sur lui-même. Il avait raconté comment, auparavant, il avait potassé le *Moko*, l'art du tatouage des Maoris de la Nouvelle-Zélande. Les Maoris s'allongeaient, comme en transe, durant des heures, pendant que le tatoueur de la tribu, le *Tohunga*, qui bénéficiait du même statut que l'homme-médecin, tapotait avec son aiguille et un petit maillet en bois. Les *Tohunga* étaient, aux yeux de Max, l'élite de l'art du tatouage : ils étaient autant sculpteurs que peintres, ne se contentaient pas de pigmenter la peau mais lui redonnaient forme, faisaient de leur art une œuvre en trois dimensions en réalisant des plis et des rides sur la peau. Et chaque *Moko* était unique, une pièce d'artisanat singulière et spécialement conçue pour celui qui le portait.

À dix heures pile, l'interphone du studio sonna. Max déverrouilla et ouvrit à la silhouette sombre d'un homme à la taille formidable. Il remplissait tout le cadre de la porte, dominant Max. Il se glissa en silence dans le studio.

— C'est bon de vous revoir, dit Max. C'était un honneur de travailler sur vous... Que puis-je pour vous ce soir ?

38

Mercredi 14 avril, 21 h 30 – Der Kiez, Hambourg.

Henk Hermann avait accepté avec enthousiasme l'invitation d'Anna à aller prendre un verre après le travail. Pourtant son regard demeurait suspicieux.

– Ne t'en fais pas, avait dit Anna. Je ne vais pas te violer. Mais laisse ta voiture au Präsidium.

Henk Hermann avait semblé encore plus mal à l'aise quand Anna s'était arrangée pour qu'un taxi les emmène dans le Kiez et les dépose devant le pub Weisse Maus. L'endroit était généralement bondé mais, à cette heure, en milieu de semaine, ils n'eurent aucun problème à trouver une table. Anna commanda un rye-and-dry et jeta un regard à Henk.

– Bière ?

Henk leva les mains.

– Je me contenterai de...

– Un rye-and-dry et une bière, alors, dit-elle au serveur.

Hermann éclata de rire. Il observa la jolie jeune femme en face de lui : elle aurait pu être n'importe quoi d'autre qu'un policier. Ses grands yeux sombres étaient soulignés par l'ombre exagérée du maquillage. Ses lèvres pleines en forme de cœur étaient peintes en rouge vif, ses cheveux courts et noirs hérissés au gel. Son look, ajouté à sa panoplie habituelle punk-chic, mariage de tee-shirt, de jean et de veste en cuir trop grande, semblait avoir été élaboré pour lui donner l'air d'une dure. C'était raté : les éléments combinés ne faisaient qu'accentuer sa féminité de petite fille. Mais, d'après ce que Henk avait entendu, c'était une dure. Une vraie dure.

Anna alimenta un bavardage peu enthousiaste en attendant leurs verres : elle demanda à Henk ce qu'il pensait de la Mordkommission, s'il trouvait cette affectation différente de ses devoirs de SchuPo, et posa d'autres questions sans originalité. Leurs consommations arrivèrent.

— Tu n'es pas obligée, dit-il en buvant une gorgée de bière.

— Comment ça ? demanda Anna en haussant ses sourcils sombres, ce qui lui donna un air d'écolière innocente.

— Je sais que tu ne m'apprécies pas... non, ne pas apprécier n'est pas assez fort... Je sais que tu n'approuves pas complètement que Herr Fabel ait choisi de me faire entrer dans l'équipe.

— C'est idiot ! répondit Anna.

Elle ôta sa veste en cuir et l'accrocha au dossier de sa chaise. La chaîne qu'elle portait au cou glissa hors de son tee-shirt. Elle se rassit, cachant le bijou sous le vêtement.

— C'est lui le patron. Il sait ce qu'il fait. S'il dit que tu es fait pour ce boulot, ça me suffit.

— Mais cela ne te plaît pas.

Anna soupira. Elle but une lampée de bourbon et tonic.

— Je suis désolée, Henk. Je sais que je n'ai pas vraiment déroulé le tapis rouge à ton arrivée. C'est juste que... Eh bien, c'est juste que j'ai eu du mal à accepter la mort de Paul. Je suppose que Fabel t'en a parlé ?

Henk acquiesça.

— Bon, je sais que nous avons besoin de quelqu'un pour prendre sa place. Mais pas de prendre vraiment sa place, si tu vois ce que je veux dire.

— Je comprends. Vraiment, dit Henk. Mais, pour être franc, ce n'est pas mon problème. C'est une histoire qui ne me concerne pas. Tu dois accepter que j'aie rejoint cette équipe pour donner le meilleur de moi-même. Je ne connaissais pas Paul Lindemann et je ne participais pas à cette enquête.

Anna but de nouveau et fronça le nez.

– Non. Tu as tort. Cette histoire te concerne. Si tu fais partie de l'équipe, tout ce qui arrive à cette équipe te concerne. Et cette nuit-là, dans l'Altes Land, nous avons tous changé. Moi, Maria, et Dieu sait combien Maria a changé cette nuit-là. Même Werner et Fabel. Et nous avons perdu un des nôtres. Nous pensons tous encore à cette nuit.

– D'accord, fit Henk en se penchant en avant, ses coudes en appui sur la table. Raconte-moi.

39

Mercredi 14 avril, 21 h 30 – Eppendorf, Hambourg.

Fabel n'eut pas à chercher l'appartement de Heinz Schnauber. Il connaissait très bien le quartier. L'institut médico-légal était situé dans l'hôpital universitaire Hambourg-Eppendorf, et l'appartement de Schnauber se trouvait dans l'un des élégants immeubles du dix-neuvième siècle de la non moins élégante Eppendorfer Landstrasse.

Schnauber l'attendait. Fabel brandit tout de même son insigne ovale de la KriPo et s'identifia quand l'agent de Laura lui ouvrit la porte. Un homme d'une cinquantaine d'années, pas très grand, mince sans être frêle. Il conduisit Fabel dans un salon joliment décoré. Le mobilier était en harmonie avec l'époque de l'immeuble, mais infiniment plus confortable que celui de la demeure de Vera Schiller. Fabel n'avait jamais su comment se comporter avec les homosexuels. Il aimait penser qu'il était un homme moderne, sophistiqué et rationnel, et il n'avait évidemment rien contre les homosexuels, mais son éducation luthérienne et frisonne le rendait peu sûr de lui et maladroit en leur compagnie. Ce trait d'esprit provincial l'agaça plus encore quand il constata que Schnauber était parfaitement masculin dans sa manière d'être et de parler. Il remarqua également la douleur intense dans les yeux de l'agent quand il parlait de Laura von Klosterstadt. Gay ou pas, il aimait de toute évidence Laura. Un amour presque paternel.

– Elle était ma princesse, expliqua Schnauber. C'est ainsi que je l'appelais : « ma petite princesse brisée ». Je la considérais quasiment comme ma fille. Sincèrement.

– Pourquoi « brisée » ?

Schnauber eut un sourire amer.

– Je suis certain que vous avez déjà rencontré bon nombre de familles à problèmes, Herr Kriminalhauptkommissar. Dans votre travail, je veux dire. Des parents drogués, des enfants criminels, des abus, ce genre de choses. Mais certaines familles sont expertes dans l'art de dissimuler leurs problèmes. Leurs squelettes bien enfermés dans les placards. Eh bien, quand vous avez autant d'argent et d'influence que les von Klosterstadt, vous pouvez vous payer pas mal de placards.

Schnauber s'assit sur le canapé et désigna à Fabel un gros fauteuil en cuir noir.

– Je voulais vous poser des questions sur cette fête, dit Fabel. La fête d'anniversaire de Laura von Klosterstadt. Quelque chose d'anormal s'est-il produit ? Ou bien des gens ont-ils tenté de s'introduire sans invitation ?

Schnauber éclata de rire.

– Cela ne se produit jamais dans les soirées que j'organise, Herr Fabel, répondit-il en insistant sur le « jamais ». Et non, d'après ce que j'en sais, rien d'anormal ni de déplaisant ne s'est produit. Il y avait le mur de glace prévisible entre Laura et sa mère. Et Hubert, comme d'habitude, s'est comporté comme un petit merdeux hautain. Mais à part ça, la fête s'est déroulée comme dans un rêve. Nous avions un groupe d'Américains représentant une maison qui crée des vêtements de yachting assez chic de la Nouvelle-Angleterre. Ils voulaient que Laura devienne leur « visage ». Les Amerloques raffolent de l'aristocratie européenne.

La tristesse de Schnauber s'accentua.

– Pauvre Laura ! Enfant, chaque fête d'anniversaire devait s'intégrer dans l'agenda mondain de sa mère. Puis, adulte, ces fêtes sont devenues des prétextes pour faire sa promotion auprès de clients potentiels. Je me sentais minable d'organiser ça. Mais c'était mon devoir, en qualité d'agent, de la promouvoir de manière aussi large et efficace que possible.

Son regard se riva à celui de Fabel. Il y avait de la sincérité dans ces yeux, comme s'il était important pour cet homme que Fabel le croie.

— J'ai fait tout mon possible pour que ces fêtes soient autre chose que des rendez-vous déguisés, vous savez. J'avais l'habitude de lui offrir des petits cadeaux surprises, de lui faire confectionner un gâteau spécial, ce genre de choses. Je voulais qu'elle s'amuse à ces fêtes.

— Je sais, Herr Schnauber. Je comprends, répondit Fabel en souriant.

Il laissa Schnauber un moment à ses pensées avant de poser la question suivante.

— Vous avez dit que les von Klosterstadt avaient beaucoup de squelettes dans leurs placards. Quel genre de squelettes ? Il se passait quelque chose dans la famille de Laura ?

Schnauber se dirigea vers le bar et se versa un généreux verre de malt. Il inclina la bouteille en direction de Fabel.

— Non, merci... Pas en service.

Schnauber se rassit et but une lampée impressionnante.

— Vous avez rencontré les parents ? Et Hubert ?

— Oui, répondit Fabel. En effet.

— Le père est un connard. Aussi pauvre en neurones qu'il est riche en cash. Et il n'est pas discret. Cela fait quinze ans qu'il trace son chemin à coups de queue dans le cheptel de secrétaires de Hambourg. Remarquez, je peux comprendre, quand on regarde Margarethe, sa femme.

Fabel eut l'air troublé.

— J'aurais plutôt cru que c'était une femme très attirante. Ayant eu son heure de beauté, tout comme Laura était en plein épanouissement de la sienne.

Schnauber lui adressa un sourire entendu.

— Il y a des fois, la plupart du temps, en fait, où je suis tellement heureux d'être homo. Pour commencer, cela me rend insensible à la sorcellerie de Margarethe. Mais je vois que vous êtes tombé sous son charme, Herr Fabel. Ne croyez pourtant pas une seconde que toute cette alchimie sexuelle qu'elle exsude fasse d'elle un bon coup. Vous ne pouvez pas la baiser si vous n'avez pas de couilles et, toute sa vie, Margarethe s'est fait une spécialité d'émasculer les hommes. C'est pour ça, je pense, que le père de Laura trempe son biscuit chaque fois que l'occasion se présente. Juste pour se prouver qu'il existe encore.

Il absorba une autre gorgée. Vida son verre.

– Mais ce n'est pas pour cette raison que je déteste Margarethe von Klosterstadt. Je la méprise à cause de sa façon de traiter Laura. Elle l'a séquestrée, affamée. L'a privée d'amour, d'affection et d'un millier de petites choses qui lient les mères et les filles.

Fabel acquiesça d'un air songeur. Rien de cela n'était d'une utilité directe dans son enquête, mais le whisky et le chagrin avaient libéré la colère de Schnauber face à une mort qui avait apparemment mis un terme à une vie injuste et malheureuse. À présent, la pièce vide ainsi que la vue vide de la salle de la piscine prenaient tout leur sens. Schnauber se leva pour aller se verser un autre verre. Il marqua une pause, la bouteille dans une main, le verre dans l'autre, le regard perdu par la fenêtre donnant sur l'Eppendorfer Landstrasse.

– Il y a des jours où je déteste cette ville. Parfois je déteste être un foutu Allemand du Nord, avec tous nos complexes de culs serrés et nos trips de culpabilité. La culpabilité, c'est une chose terrible, vraiment terrible, vous ne trouvez pas ?

– Je suppose en effet, répondit Fabel.

Schnauber arborait une expression que Fabel avait déjà vue tant de fois dans sa carrière : l'indécision nerveuse de quelqu'un qui hésite au moment de faire une confidence. Fabel laissa le silence se prolonger pour donner à Schnauber le temps de se décider.

Schnauber se détourna de la fenêtre et lui fit face.

– Vous devez voir ça tout le temps, je suppose. En tant que policier. Je parie qu'il y a des gens dehors qui commettent les crimes les plus abominables, meurtre, viol, abus d'enfant, et qui cependant n'éprouvent aucune culpabilité.

— Malheureusement, oui, il y en a.

— C'est ce qui m'énerve : sans sentiment de culpabilité, il n'y a pas de punition. Comme certains de ces vieux salauds nazis qui refusent de voir le mal dans ce qu'ils ont fait, alors que la génération suivante est handicapée par la culpabilité pour quelque chose qui s'est produit avant sa naissance. Mais il y a l'autre face de la pièce.

Schnauber se rassit sur le sofa.

— Ceux qui font des choses que beaucoup de nous considéreraient comme des péchés véniels, des futilités même, et qui sont pourtant hantés par la culpabilité pour le reste de leur vie.

Fabel s'avança sur sa chaise.

— Laura était-elle hantée ?

— Par l'un des nombreux squelettes des placards des von Klosterstadt, oui. Un avortement. Il y a des années de cela. C'était une toute jeune femme, à peine sortie de l'enfance. Personne ne sait. Cela a été étouffé par des mesures de sécurité qui feraient passer la Chancellerie fédérale pour une maison ouverte à tous les vents. Margarethe a tout arrangé et s'est assurée que cela reste secret. Mais Laura m'en a parlé. Il lui a fallu des années avant de le faire et elle s'est brisé le cœur en se confiant.

— Qui était le père de l'enfant ?

— Personne. C'était son péché à lui, de n'être personne. Alors Margarethe a fait ce qu'il fallait pour qu'il disparaisse de la scène. C'est la raison pour laquelle, plus que le reste, j'appelais Laura ma « princesse brisée ». Une intervention médicale d'une heure et une culpabilité de toute une vie.

Schnauber s'envoya une nouvelle lampée. Ses yeux rougirent comme s'ils le piquaient, mais le malt n'y était pour rien.

— Savez-vous ce qui me rend le plus triste, Herr Kriminalhauptkommissar ? Quand ce monstre a tué Laura, elle a probablement pensé qu'elle le méritait.

40

Henk Hermann se recula sur sa chaise. Anna lui avait raconté l'opération au cours de laquelle Paul Lindemann avait été tué, Maria poignardée, et où Anna elle-même avait failli perdre la vie.

— Seigneur, ça a dû être dur. Je vois ce que tu veux dire. J'en avais entendu parler, évidemment, mais je ne connaissais pas tous les détails. Je comprends maintenant que l'équipe ait été secouée. De quelle manière cela a affecté votre façon d'opérer, je veux dire.

— Fabel a été très touché. Tu as vu son visage quand Werner a été tabassé par Olsen ? Il ne nous a pas laissés prendre le moindre risque avant l'intervention d'une unité MEK. Je suppose qu'il a besoin... je suppose que nous avons besoin de reprendre un peu confiance en nous.

Il y eut un silence embarrassé. Comme si quelque chose était venu à l'esprit de Henk et qu'il avait décidé de ne pas en faire part.

— Qu'est-ce qu'il y a ? demanda Anna. Vas-y. Qu'est-ce que tu veux savoir ?

— C'est personnel. J'espère que ça ne te gêne pas ?

— Vas-y, dit Anna, intriguée.

— C'est juste que j'ai vu ta chaîne. Celle que tu portes.

Le sourire disparut des lèvres d'Anna mais son visage resta détendu. Elle sortit l'étoile de David de sous son tee-shirt.

– Quoi... ça ? Ça te gêne ?

– Non... Mon Dieu, non, répondit Henk qui eut soudain l'air embarrassé. C'est juste que je suis curieux. J'ai entendu dire que tu avais passé du temps en Israël. Dans l'armée. Et qu'ensuite tu es revenue.

– C'est si surprenant ? Je suis allemande. Hambourg est ma ville natale. C'est là qu'est ma place.

Elle se pencha en avant pour chuchoter d'un air conspirateur.

– Ne le dis à personne... mais nous sommes cinq mille à Hambourg.

– Je suis désolé, dit-il, emprunté. Je n'aurais pas dû te poser cette question.

– Pourquoi pas ? Tu trouves ça bizarre que j'aie choisi de vivre ici ?

– Eh bien. Avec une histoire aussi terrible. Je veux dire par là, je comprendrais tout à fait que tu ne veuilles pas vivre en Allemagne.

– Je le répète, je suis avant tout allemande. Puis je suis juive. Savais-tu que, jusqu'à la prise de pouvoir des nazis, Hambourg était une des villes les moins antisémites d'Europe ? Partout en Europe, les Juifs étaient limités dans le choix de leurs métiers ; leurs droits de vote étaient également limités. Mais pas dans le port hanséatique de Hambourg. C'est pourquoi, jusqu'à l'arrivée des nazis, Hambourg accueillait la plus grande communauté juive d'Allemagne qui représentait cinq pour cent de la population. Même durant le « chapitre noir », mes grands-parents ont été cachés par des amis à Hambourg. Cela leur a demandé beaucoup de courage. Plus de courage, pour être franche, que je ne pense jamais en avoir. Peu importe, aujourd'hui, c'est une ville où je me sens bien. Chez moi. Je ne suis pas une fleur du désert, Henk. J'ai besoin d'être arrosée régulièrement.

– Je ne sais pas si je serais capable de pardonner...

– Cela n'a rien à voir avec le pardon. Cela a à voir avec la vigilance. Je n'ai pas pris part à ce qui s'est passé sous les nazis. Ni toi. Ni personne de notre âge. Mais je n'oublierai jamais que c'est arrivé.

Elle se tut un moment, faisant tourner son verre entre ses mains, avant d'émettre un petit rire.

— De toute façon, je ne pardonne pas si facilement. Je suis sûre que tu as entendu parler de la petite controverse que j'ai provoquée, je suppose qu'on peut en parler comme ça.

— J'en ai entendu parler, répondit Henk en riant. Une histoire à propos d'un skinhead d'extrême droite et de testicules malmenés ?

— Quand je vois ces pauvres branleurs avec leurs crânes rasés et leurs bombers verts, j'ai tendance à m'échauffer un peu. Voilà, je reste vigilante. En attendant, mon frère Julius est une personnalité importante de la communauté juive de Hambourg. Il est avocat et un des membres principaux de la société judéo-allemande. Il travaille à temps partiel à l'école Talmud-Tora dans le Grindelviertel. Julius croit bon de bâtir des passerelles culturelles. Moi, je crois bon de toujours rester sur le qui-vive.

— J'ai l'impression que tu n'es pas d'accord avec l'approche de ton frère.

— On n'a pas besoin de passerelles culturelles. Ma culture est allemande. Mes parents, mes grands-parents et leurs parents... leur culture était allemande. Si je pense que je suis différente, si tu me traites comme étant différente, alors Hitler a gagné la bataille. J'ai un élément en plus dans mon héritage, c'est tout. Je suis fière de cet héritage. Je suis fière d'être juive. Mais tout ce qui me définit est là... et c'est allemand.

Henk commanda une deuxième tournée et ils restèrent longtemps ainsi à laisser la discussion dériver librement. Anna apprit que Henk avait deux sœurs et un frère, qu'il était né à Cuxhaven mais qu'enfant, ses parents avaient emménagé à Marmstorf où son père avait été boucher.

— Le Metzgerei Hermann... le meilleur boucher du sud de Hambourg, déclara Hank.

Il s'était efforcé d'adopter un ton ironique, mais Anna avait souri en percevant sa réelle fierté.

— Comme beaucoup de villes de la banlieue de Hambourg, Marmstorf ressemble plus à un village qu'à une ville. Je ne sais pas si tu connais... Le centre est plein de vieilles maisons à colombages, ce genre de truc.

Henk eut soudain l'air triste.

— Je m'en veux encore, parfois, de ne pas avoir repris le commerce de mon père. Mon frère est à l'université de Hambourg. Il veut devenir médecin. Mes sœurs s'intéressent à autre chose : l'une est comptable et l'autre vit avec son mari et ses enfants en dehors de Cologne. Mon père a toujours sa boucherie mais il est trop vieux maintenant. Je crois qu'il espère toujours que je vais quitter la police pour reprendre l'affaire.

— Je suppose que cela ne risque pas d'arriver.

— En effet, je crains que non. J'ai toujours voulu être policier. C'est ce genre de chose dont on est tout simplement sûr. Alors. Qu'en penses-tu ? Je suis reçu à l'examen ?

— Comment ça ?

— Eh bien, c'était bien le but de notre rendez-vous, non ? Que tu voies si tu pouvais travailler avec moi ?

Anna sourit.

— Tu feras l'affaire... Mais ce n'était pas ça, l'idée. C'est juste que nous allons travailler ensemble et je sais que je n'ai pas été, disons, très accueillante. J'en suis désolée. Mais tu peux comprendre que tout cela est encore un peu frais. Après Paul. Peu importe...

Elle leva son verre.

— Bienvenue à la Mordkommission...

41

Mercredi 14 avril, 22 h 15 – St Pauli, Hambourg.

La dernière fois qu'il avait travaillé sur lui, un an plus tôt, Max avait fini par s'habituer aux longs silences de son client. Il pensait que c'était un signe d'intérêt, de fascination même, pour ce que Max avait à dire sur son art.

Mais ce soir, le géant n'avait pas émis un mot depuis qu'il avait franchi le seuil. Il se tenait muet au milieu du studio de Max. Dominant l'espace. Le remplissant. Et on n'entendait que sa respiration. Lente. Lourde. Volontairement lente et lourde.

– Quelque chose ne va pas ? Vous vous sentez bien ? demanda Max.

Un nouveau silence sembla s'étirer à l'infini jusqu'à ce qu'enfin l'homme daigne parler :

– Quand vous avez travaillé sur moi la dernière fois, je vous ai demandé de ne garder aucune trace de votre œuvre. Ni d'en parler à qui que ce soit. Je vous ai payé plus cher pour ça. Avez-vous fait ce que je vous ai demandé ?

– Oui, bien sûr. Je n'ai rien dit... et si quelqu'un vous a affirmé le contraire, c'est un mensonge ! protesta Max.

Il aurait aimé que le géant s'asseye. Si près de lui, dans les limites confinées du studio, Max commençait à avoir mal au cou à force de lever la tête vers son interlocuteur. Le géant leva une main. Il enleva son manteau, puis sa chemise, pour dévoiler sa propre œuvre au regard du tatoueur. Le large torse musclé était couvert de mots, de phrases, d'histoires entières, le tout tatoué sur sa peau en vieux caractères gothiques noirs. Le moindre mouvement, un tressaillement de muscle, et les mots se tordaient comme s'ils prenaient vie.

– C'est vrai ? Personne n'est au courant du travail que vous avez fait sur moi ?

– Personne, je vous le jure. C'est comme une relation médecin-patient... Vous me dites que vous ne voulez pas que j'en parle, alors je n'en parle pas. J'aimerais pouvoir en parler, pourtant. C'est le plus beau boulot que j'aie jamais fait. Et je ne le dis pas seulement parce que vous êtes le client.

Le géant retomba dans le silence. Un silence, cette fois, qu'aucune parole ne vint briser, excepté le bruit de sa respiration qui de nouveau remplit le minuscule studio. Une respiration profonde, résonnante, provenant du tonneau caverneux de sa poitrine. Son souffle s'accéléra.

– Vous êtes sûr que ça va ? demanda Max, sa voix à présent plus aiguë, prise entre le malaise et une franche trouille.

Toujours pas de réponse. Le géant se pencha vers son manteau pour prendre un objet dans une poche. C'était un petit masque d'enfant en caoutchouc. Un masque de loup. Il le positionna sur sa large face et les traits du loup se déformèrent.

– Qu'est-ce que vous faites avec ce masque ? demanda Max d'une drôle de voix : sa bouche était sèche et son cœur battait fort dans sa poitrine. Écoutez. Je suis très occupé. Je suis resté ouvert pour vous. Maintenant, si vous désirez quelque chose...

– Hans l'astucieux...

Le géant sourit en penchant la tête de côté. C'était une attitude enfantine qui semblait étrange, irréelle, pour un homme de cette taille. Comme il tendait le cou, les mots sortaient de sa gorge en ondulant.

– Quoi ? Je ne m'appelle pas Hans. Vous le savez. C'est Max...

– Hans l'astucieux..., répéta le géant en inclinant la tête de l'autre côté.

– Max, je m'appelle Max. Écoute, mon grand, je ne sais pas à quoi tu carbures. Tu as pris quelque chose ce soir ? Je crois que tu ferais mieux de revenir quand...

Le géant avança et appliqua brusquement ses mains de chaque côté de la tête de Max, un étau qu'il serra fort.

– Oh..., dit-il. Hans l'astucieux, Hans l'astucieux...

– Je ne m'appelle pas Hans ! Je ne m'appelle pas Hans ! hurla Max.

Son univers s'était empli d'une peur électrique et blanche.

– Je suis Max ! Tu te souviens ? Max ! Le tatoueur !

Derrière le masque tendu et grotesque, les traits énormes du géant laissèrent subitement place à la tristesse. Sa voix devint plaintive, implorante.

– Hans l'astucieux, Hans l'astucieux... Pourquoi ne lui lances-tu pas un regard amical ?

Max sentit ses joues s'enfoncer dans ses dents. L'étau qui se refermait sur sa tête écrasait et déformait ses traits.

– Hans l'astucieux, Hans l'astucieux... Pourquoi ne lui lances-tu pas un regard amical ?

Le cri de Max se transforma en un hurlement animal aigu quand les pouces monstrueux de son agresseur percèrent la chair sous les sourcils, juste au-dessus du bombement de ses paupières. La pression augmenta, se muant en une douleur d'une incroyable intensité. Les pouces s'enfoncèrent davantage. Dans les orbites. Le hurlement de Max devint un gargouillement de pleurs quand ses yeux furent éjectés de sa tête et que la nausée enfla dans sa gorge.

Aveugle à présent, Max pendait mollement dans la poigne impitoyable de son colosse d'assaillant. Son univers était maintenant peuplé de flashes et d'étincelles. Il crut même voir la silhouette de son agresseur, comme détourée par une lumière de néon, tandis que ses nerfs optiques et son cerveau essayaient de concevoir la soudaine absence de ses yeux. Ensuite ce fut l'obscurité. La prise de l'étau se relâcha. Mais avant que Max ne s'affale au sol, une main le prit par les cheveux et le releva d'un coup. Il y eut un moment de silence dans les ténèbres de Max. Il n'entendait plus que la respiration profonde et résonnante du géant qui l'avait aveuglé. Puis il perçut le son du métal frottant contre quelque chose. Comme glissant hors d'un étui en cuir.

Quand le coup transperça son cou et sa gorge, Max tressauta de surprise. Un minuscule éclat de temps, pendant lequel il se demanda pourquoi l'homme ne l'avait pas frappé plus fort, s'étira jusqu'à l'infini. Quand il comprit qu'il venait de lui trancher la gorge et que la chaleur qui éclaboussait par à-coups ses épaules et sa poitrine était son sang, Max glissait déjà vers la mort.

La dernière chose qu'il entendit fut ce mélange étrange de voix profonde et résonnante et de ton enfantin.

— Hans l'astucieux, Hans l'astucieux... Pourquoi ne lui lances-tu pas un regard amical ?

42

Vendredi 16 avril, 19 h 40 – St Pauli, Hambourg.

Quelle était cette odeur ? C'était une odeur de saleté. Légère, diffuse et impossible à identifier, mais désagréable. Âcre. C'était celle qu'il sentait parfois dans sa maison. Mais elle était ici également, comme si elle le suivait. Le hantait.

Bernd avait pris le train de banlieue. Il était difficile de se garer dans le Kiez et il appréciait l'anonymat des transports en commun quand il entreprenait une de ses excursions. De toute façon, il irait boire quelques verres. Après.

Une jeune femme était assise en face de lui dans le train. Elle avait environ vingt ans, des cheveux blonds coupés à la garçonne avec une mèche rose. Son manteau, qu'elle portait ouvert, était de style afghan, descendant à mi-mollets. Ses formes étaient pleines, presque potelées, et sa poitrine tendait son tee-shirt. Bernd se concentra sur la bande de peau douce et pâle exposée entre son tee-shirt et la taille basse de son jean. La chair dénudée était ponctuée par la fossette de son nombril piercé.

Bernd la regardait, sa jeunesse et sa maturité, et il se sentit durcir. Encore. La fille tourna la tête vers lui et leurs yeux se rencontrèrent. Il lui sourit d'un air qui se voulait espiègle mais ses lèvres ne parvinrent à former qu'un rictus concupiscent. La fille mima un frémissement de dégoût, referma son manteau et posa son sac à main sur ses genoux. Il haussa les épaules tout en continuant de sourire. Il passa encore quelques minutes à s'efforcer de visualiser les courbes délicieuses mais désormais dissimulées du jeune corps. Le train s'arrêta à la station suivante, Königstrasse. Quand les portes automatiques s'ouvrirent, la fille se leva en décochant un regard courroucé à Bernd.

— Va te faire foutre, pauvre type...

Bernd descendit à la station suivante. En montant les escaliers de la station pour se lancer dans la nuit, son excitation grandit. Il inspira un bon coup et se rendit compte que l'odeur était toujours là, pas une odeur forte cette fois, mais qui s'insinuait entre l'air humide de la soirée et les gaz d'échappement. Et tout autour de lui, St Pauli étincelait.

La station se trouvait à l'extrémité ouest du *Sündige Meile* de Hambourg, le Mile du Péché. Le Reeperbahn déployait toute sa longueur au cœur du quartier de St Pauli. Autrefois, le quartier avait porté le nom de Hamburger Berg, avant qu'on adopte celui de l'église locale. Cela avait été un no man's land entre deux villes voisines et concurrentes : Hambourg l'Allemande et Altona la Danoise. Une région marécageuse et détrempée où les deux villes avaient déversé leurs ordures. Et leurs exclus. On envoyait les lépreux y vivre, chassés de toutes les municipalités, plus bas vers la rivière, dans la partie la moins hospitalière d'un marais déjà hostile. Puis il fut décrété que ceux qui n'étaient pas autorisés à faire leur commerce à Altona et à Hambourg pouvaient pratiquer leur métier dans cet endroit. À l'image des fabricants de corde, de « Reep », comme on disait en bas allemand, qui donnèrent son nom au Reeperbahn, la route des cordiers. Tous ces artisans y étaient libres de s'adonner à leurs occupations jusqu'alors non autorisées et la deuxième rue la plus réputée du quartier prit le nom de Grosse Freiheit, la Grande Liberté.

Mais cette grande liberté avait attiré d'autres commerces qui s'étaient épanouis dans le quartier. Notamment, celui de la prostitution et des pornographes.

Les Danois n'étaient plus là depuis longtemps et Altona faisait désormais partie de Hambourg. Mais le quartier était demeuré un demi-monde de libidinosité et de vulgarité tapageuse. Ces dernières années, St Pauli avait cherché à dissimuler ses manières inconvenantes derrière des bars branchés, des boîtes de nuit, des salles de spectacle, mais dans les rues étroites qui rayonnaient autour du Reeperbahn, le plaisir, la chair et l'argent faisaient toujours commerce.

Et c'était là que Bernd avait découvert sa grande liberté personnelle. Il s'était récemment passé quelque chose dans sa vie qu'il ne pouvait expliquer. Une libération. Un détachement de toute la contrainte morale sous laquelle on l'avait écrasé depuis son enfance. Aujourd'hui il parcourait la nuit et exprimait chacun de ses désirs obscurs.

C'était son coin favori, son point de départ, debout à la sortie de la station, le Reeperbahn s'étirant devant lui dans une direction et, de l'autre côté de la rue, Grosse Freiheit faisant étinceler et clignoter d'un air voyou ses tentations. C'était plus qu'un endroit. C'était un moment : un moment lumineux et délicieux entre l'excitation et la satisfaction. Mais ce soir, le besoin de Bernd était plus pressant que d'habitude et il n'avait pas le temps d'apprécier cet instant. Le picotement du désir sombre qui s'était amorcé dans le train était devenu, comme toujours, un malaise désagréable, comme une pression ne demandant qu'à être libérée. Un furoncle qui requérait qu'on le perce.

Bernd marcha d'un pas décidé le long du Reeperbahn, ignorant les vitrines remplies de gadgets sexuels aux dimensions impossibles et repoussant l'invitation importune d'un portier de salon de vidéo. Il s'engagea sur Hans-Albers-Platz. La tension de son entrecuisse et le bouillonnement dans sa poitrine atteignirent un nouveau degré d'intensité, et il aurait juré sentir encore plus précisément cette odeur, comme si les deux sensations étaient liées, comme si l'odeur combinait élément aphrodisiaque et dégoût. Il avait presque atteint son but. Il passa à grands pas les rideaux qui protégeaient l'entrée de Herbertstrasse, la rue bordel de cent mètres de long, du reste de Hambourg.

Ensuite, Bernd traversa le Reeperbahn en direction du petit pub sur Hein-Hoyer-Strasse. C'était un bistro typique de St Pauli. Des tubes pop se déversaient du juke-box et les murs étaient parés de filets de pêche, de modèles réduits de bateaux, de casquettes Prinz-Heinrich et de l'habituel fouillis de photos de clients plus ou moins célèbres. Une photo de Jan Fedder, la star originaire de St Pauli qui jouait dans le feuilleton policier télévisé *Grosstadt-trevier*, avait été découpée dans un magazine et collée sur le mur, à côté d'une photo jaunie du fils le plus célèbre de St Pauli, Hans Albers. Bernd se tailla un chemin à coups d'épaule jusqu'au comptoir, commanda une bière Astra avant de s'appuyer contre le zinc. La barmaid était obèse, avait une vilaine peau et des cheveux d'un blond peu convaincant, et pourtant il se demanda quelles seraient ses chances avec elle. Encore une fois, il pensa sentir cette odeur.

C'est alors que Bernd prit conscience de l'homme immense qui le dominait au comptoir.

43

Dimanche 18 avril, 11 h 20 – Norddeich, Frise occidentale.

– Je ne comprends vraiment pas ce que tu reproches à cet endroit.

Susanne offrit son visage au soleil et à la brise qui jouait librement sur les vastes laisses de vase de Wattenmeer qui s'étiraient, sans interruption, d'un bout à l'autre de l'horizon. Ils marchaient là où la plage sablonneuse commençait à se fondre dans le noir brillant de la vase. Le sable mouillé et terne s'immisçait entre les orteils de Susanne.

– Je trouve cela merveilleux.

– Et il y a tellement à faire, ajouta Fabel avec un sourire et un ton ironiques. Peut-être cet après-midi pourrons-nous tous aller au musée du Thé ou au parc aquatique Ocean Wave pour nager.

– Oui, eh bien, les deux me tentent, protesta Susanne. Nul besoin d'être sarcastique. Je pense qu'au fond, tu ne détestes pas autant cet endroit que tu le prétends.

Un groupe de promeneurs les dépassa et il y eut un échange de salutations. Ceux-là avaient l'air d'être des explorateurs des laisses plus sérieux, conduits par un guide local. Tous en short, ils exposaient leurs jambes nues, brillantes et noires de la vase riche du Watt. Susanne passa son bras dans celui de Fabel et l'attira vers elle, posant sa tête sur son épaule tout en marchant.

– Non, répondit Fabel. Je ne déteste pas cet endroit. Je suppose que c'est ce que chacun éprouve pour le lieu où il a grandi. Le besoin de s'échapper. Plus particulièrement si c'est en province. J'ai toujours considéré Norddeich comme le summum du provincial.

Susanne éclata de rire.

– Toute l'Allemagne est provinciale, Jan. Tout le monde a son Norddeich. Tout le monde a un Heimat.

Fabel secoua la tête et la brise ébouriffa ses cheveux blonds. Il était lui aussi pieds nus, vêtu d'une vieille chemise en denim, d'un coupe-vent bleu délavé et d'un pantalon en toile qu'il avait roulé au-dessus de ses chevilles. Ses yeux bleu pâle étaient cachés par des lunettes de soleil. Susanne n'avait jamais vu Fabel habillé de manière si décontractée. Cela le rajeunissait.

– Peut-être est-ce pour ça que les contes de fées ont perduré en Allemagne plus longtemps qu'ailleurs, parce que nous avons tenu compte des avertissements qui nous gardaient de nous aventurer loin du familier et du simple, du confortable... loin de notre Heimat. Mais, peu importe, ce n'est pas mon Heimat, Susanne. C'est Hambourg. Hambourg est la ville où j'ai ma place.

Il sourit et l'entraîna dans un ample mouvement qui les amena face à la rive, là où le sable changeait de couleur, passant du brun brillant au blanc doré. Le mince ruban vert des digues soulignait l'horizon.

– Rentrons.

Ils marchèrent un moment dans un silence pensif. Puis Fabel désigna la digue devant eux.

– Quand j'étais gosse, je passais des heures là à contempler la mer. C'est étonnant combien le ciel et la mer changent ici et à quelle vitesse.

– Je vois très bien. Je t'imagine en petit garçon très sérieux.

– Toi, tu as discuté avec ma mère, répondit Fabel en riant.

Il avait été nerveux, pour des raisons qu'il n'aurait su définir, à la perspective de venir avec Susanne ici, de lui faire rencontrer sa mère. Particulièrement parce qu'il avait décidé d'associer cette visite à un week-end avec sa fille. Mais, comme lors de la soirée passée avec Otto et Else, la beauté de Susanne, ses manières simples et son charme s'étaient révélés irrésistibles. Même quand Susanne avait fait remarquer à sa mère qu'elle avait gardé un soupçon de ce charmant accent anglais. Fabel avait alors tressailli intérieurement : sa mère aimait croire qu'elle parlait un allemand parfait et sans accent. Enfants, Fabel et son frère, Lex, avaient appris à ne pas corriger leur mère institutrice quand elle se trompait dans ses déclinaisons. Quoi qu'il en soit, Susanne avait convaincu sa mère qu'elle lui adressait un compliment.

Ils étaient venus en voiture tous ensemble. Susanne et Gabi avaient passé une grande partie du trajet à charrier gentiment Fabel. Le voyage et le week-end à Norddeich lui avaient procuré plaisir et confusion à parts égales : pour la première fois depuis son divorce, il avait fait l'expérience de quelque chose qui ressemblait de nouveau à une famille.

Ce matin-là, Fabel s'était levé en premier, laissant Susanne dormir. Gabi était partie tôt à Norden, la ville voisine de Norddeich. Il avait préparé le petit déjeuner avec sa mère, l'avait regardée refaire les mêmes gestes que dans son enfance. Mais aujourd'hui, malgré son rétablissement rapide et presque total, elle se mouvait plus lentement, plus posément. Et elle était plus frêle. Ils avaient parlé du père de Fabel, de Lex, son frère, et de sa famille et puis de Susanne.

– Je voudrais juste que tu sois de nouveau heureux, mon fils, lui avait dit sa mère en posant une main sur son bras.

Elle s'était adressée à lui en anglais, langue qui, depuis son enfance, avait toujours été celle de l'intimité. Presque leur langage secret.

Fabel se tourna vers Susanne.

– Tu as raison, j'étais un petit garçon sérieux, je crois. Trop sérieux. Trop sérieux enfant et trop sérieux adulte. La dernière fois que je suis venu ici, mon frère Lex m'a dit la même chose : « tu as toujours été si sérieux ». J'avais l'habitude de m'asseoir en haut de la digue derrière la maison pour regarder la mer, imaginer les longues traversées des Angles et des Saxes vers la côte celte britannique. Pour moi, c'est ce qui définit cet endroit, cette côte. J'étais face à la mer et je prenais conscience de la vaste étendue de l'Europe derrière moi et de la mer qui s'ouvrait devant moi. Je suppose que d'avoir une mère anglaise avait son importance. Tant de choses ont commencé ici. C'est ici qu'est née l'Angleterre. L'Amérique. Tout le monde anglo-saxon du Canada à la Nouvelle-Zélande. Ils se sont rassemblés ici, les Angles, les Jutes, les Saxes... tous les Ingvaeones, les Allemands de la mer du Nord...

Il s'arrêta, comme surpris par ses propres paroles.

— Qu'est-ce qu'il y a ? demanda Susanne.

— C'est juste cette affaire. Cette connexion avec les Grimm. Je n'arrive pas à m'en défaire. Ou, plus précisément, j'ai l'impression de ne jamais être très loin d'un des deux frères.

— J'espère qu'on ne dérive pas vers une discussion de travail, déclara Susanne en exagérant son ton menaçant.

— C'est juste ce que je disais, à propos des Ingvaeones, « le peuple de la mer », les enfants de Ing. Je viens juste de me rappeler où j'en avais entendu parler pour la première fois.... *Mythologie teutonique* de Jacob Grimm. Tu grattes à n'importe quel endroit sur la surface de l'histoire ou de la linguistique allemande et tu tombes sur une connexion avec les Grimm.

Fabel eut un geste d'excuse.

— Je suis désolé. Ce n'est pas vraiment une discussion de boulot. Mais j'ai parlé à cet écrivain, Gerhard Weiss. Il dit que nous pensons tous être uniques alors que nous ne sommes que des variations sur un même thème, et que, pour cette raison, les fables et les contes ont une résonance et une pertinence constantes. Mais je ne peux m'empêcher de penser que les contes des Grimm sont si... si allemands. Peut-être, comme les Français et les Italiens ont un instinct pour la nourriture, avons-nous un instinct pour les mythes et les légendes. Le *Nibelungenlied*, les frères Grimm, Wagner et tout le reste.

Susanne haussa les épaules et ils continuèrent en silence. Une fois parvenus aux dunes de sable blanc doré, ils regagnèrent le fauteuil-cabine en osier à deux places

dans lequel ils avaient laissé leurs serviettes et leurs chaussures. Assis à l'abri du vent, ils s'embrassèrent.

— Bon, fit Susanne. Si tu ne tiens pas à m'emmener
dans ce fabuleux parc aquatique ni à me faire profiter des
richesses culturelles du musée du Thé, alors peut-être
devrions-nous rentrer et emmener ta mère et ta fille déjeuner dans un endroit agréable.

44

Dimanche 18 avril, 22 h 20 – Ottensen, Hambourg.

Dans son appartement, Maria Klee s'adossa à la porte d'entrée, comme si elle voulait ajouter son poids à la barrière qui séparait son espace intérieur du monde extérieur. Le repas avait été bon, le rendez-vous un véritable désastre. Ils s'étaient retrouvés pour dîner au Restaurant Eisenstein, une ancienne usine d'hélices à bateaux restaurée avec élégance. C'était un des endroits favoris de Maria, et de surcroît situé à Ottensen, ce qui était pratique pour elle. Elle avait eu rendez-vous avec Oskar, un avocat rencontré par le biais d'amis communs. Oskar s'était montré intelligent, attentionné, charmant et attirant. En vérité, il n'aurait pu être mieux qualifié pour le rôle de petit ami.

Mais chaque fois qu'elle avait senti qu'il envahissait son espace personnel, elle avait eu un mouvement de recul. Il en était toujours ainsi depuis qu'elle avait été poignardée. Chaque rendez-vous. Chaque rencontre avec un homme. Son patron, Fabel, n'en savait rien ; elle ne pouvait se permettre de le lui laisser savoir. Il existait un réel danger que cela affecte son efficacité en tant qu'officier de police, elle en avait conscience. Mais quoi que lui ait pris ce salaud, il n'allait pas fiche sa carrière en l'air. Maintenant que Werner était en arrêt maladie après l'agression d'Olsen, Maria était l'unique second de Fabel. Et elle n'allait pas le laisser tomber. Elle ne pouvait pas le laisser tomber.

Pourtant, au plus profond d'elle-même, le feu sombre

de l'effroi brûlait impitoyablement : qu'adviendrait-il s'il fallait en arriver là ? Que se passerait-il si elle devait affronter un autre meurtrier, ce qui se produirait tôt ou tard ? Serait-elle encore capable de tenir le choc ?

En attendant, à chaque nouveau rendez-vous, Maria devait lutter contre la panique que toute menace d'intimité avec un homme soulevait. Oskar était resté poli jusqu'à la dernière minute, quand enfin il leur fut permis de mettre un terme à la soirée sans que cela paraisse prématuré et gênant. Il l'avait raccompagnée chez elle, jusque devant la porte de son immeuble. Ils s'étaient embrassés rapidement pour se souhaiter bonne nuit : elle ne l'avait pas invité à prendre un café et il ne s'y était de toute évidence pas attendu.

Maria enleva son manteau et jeta ses clés dans la coupe en bois près de la porte. Sans y penser, sa main joua avec la bretelle de sa robe avant de descendre sur sa poitrine, juste en dessous du sternum, là où ses doigts frottèrent la soie de la robe. Elle ne sentait rien au travers du tissu fin mais elle savait qu'elle était là. La cicatrice. La marque qu'il avait déposée en elle quand il avait plongé la lame dans son abdomen.

Maria sursauta aux coups frappés sur sa porte avant de laisser échapper un soupir d'agacement. Oskar. Elle pensait pourtant qu'il avait compris. Elle engagea la chaîne de sécurité et entrouvrit. Elle fut presque déçue de constater que ce n'était pas son prétendant. Elle ôta la chaîne et ouvrit en grand pour laisser le passage à Anna Wolff et Henk Hermann.

— Qu'est-ce ce qu'il y a ? demanda-t-elle mais elle était déjà à chercher dans le tiroir de la commode près de la porte pour y prendre son SIG-Sauer.

— Notre ami des lettres a encore fait des siennes. Nous avons une victime mâle. Cette fois, dans Sternschanzen Park, sous le château d'eau.

— Vous avez averti Fabel ?

— Oui. Mais il est en Frise occidentale. Il m'a demandé de t'envoyer sur la scène tout de suite pour mettre l'enquête en route. Il est sur le chemin du retour et nous retrouvera plus tard au Präsidium.

Anna sourit en regardant Maria, son SIG-Sauer dans une main, pendant qu'elle inspectait sa robe noire en se demandant où elle allait bien pouvoir fixer son holster.

– Jolie robe. Nous attendrons pendant que tu te changes.

Maria sourit en guise de remerciement et se dirigea vers sa chambre.

– Oh, Maria, dit Anna. Ce dernier vaut le détour. Le salopard l'a énucléé.

La SchutzPolizei et l'équipe forensique avaient déjà installé un écran blanc à cinquante mètres de la scène de crime. Le cadavre lui-même était protégé par un deuxième cercle d'écrans. La scène était illuminée par des lampes à arc et le générateur qui les alimentait bourdonnait en fond sonore. Sternschanzen Park demeurait un champ de bataille perpétuel entre les jeunes familles qui emménageaient dans le quartier de plus en plus à la mode et les dealers et consommateurs de drogues qui hantaient le parc à la nuit tombée. Ce soir, les arbres éclairés par les lampes dominaient d'un air menaçant la scène et, au-delà, le château d'eau en brique rouge se détachait dans la nuit. C'était, remarqua Maria, un décor quasi identique à celui de la dernière scène de crime dans le parc du Winterhuder, dans l'ombre du planétarium, originellement un château d'eau. Le tueur essayait de leur dire quelque chose. Maria, comme Fabel, maudit intérieurement son incapacité à interpréter le vocabulaire pervers des psychopathes.

Le chef de l'équipe forensique en service n'était pas Brauner, mais un homme plus jeune qu'elle ne connaissait pas. C'était la nuit des remplaçants décidément. Elle pénétra dans l'aire de la scène de crime, ses mains gantées de latex et ses pieds chaussés de plastique, et échangea avec lui un signe de tête très professionnel. Il se présenta. Grueber. Derrière ses lunettes, ses grands yeux sombres scintillaient. Il avait l'allure d'un jeunot, le teint pâle et des cheveux très noirs qui retombaient en désordre sur son front large et haut. Maria le baptisa « Harry Potter ».

Un homme reposait au centre de la scène, comme disposé par un entrepreneur de pompes funèbres, dans un costume gris clair, une chemise blanche et une cravate dorée. Une grande boucle de cheveux blonds avait été placée entre ses mains croisées sur sa poitrine, tout comme la rose sur le corps de Laura von Klosterstadt. Sous les mains croisées, Maria aperçut une petite tache rouge foncé sur la chemise blanche.

Il n'avait plus d'yeux. Les paupières contusionnées étaient affaissées dans les orbites, sans les couvrir entièrement. Le sang avait formé une croûte tout autour, mais pas autant que ce à quoi Maria se serait attendue. Elle était fascinée par ce visage sans yeux. Le fait qu'il ait été énucléé lui avait ôté toute humanité.

— Abattu par balle ? demanda-t-elle à Grueber en désignant la tache de sang sous les mains.

Aucune blessure évidente sur le corps qui suggérât une lutte ou une violente attaque à l'arme blanche.

— Je ne l'ai pas encore examiné, répondit Grueber.

Il contourna le corps et s'agenouilla.

— Ce pourrait être une blessure par balle, ou bien un seul coup de couteau. Mais quel que soit l'objet qui a servi à énucléer, il n'était pas aiguisé. À mon avis, le tueur a expulsé les globes oculaires à la force des pouces. Vous avez affaire à un tueur très pratique.

Il se leva et se tourna vers Maria.

— La victime a entre trente-cinq et quarante ans, mâle, sans aucun doute, un mètre soixante-dix-sept, et je dirais environ soixante-quinze kilos. Il y a des traces de ruptures capillaires autour du nez et des lèvres ainsi qu'un trauma de strangulation au cou, ce qui paraît être la cause de la mort.

— Le truc avec les yeux. Pré- ou post-mortem ?

— Difficile de dire pour le moment, mais l'absence apparente de sang suggérerait que cela se soit produit après la mort ou immédiatement avant. Il n'y aurait alors pas énormément de sang non plus.

Anna Wolff, suivie de Henk Hermann, entra sous la tente. Elle grimaça en découvrant le visage énucléé. Hermann s'agenouilla près du corps.

— Je parie que les analyses prouveront que c'est la mèche de cheveux de Laura von Klosterstadt, dit-il avant de se tourner vers Grueber. On peut bouger les mains ? Je pense qu'on va trouver une note de notre tueur dans l'une d'elles.

— Laissez-moi faire, répondit Grueber. Votre tueur m'a l'air très manuel. Peut-être que la victime a en retour posé les mains sur lui. Nous pourrions peut-être trouver des particules de peau sous les ongles.

Il souleva précautionneusement une main et la reposa de côté, puis il enleva la mèche de cheveux et la glissa dans un sachet. Il souleva la seconde main. Un petit morceau de papier jaune avait été laissé en dessous.

— C'est ça, dit Hermann.

Grueber saisit la note à l'aide de pinces et la déposa dans un sac de mise sous scellés qu'il tendit à Hermann. Ce dernier tourna le sachet vers la lampe pour l'examiner. *Rapunzel, Rapunzel, Lass mir dein Harr herunter.* Encore une fois, l'écriture était petite, serrée et de la même encre rouge.

— Raiponce, Raiponce, fais descendre tes cheveux jusqu'à moi, lut Hermann à voix haute.

— Super, fit Maria. Alors voilà notre numéro 4.

— Numéro 5, dit Anna. Si on inclut Paula Ehlers.

Grueber inspecta le devant de la chemise, ouvrant un bouton avec soin pour observer la blessure qui se trouvait en dessous. Il secoua la tête.

— Bizarre... Il n'a pas été abattu. Cela ressemble à un seul coup de couteau. Pourquoi ne s'est-il pas défendu ?

— Et où sont ses yeux ? demanda Henk Hermann. On dirait que notre type garde des trophées maintenant.

— Non, dit Maria en levant le regard vers le château d'eau. Il ne les considère pas comme des trophées. Lui, dit-elle en désignant le cadavre d'un léger mouvement de tête, c'est le prince. Dans le conte de Raiponce, la princesse est séquestrée dans une tour par sa sorcière de marâtre.

Quand cette dernière découvre que Raiponce et le prince se donnent rendez-vous en secret, la sorcière piège le prince et le jette du haut de la tour. Les yeux du prince sont crevés par les épines et il devient aveugle.

Anna et Henk parurent impressionnés.

– Fabel n'est pas le seul à connaître ses contes, déclara Maria avec un sourire amer.

Quand Fabel arriva au Präsidium, ils avaient déjà l'identité de l'homme sans yeux de Sternschanzen Park. Bernd Ungerer, un représentant en matériel de restauration de Ottensen. Des photographies du corps et de la scène leur avaient été transmises et étaient déjà punaisées au tableau de l'enquête. Fabel avait appelé Maria depuis son portable pour lui demander de réunir toute l'équipe, y compris Petra Maas, Hans Rödger et Klatt, l'officier de la Norderstedt KriPo.

Il était deux heures du matin quand tout le monde se rassembla dans le bureau principal de la Mordkommission. Tous avaient l'air d'être sous l'influence du même cocktail de fatigue, d'adrénaline et de café. Tous excepté le membre le plus récent de l'équipe, Henk Hermann, qui n'aurait pu avoir une mine plus fraîche ni même plus enthousiaste.

Quand Maria eut passé en revue tout ce qu'ils savaient concernant la victime ainsi que les détails forensiques, Fabel parcourut le tableau de l'enquête du regard. Ses yeux scrutèrent la scène du meurtre von Klosterstadt, les photos du Sternschanzen Park, puis les autres clichés du parc naturel de Harburger-Berge et du corps de Martha Schmidt sur la plage de Blankenese. Il y eut un silence interminable avant qu'il se tourne enfin vers son équipe.

– Notre tueur essaie de nous dire quelque chose. Je n'arrivais pas à voir ce que c'était, mais c'est le château qui m'a donné la solution. Il relie les meurtres. Pas seulement aux thèmes des contes de Grimm. Il nous annonce ce qu'il va faire ensuite.... ou du moins il laisse des indices.

Fabel s'approcha des photos de Martha Schmidt et abattit la main sur l'image de la jeune fille morte.

— Nous avons toujours soupçonné qu'il avait tué Paula Ehlers. Maintenant, j'en suis convaincu. C'est pour cette raison qu'il a utilisé l'histoire de l'enfant échangé pour Martha Schmidt. Il a choisi Martha parce qu'elle ressemblait à Paula Ehlers et il a donné un thème à la mort avec le conte de « L'Enfant échangé » des frères Grimm... pour nous montrer qu'il y avait un corps que nous n'avions pas trouvé. Il a utilisé le visage de Martha comme une publicité de la mort de Laura.

Fabel marqua une pause, sa main posée sur une autre photo : un plan large de la plage de l'Elbstrand où Martha avait été découverte.

— Mais ses confessions n'étaient pas seulement rétroactives, elles étaient aussi prophétiques.

Fabel désigna l'arrière-plan de la photo, là où les terrasses du Blankenese s'élevaient abruptement depuis le rivage. Une partie d'un bâtiment émergeait au-dessus des arbres et des buissons.

— Voici l'annexe de la villa de Laura von Klosterstadt où se trouve la piscine. Il avait déjà choisi Laura comme victime et avait déposé le corps de Martha en vue de la maison de Laura. Laura était déjà sa Belle au bois dormant, séquestrée loin des semblables de la pauvre Martha, l'Enfant échangée du « Peuple souterrain », Laura qui s'élevait au-dessus de Martha par sa fortune et son statut social.

Il se déplaça vers la partie du tableau réservée au meurtre de Laura von Klosterstadt.

— Et là, la victime a été déposée sous une icône des contes des Grimm, la tour. Il mélange les métaphores, mais d'une manière maîtrisée. Le planétarium dans le parc du Winterhuder joue le double rôle de la tour de Raiponce et du château de la Belle au bois dormant...

Il s'approcha du gros plan de l'endroit où manquait la mèche de cheveux de Laura.

— Ensuite, il place ses cheveux dans les mains de la victime suivante et lui arrache les yeux pour que cela coïncide avec le conte de Raiponce.

— Et qu'en est-il du double meurtre du parc de Harburger-Berge ? Quel est le lien ? demanda Anna.

Fabel se frotta le menton en réfléchissant.

– Il se pourrait que le lien soit restreint à l'emplacement. Deux meurtres, un endroit. Deux personnages, une histoire. Le lien, c'est l'histoire : « Hänsel et Gretel ». Mais je n'y crois pas. Pour commencer, j'ai effectivement pensé que les meurtres du parc étaient différents des autres, qu'ils étaient inspirés par la jalousie sexuelle d'Olsen. Mais ce n'est pas ça non plus. Je crois que les meurtres du parc sont un acte unique et qu'ils sont reliés à un autre ou à d'autres peut-être, mais pas avec le dernier. Ils seront connectés à un meurtre qui va être commis et je crois qu'il y aura alors un point commun, un autre lien ayant trait aux contes, qui nous ramènera à un ou plusieurs des meurtres déjà perpétrés. J'ai le sentiment que la connexion que nous allons voir émerger aura trait aux yeux manquants.

Après la réunion, Fabel resta assis seul dans son bureau, uniquement éclairé par la lampe qui projetait un disque brillant sur le plateau de la table. Il y déposa le carnet de croquis dans lequel il avait déjà reproduit le tableau de l'enquête en y ajoutant ses propres commentaires subjectifs.

Tout le reste était éteint. Sa conscience tout entière se concentra sur ce petit objectif éclairé. Fabel compléta son carnet avec les détails du dernier meurtre. Il en apprendrait plus sur cette dernière victime dans les jours à venir. Pour le moment, ils savaient que Bernd Ungerer, quarante-deux ans, était représentant pour une société de matériel de restauration basée à Francfort. Il était apparemment le seul vendeur pour le secteur de Hambourg et du nord de l'Allemagne. Marié, trois enfants, vivant à Ottensen. Fabel fixa les informations simples qu'il avait exposées : dans quel monde un vendeur de quarante ans finissait-il poignardé au cœur, les yeux arrachés ?

Fabel examina longuement et intensément la page, couverte de ses annotations au feutre noir et de lignes rouges qui reliaient les noms, les lieux et les commentaires. Il entreprit d'écrire la formule étrange de cette enquête : Paula Ehlers + Martha Schmidt = *L'Enfant échangé* ; Martha Schmidt « placée en-dessous » + Laura von Klosterstadt « placée au-dessus » = *L'Enfant échangé/La Belle au bois dormant*. Hanna Grünn + Markus Schiller = *Hänsel et Gretel* ; Bernt Ungerer + Laura von Klosterstadt = *Raiponce*.

Il manquait au moins une équation. Il fixa la page pour la forcer à venir à lui. Il écrivit : Grünn/Schiller + Bernd Ungerer ? = ? Il la barra et écrivit Grünn/Schiller + ? = ? ; Ungerer + ? = ? Fabel avait beau regarder avec intensité, la page refusait de lui en révéler plus. L'angoisse le saisit : les pièces qui n'étaient pas encore là se matérialiseraient sous la forme de nouvelles morts. Quelqu'un d'autre devrait payer en peur, en douleur et de sa vie l'incapacité de Fabel à appréhender une vue d'ensemble.

Olsen. Fendrich. Weiss. Existait-il une autre équation parmi ces noms ? Fabel avait-il tort de penser avoir affaire à un seul tueur ? Était-ce Olsen + Fendrich, Weiss ou un autre ? Il ouvrit le tiroir de son bureau pour en sortir un exemplaire du livre de Weiss. Il avait lu de bout en bout *La Route des contes*, mais son intérêt était aujourd'hui plus précis. Weiss avait écrit un chapitre intitulé « Raiponce ». Encore une fois, le passage était rédigé du point de vue du Jacob Grimm de fiction.

Dans « Raiponce », comme dans chacun de ces contes, on trouve une articulation du Bien et du Mal fondamentaux ; une compréhension des forces de la Création et de la Vie, de la Destruction et de la Mort. J'ai trouvé dans ces anciens contes et fables tant de thèmes communs suggérant qu'ils puisent leurs origines non seulement dans le passé païen et illettré mais aussi dans les articulations les plus reculées des forces fondamentales. On doit, en effet, chercher la naissance de certains de ces contes dans les communautés d'hommes les plus anciennes, quand nous étions peu nombreux sur Terre. Comment, autrement, expliquer pourquoi le conte de Cendrillon existe sous des formes presque identiques non seulement dans toute l'Europe mais aussi en Chine ?

De toutes ces forces fondamentales, j'ai déduit que la Nature, dans son aspect le plus généreux et le plus destructeur, est celle à qui il est le plus banalement donné forme humaine. La Mère. Les forces maternelles et naturelles sont souvent envisagées en parallèle et, dans les vieux contes et fables populaires, la Mère incarne les deux. La Nature donne la vie, nourrit et soutient ; mais Elle est également capable de rage et de cruauté. Cette dichotomie du personnage de la Nature est résolue dans ces contes par la représentation double (et parfois triple, si l'on inclut le thème de la Grand-Mère) de la Maternité. Il y a l'image de la mère elle-même, qui représente ordinairement le foyer et tout ce qui est bon et sain ; elle est la Sécurité et la Protection ; elle nourrit et soulage ; elle donne la Vie. Le thème de la Marâtre, quant à lui, est souvent employé pour représenter la négation des impulsions maternelles normales. C'est la Marâtre qui persuade son mari d'abandonner Hänsel et Gretel dans les bois. C'est la Marâtre, mue par une jalousie et une vanité démentes, qui désire la mort de Blanche-Neige. Et, sous la forme de la sorcière, c'est la Marâtre qui enlève et torture Raiponce.

Dans la ville de Lübeck, vivait une veuve superbe et fortunée, que j'appellerai Frau X. Frau X n'avait pas eu d'enfants, mais elle était la tutrice d'Imogen, la fille de son dernier mari issue d'un mariage précédent. Imogen était en adéquation parfaite avec la beauté de sa marâtre mais, bien sûr, possédait une richesse qui déclinait chaque jour chez sa marâtre : la jeunesse. Maintenant il faut préciser que ni moi ni personne d'autre n'avait la moindre raison de penser que Frau X était jalouse d'Imogen, ou lui était d'une quelconque manière hostile. En effet, Frau X semblait être pleine de sollicitude et d'affection pour sa protégée et la traitait comme sa propre enfant. Mais c'est sans importance : il me suffisait d'avoir trouvé une superbe marâtre et une superbe fille, l'un des thèmes communs à la plupart des contes. Comme Imogen n'avait pas les cheveux sombres, je ne pouvais l'utiliser pour rejouer Blanche-Neige, mais elle avait des cheveux blonds soyeux dont je crois qu'elle était très fière. J'avais trouvé ma Raiponce ! Je m'assurai de n'avoir aucun contact avec Frau X ni Imogen qui puisse m'incriminer par la suite et entrepris de planifier l'exécution de ma mise en scène.

Au cours des mois précédents, j'avais acquis de grosses quantités de laudanum, que je m'étais procurées en plusieurs fois en rendant visite à divers pharmaciens auprès desquels je m'étais spécieusement plaint de problèmes de sommeil. Je notai une dernière fois les déplacements de mon sujet et choisis le moment oppor-

tun pour frapper. Imogen faisait, chaque jour, une promenade dans le parc boisé au nord de la ville. Étant une jeune fille de bonne naissance, elle était toujours accompagnée par une femme. Je ne connaissais ni ne me préoccupais de l'identité du chaperon d'Imogen, mais elle était du type de compagne terne et sans charme que les belles femmes choisissent en général pour contraster avec leur propre vénusté. Je me surpris à haïr le chaperon pour le grotesque de sa coiffe : un bonnet ridiculement pimpant dont on pouvait croire qu'elle l'avait choisi avec la conviction erronée qu'il atténuait le manque de grâce de ses traits.

Il y avait un chemin droit où les deux promeneuses étaient temporairement cachées aux yeux des autres visiteurs du parc (ce jour précis, le ciel peu prometteur avait dissuadé nombre de promeneurs) et qui, pur hasard, permettait de sortir du parc tout en restant à l'abri des arbres. J'approchai les femmes par-derrière et, avec joie, assénai à la tête ridiculement ornementée du chaperon un coup avec la barre de fer que j'avais dissimulée sous mon manteau. J'étais tellement pressé d'enlever Imogen que je ne pus éprouver qu'une satisfaction fugace à constater de quelle manière j'avais enfoncé le bonnet ridicule dans le crâne fracassé du chaperon. Imogen se mit à hurler, cependant, et je fus forcé de lui décocher un coup virulent à la mâchoire. Cela m'inquiéta fortement, car le moindre dommage à sa beauté compromettrait le succès de ma mise en scène. Je la ramassai et la transportai jusque sous les arbres, assez loin pour être hors de vue. Puis je traînai le chaperon mort dans les bois. Une mare de sang s'était formée autour de son horrible tête et avait taché le pavé quand son bonnet s'était séparé de son crâne et que de la matière grise s'était déversée. J'ai bien honte d'admettre que je lui adressai un méchant juron en la traînant à l'abri des regards. Rassemblant quelques branches bien feuillues, je retournai sur mes pas pour essayer d'atténuer les dégâts, mais ne réussis qu'à agrandir la tache. Je savais que je ne pouvais éviter qu'on découvre le corps du chaperon, qu'on le découvre probablement assez rapidement, mais je ne m'en souciai pas : il me restait encore à déplacer promptement Imogen hors du parc sans me faire repérer. J'avais laissé un cab à l'extrémité la plus éloignée des bois, je hissai Imogen sur mon épaule et la transportai avec toute la hâte que ma charge et le terrain me permettaient. Imogen commençait de s'éveiller quand je la déposai à l'intérieur de la voiture et je la tranquillisai en la forçant à avaler du laudanum.

Je m'étais habillé en cocher et, après avoir attaché Imogen dans l'habitacle, je grimpai au sommet du cab et quittai la scène de manière nonchalante. J'avais réussi mon enlèvement sans être remarqué. En effet, par grande chance, le corps du chaperon ne fut pas découvert dans les minutes suivantes, comme je l'avais craint, mais plus tard dans la journée, quand les gens de la ville, inquiets pour la sécurité des deux disparues, entreprirent de les chercher.

Prescient du besoin d'un endroit quelque peu isolé, je m'étais procuré à Lübeck des quartiers séparés de ceux de mon frère : une petite maison à la périphérie de la ville. Après la tombée de la nuit, j'emportai Imogen, que je devrai désormais appeler Raiponce, dans la maison et la descendis dans la cave. Là, je l'attachai, lui administrai encore du laudanum, et la bâillonnai de crainte qu'elle ne s'éveille suffisamment pendant mon absence pour alerter quelque passant par ses cris.

Je rejoignis ensuite mon frère pour partager un repas plutôt délicieux de venaison « direkt von der Jagd ». Je m'autorisai un moment de distraction à l'idée de consommer de la viande « toute fraîche de la chasse » alors que je revenais moi-même de la chasse. Je découvris, pourtant, que lorsque je pensais au butin de chair que ma chasse avait rapporté, je faisais l'expérience d'un trouble masculin et j'éloignai donc cette pensée.

De retour dans mes quartiers, je vis que ma superbe Raiponce était sortie de son sommeil. Raiponce ou la Belle au bois dormant ? Le dilemme s'était déjà présenté à moi : ces contes sont essentiellement des variations, plutôt que des histoires séparées. Dans les deux cas, mon frère avait insisté pour que nous « civilisions » quelque peu notre retranscription, afin que la Belle au bois dormant soit réveillée par un baiser. Dans le conte original que nous avions recueilli, elle est en fait découverte au plus profond de son sommeil de cent ans par un roi marié, pas un prince, qui la connaît alors charnellement, plusieurs fois, dans son sommeil. Ce n'est qu'après qu'elle a donné naissance à des jumeaux et qu'un d'eux, en cherchant à téter, aspire l'écharde de son pouce qu'elle se réveille de son sommeil enchanté. De façon similaire, dans le conte de Raiponce, la jeune princesse dans sa tour n'est pas aussi chaste que d'autres versions, celle que nous avons recueillie incluse, le suggéreraient. Un voile est de nouveau tiré sur le fait que Raiponce donne naissance à deux enfants après ses rendez-vous avec le prince. En cela, on retrouve trace d'une moralité d'un temps reculé, quand les valeurs chrétiennes avaient moins ou pas d'emprise. Raiponce et la Belle au bois dormant, dans leurs formes originelles, donnent naissance à des enfants issus de liaisons non maritales...

Fabel reposa le livre. Il se rappela ce que Heinz Schnauber lui avait appris concernant la grossesse et l'avortement secrets de Laura von Klosterstadt. Si le tueur respectait soit les versions originales des deux contes, soit le livre de Weiss, cet épisode caché accentuait la justification de Laura en qualité de victime. Pourtant le secret avait été bien gardé : si le tueur était au courant, c'est qu'il connaissait intimement la famille von Klosterstadt. Ou bien c'était lui, le père. Fabel poursuivit sa lecture.

Dans un souci de vraisemblance vis-à-vis du conte, je fus donc contraint de violer ma Raiponce, mais seulement une fois qu'elle fut endormie. Elle me regarda avec des yeux implorants, ce qui la rendit particulièrement peu attirante. Quand j'ôtai son bâillon, elle se mit à me supplier de la laisser en vie. Je trouvai intéressant que pour une femme de naissance, elle ne me supplie pas de préserver sa vertu que, je le sentis, elle aurait été capable de m'abandonner, eût-elle été certaine que cela puisse lui sauver la vie. Je lui fis boire plus de laudanum encore et la tranquillité et la beauté de son visage et de sa forme furent restaurées. Une fois que je l'eus dévêtue, je fus enivré par la beauté de son corps et j'admets que je me suis permis d'abuser d'elle à plusieurs reprises pendant son sommeil. Je plaçai ensuite doucement un coussin de soie sur son visage. Elle ne lutta pas pour la vie et m'abandonna son âme.

Fabel reposa le livre mais, cette fois, pour prendre le rapport d'autopsie de von Klosterstadt : loin de présenter des signes de traumas sexuels, tout indiquait plutôt un célibat prolongé. Fabel revint à *La Route des contes*.

*La nuit suivante, je retournai au parc et déposai ma Rai-
ponce sous la tour qui se trouvait en son centre. La lune brillait
et illuminait sa beauté. J'étalai ses cheveux qui chatoyaient comme
de l'or blanc dans le clair de lune. Je l'abandonnai là, ma Raiponce, pour que d'autres la découvrent et se souviennent de contes
anciens.*

*Je considérais ma mise en scène accomplie et en étais très
satisfait. Cela fut une grande et agréable surprise quand on apprit,
quelques jours plus tard, que Frau X était devenue le centre de
rumeurs et de spéculations concernant son implication dans la
mort de sa belle-fille. Les soupçons, bien qu'officieux, étaient tels
que non seulement son statut social au sein de l'élite de Lübeck
fut complètement anéanti, mais que la femme était souvent huée
par le peuple à chacune de ses apparitions en ville. Preuve non
seulement des préjugés dont s'abreuve le paysan dans ces contrées
prétendument civilisées, mais également de la vérité essentielle de
ces vieilles légendes.*

Fabel ferma le livre, laissant sa main posée sur la couverture comme s'il s'attendait à ce que l'ouvrage lui en livre
davantage par osmose. Il réfléchit au moment de sa création, au-delà de la couverture brillante et du produit commercial de l'éditeur. Il imagina la masse menaçante de
Weiss courbée au-dessus de son ordinateur portable, les
yeux trop sombres scintillants, dans ce bureau qui semblait
avaler toute lumière. Il se représenta la sculpture du loup/
loup-garou, probablement réalisée par le frère malade de
Weiss, la figure monstrueuse figée dans son grondement
silencieux pendant que Weiss commettait ses meurtres en
série sur papier.

Fabel se leva et enfila sa veste Jaeger, avant d'éteindre
la lampe du bureau. Hambourg étincelait derrière la fenêtre. Là, dehors, un million et demi d'âmes dormaient, pendant que d'autres exploraient la nuit. Bientôt. Le prochain
meurtre, Fabel le savait, viendrait bientôt.

45

Lundi 19 avril, 11 heures – Altes Land, sud-ouest de Hambourg.

Fabel attendait.

Il commençait à éprouver cette sensation proche de l'ivresse due au manque de sommeil. Il aurait pu éviter de partir de si bonne heure pour revenir à Hambourg depuis Norddeich. Susanne avait décidé de rester avec Gabi et sa mère, et de profiter des deux jours de congé supplémentaires. Elle rentrerait par le train le mercredi suivant.

Le tueur exigeait le maximum. Ils avaient maintenant tant de meurtres simultanés à traiter, tant de pièces à analyser et d'entretiens à organiser que Fabel avait délégué l'entière responsabilité de l'enquête Ungerer à Maria. Ce n'était pas une décision facile à prendre. Il estimait Maria par-dessus tout, il la jugeait peut-être même meilleure que Werner. C'était une femme étonnamment intelligente qui alliait une approche méthodique à une capacité à saisir rapidement les détails. Mais il n'était toujours pas convaincu qu'elle était prête. Physiquement, elle était apte. On l'avait même trouvée en parfaite santé psychologique. Officiellement. Pourtant, quelque chose dans le regard de Maria, il n'aurait su dire quoi, inquiétait Fabel.

Malheureusement, pour le moment, il n'avait pas d'autre solution que de passer le dossier Ungerer à Maria. Cette affaire avait demandé beaucoup de compromis : Anna avait repris du service, mais elle ne parvenait pas à retenir ses grimaces de douleur chaque fois que quelque chose effleurait sa cuisse écorchée ; Hermann travaillait à plein temps à la Mordkommission, bien qu'il n'ait pas reçu la formation complète KriPo ; et deux membres de la SoKo des Crimes sexuels étaient venus soutenir l'équipe.

Pourtant Fabel attendait. Il y avait deux choses qu'il aurait pu prévoir au cours de son trajet jusqu'à l'Altes Land : d'abord que les Klosterstadt n'étaient pas du genre à répondre en personne à leur porte, ensuite qu'ils allaient le faire attendre. Lors de sa dernière visite, la mort récente de Laura lui avait assuré d'être reçu immédiatement. Cette fois, le majordome en costume bleu qui avait répondu à la porte l'avait conduit dans l'entrée où il se trouvait assis depuis vingt minutes. Une demi-heure serait sa limite. Ensuite, c'est lui qui irait les chercher.

Margarethe von Klosterstadt émergea du salon où elle avait reçu Fabel lors de leur précédente entrevue. Elle referma les portes derrière elle. Apparemment, cet entretien allait se dérouler dans l'entrée. Fabel se leva et ils se serrèrent la main. Elle lui adressa un sourire poli en s'excusant de l'avoir fait attendre, mais le sourire et l'excuse manquaient cruellement de sincérité. Frau von Klosterstadt portait un tailleur bleu marine qui accentuait sa taille mince et de coûteux escarpins beiges à talons hauts qui tendaient les muscles de ses chevilles. Fabel dut encore une fois chasser de son esprit combien il la trouvait attirante. Elle l'invita à se rasseoir et s'installa près de lui.

– Que puis-je pour vous, Herr Kriminalhauptkommissar ?

– Frau von Klosterstadt, je dois être honnête avec vous. Des éléments de cette enquête nous amènent à penser que votre fille a été la victime d'un tueur en série. Un psychopathe. Un individu possédant un point de vue tordu et pervers, impliquant que certains détails de la vie de ses victimes, des éléments qui pourraient nous paraître obsolètes et insignifiants, prennent dorénavant une signification particulière.

Margarethe von Klosterstadt arqua un de ses sourcils parfaitement dessinés d'un air interrogateur, mais Fabel ne détecta rien de plus qu'une patiente politesse dans le regard glacial.

— Je dois vous interroger concernant la grossesse de votre fille ainsi que son avortement, Frau von Klosterstadt.

La patiente politesse disparut des yeux bleu pâle. Un orage arctique se dessina au plus profond de ce regard sans, pour le moment, faire rage.

— Et puis-je vous demander ce qui vous amène à me poser une question aussi grossière, Herr Kriminalhauptkommissar ?

— Vous ne niez pas le fait que Laura a subi un avortement ? demanda Fabel.

Elle ne répondit pas, le regard tranquille.

— Écoutez, Frau von Klosterstadt, je fais de mon mieux pour traiter ce sujet avec toute la discrétion possible, et cela me faciliterait la tâche que vous soyez sincère avec moi. Si vous m'y obligez, je ferai appel à toutes sortes de mandats pour aller piétiner dans vos plates-bandes familiales jusqu'à ce que je découvre la vérité. Ce serait, disons, très fâcheux. Et surtout, cela deviendrait public.

L'orage arctique se déchaîna, butant contre les vitres des yeux de Margarethe von Klosterstadt, sans pour autant les faire éclater. Puis la tempête disparut. Son expression, sa posture parfaite, sa voix, tout demeurait inchangé. Pourtant elle avait capitulé. Et elle n'en avait vraisemblablement pas l'habitude.

— C'était juste avant le vingt et unième anniversaire de Laura. Nous sommes allées à la clinique Hammond. C'est un établissement privé à Londres.

— Combien de temps avant son anniversaire ?

— Environ une semaine.

— Alors cela fait presque exactement dix ans ? demanda Fabel en se parlant plutôt à lui-même.

Un anniversaire.

— Qui était le père ?

Margarethe se raidit de manière presque imperceptible. Puis un sourire voleta sur ses lèvres.

— Est-ce vraiment nécessaire, Herr Fabel ? Avons-nous véritablement besoin de revenir sur cette histoire ?

— Je le crains, Frau von Klosterstadt. Vous avez ma parole que je resterai discret.

— Très bien. Il s'appelait Kranz. Il était photographe. Ou plutôt c'était un assistant de Pietro Moldari, le photographe de mode qui a lancé la carrière de Laura. Il n'était personne alors, mais je crois qu'il s'en est bien sorti depuis cette époque.

— Leo Kranz ? demanda Fabel, ayant reconnu immédiatement le nom.

Un nom qu'il n'associait pas à des photos de mode. Kranz était un photo-reporter très réputé qui avait couvert les zones de guerre les plus dangereuses au cours des cinq dernières années. Margarethe von Klosterstadt lut la confusion sur le visage de Fabel.

— Il a abandonné la photo de mode pour le journalisme.

— Est-ce que Laura l'a revu ? Je veux dire, ensuite.

— Non. Je ne pense pas qu'ils aient eu une véritable liaison. C'était un épisode... malheureux... et ils ont tous les deux tourné la page.

Vraiment ? se demanda Fabel. Il se rappela la villa solitaire et austère dans le Blankenese. Il doutait beaucoup que Laura se soit défaite de sa tristesse.

— Qui était au courant de l'avortement ? demanda-t-il.

Margarethe von Klosterstadt garda le silence un moment en fixant Fabel. Elle parvint à exprimer assez de dédain pour qu'il se sente mal à l'aise, mais pas assez pour qu'il décide de l'affronter directement. Il pensa négligemment à Möller, l'anapath qui adoptait toujours cet air de mépris arrogant : comparé à Margarethe, il n'était qu'un amateur maladroit. Frau von Klosterstadt excellait dans ce domaine. S'entraînait-elle sur les domestiques ?

— Nous n'avons pas l'habitude de partager les détails privés de notre famille avec le monde extérieur, Herr Fabel. Et je suis certaine que Herr Kranz n'avait absolument aucun intérêt à faire éclater son implication au grand jour. Je vous le répète, c'est une histoire de famille et elle a été gardée au sein de cette famille.

— Donc Hubert était au courant ?

Un autre silence glacé.

– Je n'ai pas jugé nécessaire qu'il le soit. Je ne sais pas si Laura lui en a parlé ou non. Mais je crains qu'ils n'aient jamais été des frère et sœur très proches. Laura a toujours été si distante. Difficile.

L'expression de Fabel resta neutre. On comprenait immédiatement qui était l'enfant favori de cette famille. Il se souvint du mépris de Heinz Schnauber quand il avait parlé de Hubert. Deux choses étaient claires : d'abord, Heinz Schnauber avait véritablement été ce qui s'approchait au mieux d'une famille pour Laura ; ensuite, Fabel ne tirerait rien de plus de cet entretien. Et il n'en tirerait rien parce qu'encore une fois, il posait des questions à une connaissance et pas à une mère. Il observa Margarethe von Klosterstadt : elle était élégante, d'une beauté classique, une de ces femmes dont l'âge ne fait qu'intensifier l'apparence sexy. Dans sa tête, il lui superposa l'image d'Ulrike Schmidt, la prostituée occasionnelle vieillie prématurément et camée, dont la peau et les cheveux avaient terni. Deux femmes qui étaient tellement dissemblables qu'elles auraient pu appartenir à deux espèces différentes. Mais une chose les rapprochait : leur profonde méconnaissance de leur propre fille.

En se dirigeant vers sa voiture, Fabel fut submergé par une tristesse de plomb, déprimante. Il se retourna pour contempler la vaste demeure blanche et songea à la petite fille qui y avait grandi. Il pensa à la manière dont elle s'était échappée de cette prison dorée uniquement pour en bâtir une de ses propres mains, en hauteur sur les remblais du Blankenese, au bord de l'Elbe.

Le tueur n'aurait pu choisir victime plus appropriée pour incarner sa princesse de conte. Fabel était dorénavant certain qu'à un moment donné, son assassin était entré en contact avec elle.

46

Fabel avait chargé Maria d'interroger l'épouse de la dernière victime, Bernd Ungerer. Maria savait qu'elle était sur le point de rencontrer quelqu'un dont le chagrin était aussi à vif qu'une brûlure, et qui allait batailler pour accepter une nouvelle réalité, absurde quoique permanente.

Les yeux d'Ingrid Ungerer étaient rougis par les larmes. Mais il y avait autre chose. Une amertume. Elles s'installèrent dans le salon où elles étaient seules, bien que Maria perçût des voix étouffées à l'étage.

– Ma sœur, expliqua Ingrid. Elle m'aide à m'occuper des enfants. Je vous en prie... asseyez-vous.

Un mur de la pièce était couvert d'étagères en pin remplies de l'habituel mélange de livres, de CD, de bibelots et de photos, vitrine typique d'une maison familiale. La plupart des photos représentaient Ingrid en compagnie d'un homme que Maria devina être son époux, Bernd, même si ses cheveux paraissaient plus clairs, plus gris que ceux du cadavre découvert dans le parc. Et, là, l'homme avait des yeux avec lesquels il fixait l'objectif. Sur tous les clichés, on voyait deux garçons, qui avaient les mêmes cheveux et le même regard sombres que leur mère. Comme toutes les familles sur ce genre de photos, ils paraissaient tous heureux. Le sourire d'Ingrid était naturel et détendu. Regardant la femme devant elle, Maria prit conscience que le bonheur lui serait dorénavant un concept étranger. Elle eut aussi l'impression que cela durait déjà depuis un certain temps. Le visage de Bernd Ungerer rayonnait de véritable bonheur sur les photos. Un authentique sourire de satisfaction.

— Quand serai-je autorisée à voir son corps ?

Son expression était celle du sang-froid forcé et sans âme.

— Frau Ungerer..., commença Maria en s'avançant au bord de son fauteuil. Je dois vous avertir que votre mari a souffert de certaines... blessures... qui pourraient vous être très pénibles à voir. Je pense qu'il vaudrait mieux...

— Quel genre de blessures ? l'interrompit Ingrid. Comment est-il mort ?

— D'après ce que nous en savons, votre mari a été poignardé, répondit Maria. Écoutez, madame, celui qui a tué votre mari est de toute évidence un individu dérangé. Je suis désolée de vous apprendre qu'il lui a arraché les yeux. Je suis sincèrement désolée.

Bien que son attitude demeurât posée, Ingrid tremblait quand elle parla.

— C'était le mari de quelqu'un ? Ou un petit ami ?

— J'ai peur de ne pas comprendre, Frau Ungerer.

— Mon mari a-t-il été surpris avec une autre femme ? Ou bien était-ce un mari jaloux qui a fini par le retrouver ? Dans ce cas, je pourrais comprendre qu'on lui ait arraché les yeux. Il regardait toujours les autres femmes. Toujours.

Maria dévisagea Ingrid Ungerer. Elle était attirante de façon ordinaire, de taille moyenne, des cheveux châtains courts. Un visage agréable, mais qu'on ne remarquait pas et, quand bien même, on y aurait décelé une tristesse continuellement tapie derrière ses traits. Une tristesse installée, une mélancolie qui avait dégagé un espace temporaire pour le nouveau chagrin d'Ingrid, mais dont la présence était plus ancienne et, dorénavant, permanente.

— Votre époux fréquentait-il d'autres femmes ? demanda Maria.

Ingrid ricana.

— Vous aimez le sexe ? répondit-elle comme elle aurait demandé l'heure.

Maria, naturellement, fut déstabilisée, mais cette interrogation la toucha plus profondément que Frau Ungerer n'en avait eu l'intention. Heureusement, celle-ci n'attendit pas sa réponse.

— Moi, j'aimais ça. Je suis une personne très physique. Mais, vous savez ce que c'est, après quelques années de mariage, la passion s'affaiblit, les enfants vous épuisent et tuent vos pulsions sexuelles...

— Désolée, je ne sais pas. Je ne suis pas mariée.

— Mais vous avez un petit ami ?

— Pas pour le moment, répondit Maria d'un ton égal.

C'était une partie de sa vie dont elle ne souhaitait pas discuter avec une inconnue, même s'il s'agissait d'une femme affligée.

— Les choses se sont un peu calmées après que Bernd et moi nous sommes mariés. Comme ça arrive. Elles se sont un peu trop calmées à mon goût, pour être franche, mais le travail de Bernd était très prenant et il était souvent claqué quand il rentrait à la maison. Mais c'était un mari merveilleux, Frau Klee. Fidèle, d'un grand soutien, attentionné, et un père formidable.

Ingrid se leva et sortit un jeu de clés de son sac à main.

— Je voudrais vous montrer quelque chose.

Elle précéda Maria dans le couloir, passa un seuil voûté pour emprunter des escaliers menant au sous-sol. En bas, elle alluma la lumière. Apparut l'habituelle collection d'objets ne trouvant aucune place dans une maison : les vélos, les boîtes de rangement, les bottes d'hiver. Ingrid s'immobilisa face à un énorme coffre sur lequel elle posa une main sans rien faire pour l'ouvrir.

— Cela a commencé il y a six mois. Bernd est devenu, disons, plus attentionné. Au début, j'étais contente, mais on semblait passer d'un extrême à l'autre. On faisait l'amour toutes les nuits. Parfois deux fois par nuit. Et c'est devenu de plus en plus... pressant, je suppose. Puis, tout en le faisant, il a cessé de le faire véritablement : c'était comme si je n'étais pas là. Et un soir, je lui ai dit que je n'avais pas envie...

Ingrid s'interrompit. Elle baissa les yeux sur le jeu de clés qu'elle manipulait comme s'il s'agissait d'un rosaire.

– Ce soir-là, il a été très clair : peu lui importait que j'en aie envie ou non.

Maria posa sa main sur le bras d'Ingrid qui se dégagea légèrement.

– C'est à peu près à la même époque que j'ai découvert au sujet des autres femmes. Il travaillait alors pour une autre entreprise, cela faisait plusieurs années, et soudain il a manifesté son intention de rejoindre la société pour laquelle il travaille actuellement...

Elle secoua la tête, comme agacée par ses propres propos, avant de rectifier :

– Je veux dire, la société pour laquelle il travaillait jusqu'à aujourd'hui. Ce n'est que très récemment que j'ai découvert que plusieurs femmes de son ancienne entreprise s'étaient plaintes à son sujet.

– Je suis désolée, Frau Ungerer. Donc, c'est pour cette raison que vous pensez qu'il peut s'agir d'un mari jaloux ? Je ne pense pas que ce soit le cas. Nous avons des raisons de croire que votre mari a été assassiné par un meurtrier qui a déjà tué de nombreuses personnes que rien ne lie.

Ingrid Ungerer fixa Maria d'un regard vide et poursuivit comme si elle n'avait pas entendu ce qui venait d'être dit.

– Il y a eu une demi-douzaine de femmes pendant les six derniers mois. Et bien d'autres encore qui ont repoussé ses avances. Il n'éprouvait aucune honte. Cela ne semblait pas le déranger de se mettre en situation embarrassante... ou bien de nous mettre dans l'embarras, les enfants et moi.

Nouveau ricanement.

– Et il ne me laissait pas vraiment tranquille. Pendant toute cette période où il fréquentait d'autres femmes, je devais encore le subir. Il était devenu insatiable.

Elle ouvrit le coffre et souleva le couvercle. Il était rempli à ras bord de pornographie hardcore : des magazines, des vidéos, des DVD.

– Il m'a demandé de ne jamais descendre ici. De ne jamais ouvrir ce coffre, si je savais ce qui était bon pour moi.

Elle fixait Maria avec des yeux implorants.

— Pourquoi a-t-il fait ça ? Pourquoi m'a-t-il menacée ? Il ne m'avait jamais menacée auparavant.

Elle secouait la tête en contemplant le contenu du coffre.

— Il y en a encore plus sur son ordinateur là-haut. Vous comprenez ? Pourquoi aurait-il changé comme ça ? Pourquoi un homme aimant et attentionné se transformerait en une bête ? Tout le monde savait. C'est ce qui me rendait folle. Les voisins et les amis me souriaient et bavardaient avec moi et je sentais que soit ils étaient désolés pour moi, soit ils essayaient de me soutirer des détails encore plus salaces. Remarquez, des amis, on n'en avait plus beaucoup. Les couples que nous connaissions nous ont laissés tomber parce que Bernd essayait toujours de sauter la femme. Même les gens à son travail en plaisantaient... Ils lui avaient donné un surnom. Ses clients aussi, apparemment. Je vous le dis, Frau Klee, je n'arrive pas à croire que son meurtre n'ait rien à voir avec son comportement.

Ingrid referma le coffre et elles remontèrent dans le salon. Maria avait du mal à se concentrer, et pourtant il fallait qu'Ingrid lui fournisse des informations sur les déplacements de son mari au cours de la semaine passée. Mais plus elle essayait de se focaliser sur ces déplacements, plus le coffre au sous-sol, cette vie secrète, la préoccupait. De toute manière, sa tâche était ardue et ingrate parce qu'en plus de sa soudaine poussée libidineuse, il semblait qu'Ungerer s'était montré de plus en plus secret et sur la défensive. Il était sorti plus souvent le soir pour de prétendus dîners avec des clients. C'était d'ailleurs ce qu'il était censé faire le soir où il avait été tué. Ne le voyant pas rentrer ce soir-là, Ingrid ne s'était pas inquiétée. Elle en avait été agacée, mais pas inquiète : c'était devenu une habitude que Bernd découche. Il avait dissimulé des reçus de carte bleue, Ingrid les avait découverts et les avait reposés là où elle les avait trouvés, sans faire de commentaire. Ils correspondaient tous à des agences d'*escort girls*, des clubs et des saunas à St Pauli.

— Il était évident que quelque chose clochait chez Bernd, expliqua Ingrid. Il était devenu un homme différent. Et il y avait d'autres choses étranges. Parfois il rentrait à la maison et se plaignait d'une mauvaise odeur. Ce n'était pas le cas, mais je devais nettoyer la maison de fond en comble, même si je l'avais déjà fait ce jour-là, juste pour qu'il soit de bonne humeur. Alors je recevais ma « récompense », comme il disait. Pensant qu'il traversait une sorte de dépression, je lui ai proposé d'aller consulter ensemble un médecin généraliste, mais il ne voulait rien entendre.

— Alors vous n'avez jamais eu d'avis spécialisé au sujet de son comportement ?

— Si. Si, bien sûr. Je suis allée consulter Herr Doktor Gärten. Je lui ai raconté ce qui se passait. Il m'a expliqué qu'il existait un état, appelé « satyriasis », qui correspond à la forme masculine de la nymphomanie. L'état de Bernd l'inquiétait beaucoup et il désirait l'examiner mais, quand j'ai avoué à Bernd que j'étais allée voir le médecin sans lui, dans son dos, comme il a dit... eh bien, la situation est devenue beaucoup plus pénible.

Les deux femmes restèrent assises en silence. Puis Maria commença à exposer quel genre d'aide on pouvait proposer à Ingrid avant de passer en revue les procédures qui seraient conduites dans les jours et semaines à venir. L'officier se leva pour prendre congé. Arrivée à la porte, elle se retourna pour saluer Ingrid Ungerer et lui réitérer ses condoléances.

— Puis-je vous poser une dernière question, Frau Ungerer ?

Ingrid acquiesça mollement.

— Vous avez dit que ses collègues de travail et ses clients lui avaient donné un surnom. Quel était ce surnom ?

Les yeux d'Ingrid Ungerer se remplirent de larmes.

— Barbe bleue. C'est comme ça qu'ils appelaient mon mari... Barbe bleue.

47

Lundi 19 avril, 15 heures – Hôpital Mariahilf, Heimfeld, Hambourg.

Les infirmières étaient ravies. Quelle charmante attention de leur avoir apporté une énorme boîte d'exquises pâtisseries à déguster avec leur café. C'était un « petit remerciement », avait-il expliqué, destiné à l'infirmière en chef et toute son équipe pour la façon merveilleuse avec laquelle elles avaient pris soin de sa mère. C'était si gentil. Si prévenant.

Il s'était entretenu avec le médecin chef, Herr Doktor Schell, pendant près d'une heure. Le docteur Schell avait passé une dernière fois en revue les soins à prodiguer à sa mère une fois de retour à la maison. Schell avait en sa possession le rapport que les services sociaux lui avaient fourni au sujet de l'appartement que le fils s'apprêtait à partager avec sa mère malade. D'après ce rapport, il avait été équipé selon des critères élevés et le médecin chef le complimenta sur son engagement à offrir à sa mère les meilleurs soins.

Quand il sortit du bureau du médecin, le grand homme adressa un sourire radieux vers le poste des infirmières. Il avait l'air si heureux de ramener sa mère chez lui. De nouveau, l'infirmière en chef se surprit à penser qu'aucun de ses enfants ingrats ne serait capable du quart de ces efforts quand elle serait vieille.

Il alla se rasseoir près du lit de la vieille femme, rapprocha sa chaise, se lovant dans leur univers confiné, exclusif et empoisonné.

— Tu sais quoi, *Mutti* ? Nous serons ensemble à la fin de la semaine. Tout seuls. N'est-ce pas merveilleux ? Tout ce dont je dois me soucier, c'est de la visite impromptue d'une infirmière, qui viendrait voir comment on s'en sort tous les deux. Mais je peux éviter ce désagrément. Non, ça n'en sera pas un quand l'infirmière à domicile passera. Tu vois, j'ai ce merveilleux petit appartement tout équipé avec ce matériel que nous n'utiliserons jamais, parce que nous serons rarement là-bas, n'est-ce pas, *Mutti* ? Je sais que tu préfères habiter dans ton ancienne maison, n'est-ce pas ?

La vieille femme reposait, comme toujours, immobile et vulnérable.

— Tu sais ce que j'ai trouvé l'autre jour, mère ? Ton vieux costume de Speeldeel. Tu te souviens comme c'était important pour toi ? Les traditions allemandes de la danse et du chant ? Je crois que je vais lui trouver une utilisation. Tu veux que je te fasse la lecture, *Mutti* ? Tu veux que je te lise les contes de Grimm ? Je le ferai quand on sera à la maison. Tout le temps. Comme avant. Tu te rappelles que les seuls livres que tu autorisais à la maison étaient la Bible et les contes des frères Grimm ? Dieu et l'Allemagne... C'est tout ce dont nous avions besoin chez nous...

Puis sa voix se mua en un chuchotement de conspirateur.

— Tu m'as fait tellement de mal, *Mutti*. Tu m'as fait tellement de mal que parfois je croyais que j'allais mourir. Tu me battais si fort et tu me répétais tout le temps que j'étais un bon à rien. Que je n'étais personne. Tu n'arrêtais pas. Quand j'étais adolescent puis adulte, tu me disais que j'étais inutile. Que je ne méritais pas d'être aimé. Tu disais que c'était pour ça que je ne pouvais vivre une relation durable.

Le chuchotement devint un sifflement.

— Eh bien, tu avais tort, vieille carne. Tu croyais qu'on était seuls quand tu me flanquais une dérouillée. Eh bien, nous n'étions pas seuls. Il était toujours là. Mon frère de contes. Invisible. Il est resté muet pendant si longtemps.

Puis je l'ai entendu. Toi, tu ne pouvais pas. C'est lui qui m'a sauvé de tes coups. C'est lui qui me soufflait les mots des histoires. Il m'a ouvert un nouveau monde. Un monde merveilleux et lumineux. Un monde vrai. Et alors j'ai découvert mon véritable talent, avec son aide. Il y a trois ans, tu t'en souviens ? La fille. La fille que tu as dû m'aider à enterrer parce que tu étais terrifiée par le scandale, la disgrâce d'avoir un fils en prison. Tu pensais que tu pouvais me contrôler. Mais il était plus fort... il est plus fort que ce que tu ne peux imaginer.

Il s'appuya au dossier de sa chaise et parcourut du regard le corps de la vieille femme, de la tête aux pieds. Quand il parla de nouveau, il ne murmurait plus. Sa voix était plate, froide, menaçante.

– Tu seras mon chef-d'œuvre, mère. Mon chef-d'œuvre. Ce sera grâce à toi, et non pour tout ce que j'aurai fait avant, qu'on se souviendra de moi.

48

Mardi 20 avril, 12 heures – Polizeipräsidium, Hambourg.

Le pansement sur le côté de la tête de Werner était petit et la bosse avait disparu, mais un léger hématome persistait à la périphérie de la blessure. Fabel avait accepté qu'il revienne à la condition de rester dans le bureau de la Mordkommission afin d'aider au traitement des preuves rassemblées par l'équipe. Et uniquement s'il réduisait son temps de travail. L'approche méthodique de Werner était idéale pour passer au crible la correspondance et les e-mails excentriques générés par les théories de Weiss. Jusque-là, Hans Rödger et Petra Maas s'étaient chargés de parcourir ce fatras. Et la nature de ces courriers avait permis d'identifier toute une flopée de cinglés qui devaient être questionnés. Le retard pris dans ces interrogatoires s'accentuait de jour en jour.

En vérité, Fabel était aussi content que Werner rejoigne l'équipe qu'il l'avait été au retour d'Anna. Cependant, il se sentait irresponsable d'avoir autorisé deux officiers blessés à reprendre prématurément du service. Il décida de rattraper le coup en négociant des congés supplémentaires à Werner et Anna une fois que l'affaire serait résolue.

Il reprit les détails du tableau de l'enquête pour Werner. Exposer les progrès ou l'absence de progrès était une expérience frustrante. Fabel avait été obligé de tirer parti de l'attention des médias pour le meurtre de Laura von Klosterstadt : Olsen apparaissait maintenant aux bulletins d'information et dans les journaux comme étant la personne dont la police de Hambourg acceptait de parler en rapport avec ces meurtres. Fabel avait chargé Anna et Henk Hermann d'interroger Leo Kranz, le photographe qui avait eu une liaison dix ans plus tôt avec Laura von Klosterstadt, mais Kranz couvrait l'occupation anglo-américaine en Irak. Son agence avait été en mesure de confirmer qu'il se trouvait au Moyen-Orient à l'époque où les meurtres avaient été commis. Fabel rapporta son entretien avec Weiss, que Werner avait provoqué, et expliqua que Fendrich restait en lisière de l'investigation.

— Ce qui m'ennuie avec Fendrich, dit Fabel, c'est que sa mère est morte il y a six mois. Dans son profil psychologique du tueur, Susanne a émis l'hypothèse que la période entre le premier meurtre et les suivants pouvait indiquer que le tueur avait été, en quelque sorte, contrôlé par une figure dominante, une femme ou une mère, qui serait morte depuis.

— Je ne sais pas, Jan, répondit Werner en prenant une chaise à un bureau voisin pour l'installer face au tableau.

Son visage était gris, fatigué. Pour la première fois, Fabel prit conscience que Werner vieillissait.

— Fendrich a été mis à l'épreuve, au moins deux fois. Il ne colle tout simplement pas. Je n'aime pas trop ce que tu dis de ce Weiss. Tu penses que nous pourrions de nouveau avoir affaire à un grand prêtre et à son disciple ? Weiss tirerait les ficelles et Olsen tuerait ? Après tout, on a déjà vu ça.

— Ça se pourrait.

Fabel fixa le tableau. Toutes ces photos et les suppositions étalées.

— Mais est-ce que tu vois Olsen comme quelqu'un qui pourrait s'inspirer de contes, ou même des théories littéraires foireuses de Weiss ?

Werner éclata de rire.

— Peut-être qu'on réfléchit trop. Peut-être devrait-on simplement chercher quelqu'un qui habite dans une maison en pain d'épices.

Fabel eut un sourire sinistre, mais un mécanisme se déclencha dans son esprit. Une maison en pain d'épices. Il haussa les épaules.

– Tu as peut-être raison, à propos du fait qu'on réfléchit trop. Peut-être qu'Olsen est notre homme. Espérons juste qu'on va bientôt le coincer.

Il était près de quinze heures quand le vœu de Fabel se réalisa. Une unité SchuPo rapporta qu'un individu correspondant à la description d'Olsen était entré dans un squat situé dans un immeuble désaffecté donnant sur le port. Les officiers en uniforme avaient eu le bon sens de ne pas se montrer et d'appeler une équipe du MEK en civil pour surveiller l'immeuble. Fabel dut calmer tout le monde avant de pouvoir donner ses ordres.

– Écoutez, les gars. C'est notre prise. J'ai déjà dit au commandant de l'équipe MEK que nous nous chargeons de l'arrestation. Nous le prenons. Personne d'autre.

Il regarda Maria. Comme d'habitude, son expression était difficile à lire, mais elle acquiesça d'un air déterminé.

– Quand nous arriverons là-bas, nous mettrons au point une stratégie. Je veux Olsen en vie et en état de répondre à nos questions. C'est clair ? D'accord, on y va.

Fabel dut intercepter Werner comme il s'emparait de sa veste en cuir et sortait avec le reste de l'équipe.

– Juste en tant qu'observateur ? demanda Werner en souriant docilement. Je t'en prie, Jan, ce salaud m'a fracassé le crâne. Je veux être là quand il se fera pincer.

– D'accord, mais tu restes en retrait. Maria est mon bras droit sur cette opération.

Ce lieu avait autrefois accueilli une communauté d'ouvriers. Un endroit où les travailleurs du port rentraient ; où vivaient des familles ; où leurs enfants jouaient. Aujourd'hui, l'immeuble était désert, attendant les forces inexorables de l'urbanisation et de l'embourgeoisement qui semblait s'emparer de tous les anciens quartiers ouvriers de Hambourg. Ainsi Pöseldorf qu'affectionnait Fabel, le quartier de Hambourg du gratin à la mode et friqué, avait été connu sous le nom de Arme Leute Gegend, le quartier des pauvres gens, jusque dans les années 1960, époque où l'endroit était devenu le quartier le plus branché de tous.

Mais ces rues près du port avaient encore à acquérir un tel charme. D'un point de vue architectural, l'endroit semblait figé dans le temps, avec ses allées pavées et ses immeubles énormes. Les seules intrusions du vingt et unième siècle étaient les immondes graffitis qui dégradaient les bâtiments et la silhouette massive et silencieuse d'un porte-conteneurs qu'on voyait glisser entre les immeubles. Tous les officiers étaient tendus.

La bâtisse dans laquelle Olsen avait été repéré était située en marge de la Hafenstrasse Genossenschaft, le quartier de Hambourg qui, depuis décembre 1995, appartenait à une communauté de locataires, « Alternativen am Elbufer », qui en assurait la gestion. D'un point de vue politique et social, cette partie de la ville avait été un champ de bataille. Littéralement.

Durant l'automne 1981, les immeubles d'appartements le long de Hafenstrasse et sur Bernhardt-Nocht-Strasse avaient systématiquement été occupés par des squatteurs. Alfons Pawelczyk, l'Innensenator de cette période, avait ordonné à la police de les expulser. Il en avait résulté une anarchie totale et un véritable chaos. Une guerre d'une décennie entre les squatteurs et la police de Hambourg avait suivi et les écrans de télévision allemands avaient été remplis de scènes de barricades en feu, de violentes batailles de rue à mains nues, et de centaines d'officiers de police et de squatteurs blessés. Finalement, cela avait coûté son poste à l'Erster Bürgermeister de l'époque, Klaus von Dohnanyi. Ce n'est qu'avec l'accord passé en 1995 que les troubles avaient pris fin. Néanmoins, le quartier autour de Hafenstrasse restait chaud. Ce n'était pas un endroit où la police pouvait pénétrer et opérer sans précaution.

L'équipe MEK s'était donc positionnée à un bloc du bâtiment de coin de rue où Olsen avait été vu. Le commandant de l'équipe MEK était heureux de voir Fabel. Dans un quartier comme celui-ci, il aurait été impossible de garder leur présence discrète plus longtemps. Il informa Fabel qu'Olsen se trouvait probablement dans le squat du premier étage. Sa moto était garée à l'extérieur, et l'un des membres du MEK s'était faufilé pour la mettre hors d'état de fonctionner, au cas où Olsen tenterait de s'enfuir. Le bâtiment avait été à ce point vandalisé que le rez-de-chaussée était inoccupé. Cela facilitait l'opération. En gros, il n'y avait qu'une entrée et qu'une sortie.

Fabel divisa son équipe en deux. Maria était responsable d'Anna et de Henk Hermann. Ils allaient sécuriser l'extérieur de l'immeuble. Fabel, Hans Rödger et Petra Maas entreraient pour coincer Olsen, accompagnés de deux officiers du MEK, au cas où les autres occupants du squat leur poseraient problème. Il demanda au commandant du MEK d'utiliser le reste de son équipe pour aider Maria à bloquer toutes les lignes de fuite possibles.

Ils se répartirent dans la fourgonnette du MEK, la BMW de Fabel et la voiture de Maria ; ils s'arrêtèrent ensemble devant l'immeuble, en marche avant. Maria et son équipe sortirent et se déployèrent en quelques secondes. Fabel et son groupe se précipitèrent vers la porte de devant. Les deux types du MEK balancèrent un bélier dans les doubles portes qui se scindèrent, permettant à Fabel, l'arme à la main, de précéder l'équipe à l'intérieur. L'entrée puait l'urine et une autre odeur infecte que Fabel ne parvint pas à identifier. Il y eut du bruit à l'étage. Fabel grimpa rapidement et sans bruit l'escalier, s'aplatissant contre la peinture vert pâle cloquée, le viseur de son arme pointé vers le plus haut point qu'il pût fixer. La porte du squat était ouverte. Fabel attendit que les autres le couvrent avant d'entrer.

Il parcourut la pièce du regard. L'endroit était spacieux et étonnamment lumineux. La pièce était également vide. Trois grandes fenêtres donnaient sur la rue et il fallut une seconde à Fabel pour discerner la silhouette d'un homme juste à l'extérieur de l'une d'elles, assis sur le rebord, prêt à sauter. Il eut juste le temps de crier « Olsen ! » mais la silhouette avait disparu.

– Il a sauté ! cria Fabel dans la radio. Maria, il a sauté !

Il venait à peine de transmettre l'information que cela le frappa : il s'était déjà trouvé dans cette situation, lui à l'intérieur, Maria dehors avec un suspect en fuite.

– Merde ! hurla-t-il.

Il manqua de renverser Petra Maas et un officier du MEK en se ruant hors du squat pour dévaler les marches trois par trois.

Dehors, dans la rue, Maria avait peine à croire ce qu'elle avait vu. Olsen n'avait pas seulement sauté du premier étage sur le trottoir, il s'était aussitôt relevé pour s'enfuir en courant vers le port. Quand Fabel l'avertit, elle était déjà en pleine course. Voilà. Elle y était. Le moment était arrivé. Elle allait maintenant découvrir si elle était capable de tenir le choc. Elle hurla dans la radio qu'elle se dirigeait vers le port. Elle savait qu'Anna et Henk la suivraient de près, mais elle savait également qu'elle serait la première à affronter Olsen. Et personne n'était plus grand ni plus dangereux qu'Olsen.

Devant elle, il s'engagea soudain dans un autre bâtiment abandonné à l'histoire plus industrielle que résidentielle. Maria fit irruption dans un vaste espace ponctué de piliers. Les chaînes et les poulies rouillées suspendues au plafond évoquaient un passé d'industrie lourde. Olsen n'était nulle part en vue. Les énormes établis qui avaient dû autrefois supporter un équipement massif offraient une douzaine de cachettes. Maria s'arrêta net, sortit son SIG-Sauer de son holster, tendit les deux bras devant elle. Elle se concentra, cherchant à percevoir le moindre bruit au-delà de sa propre respiration laborieuse et des battements de son cœur.

– Olsen ! cria-t-elle.

Silence.

– Olsen ! Rendez-vous. Maintenant !

Elle ressentit une immense douleur. Quelque chose fusa devant son visage pour percuter ses poignets. Son arme s'envola. Maria se plia en deux, agrippant son poignet droit de sa main gauche. Elle se tourna, Olsen parut sur sa droite, une barre d'acier levée au-dessus de sa tête, tel un bourreau médiéval démesuré brandissant une hache, prêt à l'abattre sur le cou de Maria. Cette dernière se figea. Pendant un quart de seconde, elle fut ailleurs, avec un autre homme brandissant un grand couteau au lieu d'une barre de fer. Un sentiment qui dépassait toute la peur qu'elle avait déjà pu éprouver la submergea de l'intérieur, la parcourut comme un flux d'électricité froide, la bloquant dans sa position courbée. Olsen laissa échapper un cri animal, bas et profond, en balançant la barre et, subitement, la peur de Maria se transforma. Elle plongea en avant et roula sur le sol souillé de l'ancienne usine. Emporté par sa rage et la brutalité de sa tentative d'assaut, Olsen fut déséquilibré. Maria se releva pour lui assener un coup de pied sur le côté de la tête.

— Espèce de salaud ! cria-t-elle.

Olsen chercha à se relever. Maria, serrant toujours son poignet blessé, bondit, enfonçant la semelle de sa botte dans le cou d'Olsen. La tête de l'homme heurta violemment le ciment. Il gémit, ses mouvements se ralentirent. Maria tâtonna par terre à la recherche de son arme, la trouva et la braqua de sa main valide. Elle visa la tête d'Olsen comme il roulait sur le dos. Il posa aussitôt ses mains au-dessus de son visage.

Maria examina son poignet, contusionné mais pas cassé. La douleur commençait déjà à s'apaiser. Son regard glissa le long du canon de son arme vers Olsen.

— Grosse brute ! siffla-t-elle. Saleté de grosse brute XYY. Tu aimes tabasser les femmes, hein ?

Elle expédia sa botte une seconde fois dans le visage d'Olsen. À cet instant, Anna se dirigeait en courant vers eux.

— Tu vas bien, Maria ?

— Ça va, répondit Maria sans quitter Olsen des yeux. Sa voix était tendue.

— Tu aimes faire peur aux femmes ? C'est ça ? Tu aimes les battre ?

Elle balança un coup de talon dans la joue d'Olsen qui se mit à saigner.

— Maria ! cria Anna qui était maintenant près d'elle et braquait son SIG-Sauer vers le visage ensanglanté d'Olsen. Maria... On l'a. On l'a. Tout va bien. Tu peux reculer maintenant.

Henk Hermann apparut à leurs côtés, Fabel et les autres approchaient en courant. Hermann s'agenouilla près d'Olsen, le fit rouler sur le ventre et, lui tordant les bras dans le dos, lui passa les menottes.

— Tu vas bien ? demanda Fabel en passant doucement son bras autour des épaules de Maria pour l'éloigner d'Olsen.

Maria afficha un large et chaleureux sourire.

— Oui, chef, je vais bien. Je vais très bien.

Fabel lui pinça gentiment l'épaule.

— Bon travail, Maria. Vraiment.

Quand Hermann fit de nouveau rouler Olsen sur le dos, Fabel vit la balafre sur son visage.

— Il est tombé, chef, déclara Maria en tentant d'effacer son sourire.

Werner et le reste de l'équipe MEK les avaient rejoints. Werner baissa les yeux sur le visage meurtri d'Olsen, touchant le pansement sur sa propre tête. Il se tourna vers Maria en souriant.

— Putain que c'est bon !

49

Dans le travail de policier, certaines situations étaient prévisibles. Qu'Olsen refuse de parler en l'absence de son avocat en était une. Il avait été transporté à l'hôpital pour y faire soigner sa blessure au visage. Fabel lui demanda s'il voulait porter plainte pour les blessures infligées lors de son arrestation.

Olsen avait ricané.

– C'est comme la dame a dit, je suis tombé.

Ce qui n'avait pas été prévu, c'était que l'avocat d'Olsen sorte d'un entretien de vingt minutes avec son client pour déclarer qu'Olsen souhaitait collaborer pleinement avec la police et qu'il était en possession d'informations extrêmement importantes qu'il acceptait de communiquer.

Avant de procéder à l'interrogatoire, Fabel rassembla son équipe de seniors. Anna Wolff, cheveux ébouriffés et lèvres peintes, portait ses habituels jean et veste en cuir, mais visiblement sa jambe blessée la gênait toujours. Werner était assis à son bureau, l'hématome continuant de s'épanouir sous le pansement blanc. Maria était appuyée contre son bureau, dans sa pose habituelle de calme élégant, mais son tailleur pantalon gris était éraflé et déchiré et son poignet portait une attelle.

– Qu'est-ce qui ne va pas, chef ? demanda Anna.

Fabel sourit.

– J'ai besoin d'un d'entre vous pour conduire l'interrogatoire d'Olsen... J'étais simplement en train de me demander lequel était le moins susceptible de tomber de sa chaise et de se casser quelque chose.

— Je le ferai, dit Maria.

— Vu les circonstances, Maria, je pense qu'Olsen parlera plus facilement à quelqu'un avec qui il n'a pas une relation aussi... physique.

— Cela m'exclut alors, déclara Werner avec amertume.

— Anna ? fit Fabel en lui adressant un signe de tête.

— Avec plaisir...

Olsen, l'air grave, était assis face à Fabel et Anna. Son avocat commis d'office était un petit homme au physique de souris qui, pour une raison étrange, avait choisi de porter un costume gris insipide qui accentuait l'absence de couleur de son teint. Installé à côté de la masse d'Olsen, le petit homme semblait appartenir à une autre espèce. Le visage d'Olsen était méchamment contusionné, la chair bouffie autour de l'entaille suturée et bandée de sa joue. L'homme-souris parla en premier.

— Herr Kriminalhauptkommissar, j'ai eu la chance de m'entretenir longuement avec Herr Olsen au sujet des crimes à propos desquels vous souhaitez l'interroger. Permettez-moi d'aller droit au fait. En ce qui concerne le meurtre de Laura von Klosterstadt, mon client est innocent et il en est de même pour les meurtres de toute autre personne. Il admet avoir pris la fuite alors qu'il aurait dû fournir à la police des informations primordiales, mais, comme vous allez le comprendre, il avait de bonnes raisons de craindre que sa version ne soit pas jugée crédible. De plus, il admet avoir agressé le Kriminaloberkommissar Meyer et la Kriminaloberkommissarin Klee dans l'accomplissement de leur devoir, mais il souhaiterait dans ces deux cas qu'on fasse preuve d'indulgence à son égard, sachant que Herr Olsen ne désire pas porter plainte pour l'enthousiasme dont a fait preuve Frau Klee lors de son arrestation.

— C'est tout ? grogna Anna. Trois officiers de police ont été blessés en essayant de coincer l'Incroyable Hulk ici présent, nous avons des preuves absolues qui placent votre client sur la scène du double meurtre, ainsi qu'une expérience de première main de son tempérament psychotique, et vous espérez sérieusement négocier parce qu'il a récolté une égratignure alors qu'il résistait violemment à son arrestation ?

L'avocat d'Olsen ne répondit pas mais regarda Fabel d'un air suppliant.

— D'accord, dit Fabel. Écoutons ce que vous avez à nous dire, Herr Olsen.

L'avocat acquiesça. Olsen se pencha en avant, les coudes appuyés sur la table. Il fit un geste de ses deux mains toujours menottées. Fabel nota combien elles était énormes et puissantes. Comme celles de Weiss. Mais elles lui rappelaient également quelqu'un d'autre qu'il ne pouvait déterminer pour le moment.

— Bon, tout d'abord, je n'ai tué personne, déclara Olsen en se tournant vers Anna Wolff. Et je ne peux rien contre mon tempérament. C'est un état. Je souffre d'une sorte de trouble génétique. Cela peut me faire perdre mon sang-froid, parfois. Méchamment.

— Le syndrome XYY ? demanda Fabel.

— Cela m'a toujours attiré plein d'ennuis. Quelqu'un me met en colère et je deviens cinglé. Je n'y peux rien.

— C'est ce qui s'est passé avec Hanna Grünn ? demanda Anna. Vous avez perdu votre sang-froid, méchamment, avec elle et Markus Schiller ?

Avant qu'Olsen puisse répondre, Anna fit glisser quelques clichés d'une enveloppe et plaça une série de quatre photos sur la table devant Olsen, comme si elle distribuait des cartes. On y voyait les corps de Hanna Grünn et de Markus Schiller. Ensemble et séparés. Fabel observa le visage d'Olsen pendant qu'Anna disposait les clichés. Le géant grimaça. Les grosses mains menottées commencèrent à trembler.

— Oh bordel ! dit Olsen d'une voix tremblotante. Oh, bordel ! Je suis désolé. Oh mon Dieu, je suis désolé.

Ses yeux brillaient de larmes.

— Y a-t-il quelque chose que vous souhaiteriez nous

dire, Peter ? demanda Fabel d'une voix calme, presque apaisante. Pourquoi avez-vous fait cela ?

Olsen secoua violemment la tête. Une larme s'échappa du coin de l'œil et dévala jusqu'au bandage de sa joue. Regarder ce géant pleurer était assez troublant, étant donné sa masse et ses traits grossiers.

– Je ne l'ai pas fait. Je n'ai pas fait ça.

Anna exposa deux autres clichés. Des comparaisons forensiques d'une empreinte de botte et d'une trace de pneu.

– Vos bottes. Votre moto. Vous étiez là-bas. C'est vous qui avez fait ça. Vous ne pouviez pas pardonner à Hanna, hein ? Elle voulait changer pour mieux, alors elle a largué le gros singe couvert de graisse pour un gros portefeuille. Vous n'avez pas pu le supporter, hein ?

– J'étais tellement jaloux. Je l'aimais, mais elle ne faisait que se servir de moi.

Anna s'avança avec impatience.

– Vous avez dû les surveiller pendant des semaines. Les regarder baiser dans sa voiture de luxe. Vous, tapi dans les ombres, dans les arbres. À observer et planifier et fantasmer sur la manière de leur faire subir ce qu'ils méritaient. J'ai raison ?

Les énormes épaules d'Olsen s'affaissèrent. Il acquiesça, sans un mot. Anna ne lui laissa aucun répit.

– Alors vous l'avez fait. Vous leur avez vraiment fait subir ce qu'ils méritaient. Je comprends. Je comprends vraiment, Peter. Mais pourquoi les autres ? Pourquoi la fille sur la plage ? Le mannequin ? Pourquoi le représentant ?

Olsen se sécha les yeux du revers des mains. Une expression plus dure, plus déterminée, traversa son visage.

– Je ne sais pas de quoi vous parlez. Je n'ai tué personne. Tout ce que vous avez dit au sujet de Hanna et de ce branleur de Schiller est vrai. Je voulais leur faire peur. Leur fiche la trouille. Mais c'était tout.

– Mais vous vous êtes laissé emporter, c'est ça ? demanda Anna. Vous avez admis que vous ne pouvez pas vous contrôler. Ce n'est pas votre faute. Vous vouliez juste leur faire peur mais vous avez fini par les tuer. C'est quelque chose dans ce genre qui s'est passé ?

Non, pensa Fabel. Ce n'est pas ça. Les meurtres ne montraient aucune trace de rage ni de perte de contrôle. Ils indiquaient la préméditation. Il jeta un regard à Anna qui comprit le message, se rasseyant à contrecœur sur sa chaise.

— Si vous ne les avez pas tués, ni n'avez même pas eu la chance de les tabasser, dit Fabel, alors pour quelle raison êtes-vous désolé ?

Olsen semblait concentré sur la photo de Hanna Grünn, la gorge tranchée. Quand il en arracha son regard pour fixer Fabel, ses yeux étaient pleins de douleur, suppliants.

— Je l'ai vu. Je l'ai vu. J'ai vu cet homme et je n'ai rien fait pour l'arrêter.

Un frisson parcourut la nuque de Fabel.

— Qu'avez-vous vu, Peter ? De qui parlez-vous ?

— Je ne les ai pas tués. Ce n'est pas moi qui ai fait ça. Je ne m'attends pas à ce que vous me croyiez. C'est pour ça que j'ai fui. Je ne sais même pas de quoi vous parlez à propos de ces autres meurtres. Mais oui, j'étais là quand Hanna et Schiller ont été tués. J'ai tout vu. J'ai vu et je n'ai rien fait.

— Pourquoi, Peter ? Vous vouliez qu'ils meurent ?

— Non, Seigneur, non ! dit-il en fixant Fabel. J'avais peur. J'étais terrifié. Je ne pouvais pas bouger. J'étais sûr que s'il se rendait compte de ma présence, il viendrait me chercher moi aussi.

Fabel observa Olsen. Ses énormes mains. La masse de ses épaules. Il était difficile d'imaginer que quoi que ce soit ou qui que ce soit puisse l'effrayer. Pourtant il avait été terrifié. Il avait eu peur pour sa vie. Et il revivait cette peur, juste là, en face d'eux.

— Qui était-ce, Peter ? Qui les a tués ?

— Je ne sais pas. Un homme grand. Aussi grand que moi, peut-être plus, dit-il en regardant de nouveau Anna Wolff. Tout ce que vous avez dit est vrai. Je les ai observés. J'attendais pour leur fiche la trouille. Je voulais flanquer une vraie raclée à Schiller. Mais je n'allais tuer personne. Je ne sais pas, peut-être que si j'avais perdu les pédales, j'aurais pu tuer Schiller. Mais jamais Hanna. Peu importe ce qu'elle m'a fait. De toute façon, j'avais prévu quelque chose de mieux. J'allais tout raconter à la femme de Schiller. Elle aurait tout arrangé bien proprement et Hanna aurait compris à quel point l'autre était prêt à quitter sa femme pour elle. Je voulais que Hanna se sente utilisée. Je voulais qu'elle ressente ce que j'avais ressenti.

— Très bien, Peter, dites-nous ce qui s'est passé.

— Je me suis caché dans les bois et je les ai attendus. Elle est arrivée en premier, puis lui. Mais avant que j'aie le temps de faire quoi que ce soit, j'ai vu quelque chose sortir des bois. Je n'ai pas pensé que c'était un homme au début. Il était sacrément grand. Tout habillé en noir avec un masque sur le visage. Comme un masque pour une fête de gosses. Une sorte d'animal... un ours ou un renard. Peut-être un loup. Le truc paraissait vraiment petit sur lui. Trop petit. Et tout tendu. Ce qui le rendait encore plus effrayant. Il a surgi de l'ombre et il s'est avancé simplement vers la voiture ; ils se trouvaient alors tous les deux dans la voiture de Schiller, et il a tapé sur la vitre. Schiller a ouvert. Je ne pouvais pas bien entendre, mais j'ai eu l'impression que Schiller s'énervait et se mettait à crier. Apparemment il n'aimait pas être interrompu. Ensuite c'est comme s'il avait vu ce grand type, avec le masque sur la figure et tout ça. Je ne comprenais pas ce que disait Schiller mais il avait l'air effrayé. Le grand type en noir se tenait là et écoutait. Il ne disait rien. Puis c'est arrivé. Je ne pouvais pas le croire. Le bras du grand type s'est levé brusquement au-dessus de lui et j'ai vu la lune se refléter sur quelque chose. Comme une grande lame. Puis il l'a abattue par la fenêtre ouverte de la voiture. J'ai entendu Hanna crier mais je ne pouvais rien faire. J'avais peur. J'avais la trouille de ma vie. Je peux affronter n'importe qui mais je savais que s'il se rendait compte de ma présence, le grand type se serait aussi occupé de moi.

Olsen s'interrompit. Ses yeux se remplirent à nouveau de larmes.

– Il était si calme. Lent même. Je cherche le mot. Méthodique ? Il était méthodique. Comme s'il avait tout le temps. Il a juste contourné la voiture, toujours aussi calme, il a ouvert la portière et il a traîné Hanna hors de la voiture. Elle criait. Pauvre Hanna. Je n'ai rien fait. J'étais cloué sur place. Vous devez me comprendre, Herr Fabel, je savais que je mourrais. Je ne voulais pas mourir.

Fabel acquiesça comme s'il comprenait. Olsen ne craignait aucun homme mais il y avait quelque chose de surhumain, ou de moins qu'humain, dans la personne qu'il décrivait.

– Il la tenait par la gorge, continua Olsen dont la lèvre inférieure tremblait. D'une main. Elle pleurait et le suppliait, et le suppliait encore de ne pas lui faire de mal. De ne pas la tuer. Il se contentait de rire. C'était un rire horrible. Froid et vide. Puis il a dit : « Je vais te tuer maintenant », comme ça. « Je vais te tuer maintenant », tranquillement, pas comme s'il était en colère ou comme s'il la haïssait ou autre chose. Il l'a appuyée contre le capot de la voiture, presque doucement. Puis il a passé la lame sur sa gorge. Vraiment lentement. Volontairement. Soigneusement. Après, il est resté là à regarder les corps, comme si rien ne pressait, comme s'il ne craignait pas d'être surpris par quelqu'un. Il se tenait là et il les regardait. Parfois, il bougeait un peu sur le côté et les regardait encore. Après, il a traîné le corps de Schiller dans les bois.

– Vous n'êtes pas allé voir si Hanna était encore en vie ? demanda Anna.

Olsen secoua la tête.

– J'avais trop peur. De toute façon, je savais qu'elle était morte. J'ai attendu que le grand homme en noir disparaisse dans les bois avec le corps de Schiller. Puis j'ai rampé jusqu'à l'endroit où j'avais caché ma moto. Je l'ai poussée sur le sentier sur une bonne centaine de mètres. Je ne voulais pas qu'il m'entende la démarrer. Puis j'ai filé aussi vite que j'ai pu. Je ne savais pas quoi faire. J'étais sûr qu'aucun de vous ne croirait mon histoire, alors j'ai décidé de continuer comme si de rien n'était. Sincèrement, j'ai cru que c'était le seul moyen de rester en dehors de tout ça.

Mais sur le chemin du retour, je me suis arrêté à une station-service sur l'autoroute et j'ai appelé la police. J'ai pensé que vous auriez peut-être une chance de le coincer encore sur les lieux, il ne semblait pas pressé. Je pensais que si vous le preniez là-bas, cela me sortirait d'affaire.

Anna inséra une cassette dans le magnétophone et appuya sur le bouton Play. C'était l'enregistrement de l'appel reçu par le Central de communications de la police. La voix était tendue par le choc, mais, aucun doute, c'était bien celle d'Olsen qui expliquait à la police où trouver les corps.

— Vous confirmez que c'est votre voix ? demanda Anna.

Olsen acquiesça et jeta à Fabel un regard implorant.

— Je ne l'ai pas fait. Je jure que ce n'est pas moi. Je vous ai dit la vérité. Mais je ne m'attends pas une seconde à ce que vous me croyiez.

— Peut-être que je vous crois, dit Fabel. Mais il y a beaucoup d'autres questions auxquelles vous devez répondre, et nous avons toujours des raisons de vous poursuivre.

Fabel lança un regard à l'avocat à l'allure de souris qui acquiesça en retour.

— La Kriminalkommissarin Wolff va vous interroger au sujet des autres meurtres. Ce que vous savez des victimes.

Fabel se leva et s'appuya sur la table.

— Vous êtes toujours dans de sales draps, Herr Olsen. Vous restez la seule personne que nous puissions identifier comme s'étant trouvée sur la scène de crime et vous avez un mobile. Je vous suggère de répondre honnêtement à toutes les questions de Frau Wolff.

Quand Fabel quitta la pièce, Anna s'excusa auprès de l'avocat d'Olsen pour rejoindre son patron dans le couloir.

— Vous le croyez ? demanda-t-elle quand ils furent seuls.

— Oui. Oui, je le crois. Il y a toujours eu quelque chose à propos d'Olsen qui ne collait pas. Ces meurtres n'étaient pas des crimes passionnels. Quelqu'un planifie avec soin pour réaliser ses terrifiants fantasmes psychotiques.

– Vous croyez vraiment qu'Olsen puisse avoir peur d'un autre homme ? Il s'est attaqué à Werner qui n'est pas un poids plume.

– C'est vrai. Mais, encore une fois, je crois qu'Olsen a plus à craindre de Maria que de Werner.

Il y avait une once de désapprobation dans le sourire de Fabel.

– J'espère que vous ne lui donnez pas des cours, Anna.

Anna lui adressa un regard vide, comme si elle n'avait pas compris. Fabel l'avait déjà avertie par deux fois concernant son comportement agressif.

– Peu importe, répondit-elle. Je ne crois pas que l'histoire d'Olsen à propos de ce grand homme sinistre suffise pour le mettre hors d'affaire. Nous n'avons que sa parole.

– J'incline à le croire. Il avait peur là-bas, au Naturpark, il avait peur pour sa vie. Notre tueur est obsédé par les contes de Grimm... eh bien, c'est de cela dont Olsen avait peur, pas seulement de l'homme, pas seulement d'un autre cogneur bien costaud avec lequel il pourrait s'expliquer à coups de poing. Olsen était seul, dans le noir, dans les bois, et il a vu quelque chose sortir des ténèbres de la forêt, quelque chose qui n'avait pas l'air complètement humain. C'est de ça qu'il a eu peur, du croquemitaine, de l'ogre, du loup-garou. Je ne parvenais pas à comprendre pourquoi Olsen était trop effrayé pour agir mais la vérité, c'est que là-bas, il n'était pas la brute massive que nous avons dans la salle d'interrogatoire : c'était un petit garçon qui faisait un cauchemar après avoir écouté une histoire effrayante. C'est ce que cherche notre tueur. C'est pour cette raison qu'il réussit : il transforme ses victimes en enfants apeurés.

Fabel marqua une pause. Il désigna la porte fermée de la salle d'interrogatoire d'un mouvement de tête.

– De toute façon, on saura bien assez tôt s'il nous dit la vérité, Anna. En attendant, voyez ce que vous pouvez tirer de lui.

Anna retourna dans la salle et Fabel se dirigea vers le bureau de la Mordkommission. Quelque chose le titillait.

Une pensée tapie dans un coin peu éclairé de son esprit, hors d'atteinte.

Assis dans son bureau, il demeura immobile et calme à regarder le Winterhuder Park par la fenêtre. Hambourg s'étirait, basse et large sur l'horizon. Fabel s'efforça de vider son esprit de tout ce fatras de détails, de ces milliers de mots, entendus et lus, concernant cette affaire, des panneaux d'enquête, des photos de scènes de crime. Il contempla la soie bleue et blanche glisser au-dessus de la ville. Quelque part, il le savait, il existait une vérité centrale qui attendait d'être révélée. Quelque chose de simple. Quelque chose de pur et de cristallin, aux contours nets et définis.

Les contes. Tout était lié aux contes et à deux frères qui les avaient collectés. Deux frères rassemblant du matériau de recherche philologique, en quête de « la voix véritable et originelle des peuples de langue allemande ». Ils avaient été mus par un amour de leur langue et un fervent désir de préserver la tradition orale. Mais plus encore, ils avaient été des patriotes, des nationalistes. Ils avaient entrepris leurs recherches à une époque où l'Allemagne était une idée, pas une nation, à l'époque où les seigneurs pro-napoléoniens cherchaient à éradiquer les cultures locales ou régionales.

Mais les Grimm avaient changé de voie. Quand le premier recueil de contes avait été publié, ce n'est pas l'académie allemande qui y avait répondu avec un enthousiasme submergeant et qui avait acheté l'ouvrage en grandes quantités, c'étaient les gens ordinaires. Ceux-là mêmes dont les frères Grimm s'étaient efforcés de recueillir la voix. Et, par-dessus tout, c'étaient des enfants. Jacob, le chercheur de la vérité philologique, avait souscrit aux souhaits de Wilhlem et ils avaient édulcoré les contes pour leur deuxième parution, les embellissant parfois même jusqu'à en doubler la longueur. Fini Hans Dumm, qui pouvait rendre une femme enceinte d'un seul regard. Et Raiponce, enceinte mais candide, ne demandait plus pourquoi ses vêtements ne lui allaient plus. La Belle au bois dormant n'était plus violée alors qu'elle reposait, dans un sommeil imperturbable et magique. Et la douce Blanche-Neige, qui devenait reine à la fin de l'histoire originale, ne demandait plus qu'on oblige sa méchante marâtre à chausser des souliers faits d'acier chauffé au rouge et à danser jusqu'à ce que mort s'ensuive.

La vérité. Les frères Grimm avaient recherché la voix véritable du peuple allemand et ils avaient créé leurs propres simili-fictions. Et était-ce de toute façon une voix authentiquement allemande ? Comme Weiss l'avait souligné, les contes français, italiens, scandinaves, slaves et d'autres encore trouvaient tous écho dans les histoires et les fables que les Grimm avaient collectées. Était-ce cela que le tueur recherchait ? La vérité ? Transformer la fiction en réalité, tel le Jacob Grimm fictif du roman de Weiss ?

Fabel s'approcha de la fenêtre pour contempler les nuages. Il n'y arrivait pas. Le tueur ne se contentait pas seulement de parler à Fabel, il lui criait au visage. Et Fabel n'entendait pas.

On frappa à la porte. Werner entra, un dossier dans ses mains gantées de latex. Fabel y jeta un regard interrogateur.

— En plus de ce que Weiss t'a donné, j'ai également parcouru des sacs entiers de courriers de fans envoyés à son éditeur. Il m'a fait porter un an environ de correspondance et j'ai déjà lu les six derniers mois. Je suis tombé sur plus d'une lettre de cinglé avec qui j'aimerais bien bavarder, déclara Werner.

Il ouvrit le dossier et s'empara avec précaution du coin d'une feuille.

— Puis j'ai trouvé ça...

Il sortit la feuille du dossier. Fabel fixa le document. La lettre que Werner lui présentait était rédigée d'une écriture minuscule à l'encre rouge sur une feuille de papier jaune.

Holger Brauner avait confirmé que le papier était identique à celui des notes, toutes découpées dans la même feuille, trouvées dans les mains des victimes. Sa première intuition avait été la bonne : le papier était d'une marque grand public qui était vendue dans les supermarchés, les boutiques de matériel de bureau et d'informatique dans tout le pays. Impossible de définir où ce papier avait été acheté. L'écriture correspondait également, et l'analyse chimique de l'encre rouge ne révélerait aucune surprise. Ce qui avait le plus excité Fabel dans la découverte de Werner, c'était qu'il s'agisse d'une lettre. Un courrier de fan. Pas une pièce oubliée sur le lieu du crime. Le tueur n'avait peut-être pas pris toutes les précautions pour éviter des empreintes sur cette lettre. Mais Fabel allait être déçu : il n'y avait aucune trace d'ADN, pas la moindre empreinte digitale sur le papier, ni rien d'autre permettant de remonter la piste vers son auteur.

Quand il avait écrit à Weiss, il savait déjà qu'il allait tuer. Et il savait aussi que la police finirait par trouver cette lettre.

Brauner avait envoyé quatre exemplaires de la photo de la lettre, agrandie deux fois et demie. Un de ces clichés était à présent punaisé au tableau d'enquête.

Cher Herr Weiss,

Je souhaitais vous contacter pour vous dire combien votre dernier ouvrage, La Route des contes, *m'a enchanté. J'avais hâte de le lire, et je n'ai pas été déçu. D'après moi, c'est une des plus grandes œuvres, un des ouvrages les plus profonds de la littérature allemande.*

À la lecture de votre livre, j'ai compris que vous parliez avec la voix authentique de Jacob Grimm, exactement comme Jacob s'est efforcé de parler avec la voix authentique de l'Allemagne : nos histoires, nos vies et nos peurs ; le bien et le mal en nous. Saviez-vous que W.H. Auden, le poète anglais, a écrit, à une époque où son pays était engagé dans un combat mortel avec le nôtre, que les Contes de Grimm, *avec la Bible, étaient les fondations de la culture occidentale ? Tel est leur pouvoir, Herr Weiss. Tel est le pouvoir de la voix véritable et claire de notre peuple. J'ai entendu cette voix si souvent. Je sais que vous comprenez ce que je veux dire ; je sais que vous aussi entendez cette voix.*

Vous avez beaucoup expliqué de quelle manière les personnes pouvaient devenir des éléments d'une histoire ; croyez-vous que les

*histoires puissent devenir des personnes ? Ou bien que nous
sommes tous une histoire ?*

*Je suis, à ma manière, un créateur de contes. Non, je
m'arroge mon rôle ; je suis plutôt un rapporteur de contes. Je les
expose afin que les autres les lisent et comprennent leur vérité.
Nous sommes frères, vous et moi. Nous sommes Jacob et Wilhlem.
Mais quand vous, comme Wilhlem, rédigez, embellissez et explicitez
la simplicité de ces contes pour plaire à vos lecteurs, moi, comme
Jacob, je cherche à présenter leur vérité lumineuse et crue. Imaginez Jacob, dissimulé à l'extérieur de la maison de Dorothea
Viehmann, à écouter les contes qu'elle ne racontait qu'aux enfants.
Imaginez cette merveille : des contes magiques vieux de plusieurs
siècles, passés de génération en génération. J'ai vécu une expérience similaire. C'est ce que j'exposerai aux yeux de mon public
et qui le remplira du plus grand respect.*

Avec l'amour d'un frère pour l'autre,
Votre frère de contes

Fabel relut la lettre. Elle ne disait rien. Elle n'aurait
même pas éveillé le moindre soupçon de la part de Weiss
ni de son éditeur. C'était un courrier de fan cinglé disser-
tant sur sa propre écriture, pas une lettre de tueur exposant
ses plans pour mettre en scène les contes des Grimm avec
des cadavres bien réels.

– Qui est Dorothea Viehmann ? demanda Werner,
debout près de Fabel, à regarder le cliché agrandi de la
lettre.

– C'était une vieille femme que les Grimm ont découverte, ou plus exactement, que Jacob a découverte, répondit Fabel. Elle vivait en dehors de Kassel. C'était une
conteuse réputée mais elle refusa de raconter une seule de
ses histoires à Jacob Grimm, alors il s'est assis près de sa
fenêtre et a tendu l'oreille pendant qu'elle racontait des
histoires aux enfants du village.

Werner afficha une expression admirative.

– Je me suis cultivé, déclara Fabel en souriant.

Entre-temps, le reste de l'équipe s'était rassemblé et
la pièce s'emplissait du bourdonnement des bavardages

pendant que tous se regroupaient autour de la nouvelle pièce à conviction. Fabel demanda leur attention.

— Cette lettre ne nous apprend rien de plus que nous ne sachions déjà. L'unique information supplémentaire que nous pouvons en tirer, c'est l'aperçu psychologique plus poussé que Frau Doktor Eckhardt parviendra à extirper du contenu de la lettre.

Susanne ne rentrerait pas avant le lendemain, mais Fabel s'était déjà arrangé pour faire parvenir une copie à son attention à l'institut médico-légal. Il avait prévu de l'appeler plus tard chez sa mère pour lui lire ce texte et recueillir sa première réaction.

Henk Hermann leva la main, comme dans une salle de classe.

— Il a signé « Frère de contes » ? demanda-t-il.

— Il se sent de toute évidence intimement lié à Weiss. Mais il se peut qu'il y ait une autre signification. Et je sais qui il nous faut contacter.

— Cette personne serait le tueur lui-même, dit Werner.

— Et il se pourrait bien que ce soit exactement la personne à qui je vais m'adresser, répondit Fabel d'un air lugubre.

Weiss décrocha le téléphone au bout de deux sonneries. Il devait être dans son bureau, à travailler. Fabel lui expliqua qu'ils avaient découvert une lettre qui lui avait été adressée par le biais de son éditeur, et que cette lettre avait de toute évidence été écrite par le tueur. Weiss ne se souvenait pas d'avoir vu ce courrier. Il écouta en silence quand Fabel lui en lut le contenu.

— Et vous êtes persuadé qu'il parle de ces meurtres ? demanda Weiss quand Fabel eut fini.

— Oui. C'est la même personne, aucun doute. Y a-t-il quelque chose dans ce qu'il écrit qui vous paraisse significatif ? La référence à Dorothea Viehmann, par exemple ?

— Dorothea Viehmann ! s'exclama Weiss d'un ton cynique. Les fonts baptismaux de la sagesse populaire allemande que Jacob Grimm vénérait. Tout comme votre psychopathe qui n'est pas très malin, de toute évidence.

– Et il ne devrait pas ?

– Qu'est-ce que nous avons donc tous, les Allemands ? Nous sommes en perpétuelle recherche d'une identité, nous voulons savoir qui nous sommes, et nous finissons invariablement par trouver la mauvaise réponse. Les Grimm vénéraient Viehmann et considéraient ses versions des contes de fées allemands comme parole d'Évangile, presque littéralement. Mais Viehmann était son nom d'épouse. Son nom de jeune fille était Pierson. Française. Les parents de Dorothea Viehmann avaient été chassés de France parce qu'ils étaient protestants, c'étaient des huguenots. Elle clamait que les histoires qu'elle racontait étaient allemandes, qu'elle les avait connues par des voyageurs rencontrés sur la route de Kassel. En vérité, la plupart des histoires qu'elle a transmises aux Grimm étaient françaises d'origine, elles étaient issues de son histoire familiale personnelle. C'étaient les mêmes histoires que Charles Perrault avait collectées en France un siècle environ auparavant. Et elle n'était pas la seule. Il y avait aussi la mystérieuse « Marie » à qui on a attribué l'apport de Blanche-Neige, du Petit Chaperon rouge et de la Belle au bois dormant. Le fils de Wilhelm prétendait que c'était une vieille domestique de la famille. Il s'est avéré qu'il s'agissait d'une jeune femme appelée Marie Hassenpflug, issue également d'une famille française et à qui ses nourrices avaient raconté de nombreuses histoires.

Weiss s'esclaffa.

– Voilà la question qu'il faut se poser, Herr Fabel : est-ce la Belle au bois dormant ou *Dornröschen* ? Est-ce le Petit Chaperon rouge ou *Rotkäppchen* ? Je le répète, nous sommes en perpétuelle recherche de la vérité concernant notre identité et, immanquablement, nous fichons tout en l'air. Nous finissons habituellement par nous appuyer sur des observateurs étrangers pour définir ce que nous sommes.

– Je ne crois pas que notre tueur va aller chercher la petite bête patriotique à ce sujet, répondit Fabel qui n'avait pas le temps pour un nouveau sermon de Weiss. Je veux simplement savoir si vous pensez que la mention du nom de Viehmann a une quelconque signification.

Il y eut un court silence à l'autre bout du fil. Fabel imagina l'auteur dans son bureau, avec tout ce bois sombre et riche qui absorbait la lumière.

— Non, je n'en vois pas. Ses victimes étaient des deux sexes, n'est-ce pas ?

— Oui. Il semble ne pas faire de discrimination.

— Le seul sens que je trouverais à la mention de Dorothea Viehmann, c'est que les Grimm la considéraient véritablement comme l'unique source de la sagesse ancienne. Ils pensaient que les femmes étaient les protectrices de la tradition orale allemande. Si votre tueur focalisait sur les femmes, particulièrement les vieilles femmes, alors peut-être y aurais-je vu un lien.

De nouveau, un silence.

— Une chose pourtant concernant cette lettre me chiffonne. M'ennuie vraiment. C'est sa signature.

— Quoi, « Votre frère de contes » ?

— Oui.

Fabel nota un certain malaise dans la voix de Weiss.

— Comme vous le savez probablement, Jacob est mort quatre ans avant son frère Wilhelm. Ce dernier délivra une oraison funèbre passionnée lors des funérailles de son frère. Il l'y appelait son Frère de contes. Merde, Fabel, ce cinglé croit que lui et moi sommes dans le même bateau.

Fabel inspira profondément. Depuis le début, il avait senti un partenariat derrière ces meurtres. Et Weiss avait été ce partenaire. Seulement, Weiss n'en savait rien.

— Oui, Herr Weiss. Je crois que c'est ce qu'il pense. Vous savez, à propos de votre théorie sur le fait de rendre la fiction réelle ? D'autoriser les gens à vivre dans vos histoires ?

— Oui. Et alors ?

— Eh bien, il me semble que vous faites partie de l'histoire qu'il est en train d'écrire.

50

Mercredi 21 avril, 9 h 45 – Institut médico-légal, Eppendorf, Hambourg.

Fabel détestait la morgue.

Il détestait assister aux autopsies. Ce n'était pas seulement par répulsion à l'égard du sang – une réalité dont témoignait le soulèvement nauséeux qui naviguait entre son estomac et sa poitrine –, cela tenait plus de l'impossibilité d'expliquer comment un être humain, le centre de son univers vaste et complexe, devenait subitement de la viande. Il détestait affronter l'immobilité même du mort, la soudaine destruction de la personnalité, totale et irrévocable. Dans chaque affaire de meurtre, Fabel s'efforçait de garder en tête une image vivante de la victime, comme si il ou elle était toujours en vie, bien que dans quelque pièce lointaine. Pour lui, c'était quelqu'un à qui l'on avait fait du tort et pour qui il était en quête d'une forme de justice, de réparation. Même se rendre sur la scène de la mort, ou voir des photos des blessures fatales, ne portait pas atteinte à cette intégrité en tant que personne. Alors que regarder le contenu de l'estomac d'un homme servi à la louche dans une balance transformait cette personne en cadavre.

Möller était en forme. Il jeta à Fabel son regard dédaigneux quand celui-ci pénétra dans la salle d'examen. Il portait encore sa combinaison d'autopsie bleue et son tablier en plastique gris clair maculé de sang, et nettoyait au jet la table d'autopsie en acier inoxydable d'un air absent. Quelque chose flottait dans l'air pourtant. Fabel avait depuis longtemps découvert que les morts ne hantaient pas seulement par leur esprit mais également par leurs odeurs. Möller venait apparemment de clore son voyage au travers de la masse et de la matière : l'autopsie de ce qui avait été autrefois un être humain répondant au nom de Bernd Ungerer.

— Intéressant, lâcha le légiste.

Il observait vaguement l'eau rose tourbillonner en emportant avec elle les dernières traces de sang.

— Celui-ci est très intéressant.

— Comment ça ? demanda Fabel.

— Les yeux ont été extraits post-mortem. La cause du décès est un coup de couteau unique porté à la poitrine. Classique, vraiment, sous le sternum, angle tourné vers le haut et droit au cœur. Votre gentleman a donné un tour à la lame, dans le sens des aiguilles d'une montre, presque à 45 °. Le cœur a été immédiatement dévasté. La victime a dû mourir en quelques secondes. Au moins, le type n'a pas beaucoup souffert et ne s'est peut-être même pas rendu compte qu'on lui avait arraché les yeux. Opération effectuée à mains nues, au fait. Aucune trace de l'utilisation d'un quelconque instrument.

Möller ferma l'eau et s'appuya contre le bord de la table.

— Aucune blessure de défense. Aucune autre blessure. Pas d'entaille ni de coupure sur les mains ou les avant-bras. Aucune trace de trauma. Ou de lutte précédant la mort.

— Ce qui signifie que notre victime a été totalement prise par surprise ou qu'elle connaissait son meurtrier, ou même les deux.

Möller se redressa.

— Ça, c'est votre boulot, Herr Hauptkommissar. Je rapporte les faits, vous tirez les conclusions. Mais il y a bon nombre d'autres choses concernant ce gentleman que vous pourriez trouver intéressantes.

— Oh ?

Fabel sourit avec patience, résistant à la tentation de demander à Möller de cracher le morceau.

— Pour commencer, les cheveux de Herr Ungerer

étaient devenus gris de façon précoce. Il se les teignait en noir, au contraire de notre cher chancelier, bien entendu. Mais c'est ce que j'ai trouvé sous le cuir chevelu qui m'a encore plus intéressé. Votre tueur n'a pas véritablement abrégé la vie de Herr Ungerer. Il a juste devancé la faucheuse de quelques mois.

— Ungerer était malade ?

— En phase terminale. Mais il se pourrait très bien qu'il ne l'ait même jamais su. J'ai découvert un gliome important dans son cerveau. Une tumeur. D'après sa taille, on peut penser qu'elle grossissait depuis un bon bout de temps. Sa position m'amènerait à croire que les symptômes aient pu être trompeurs.

— Vous pouvez savoir s'il était traité pour cette tumeur ?

— Non, pas d'après ce que j'en ai vu. Je n'ai relevé aucune trace de traitement contre le cancer dans le système, ni de cortisone, qui est normalement prescrite en de tels cas pour soulager le gonflement des tissus cérébraux. Plus important encore, il n'y avait aucune trace d'acte chirurgical, qui est pourtant la première mesure de défense contre ce type de tumeur. J'ai besoin d'une histologie complète du gliome, mais je peux déjà avancer que c'est un astrocytome, une tumeur primaire. Et parce que c'était une tumeur primaire, il n'y avait pas d'autres signes susceptibles d'alerter son médecin. Les tumeurs au cerveau sont plus souvent secondaires à d'autres cancers installés dans le corps, mais pas ce bébé-là. Et voilà une dernière pensée terrifiante pour vous, il avait l'âge adéquat. Les hommes dans la quarantaine sont la cible privilégiée de ces tumeurs primaires agressives.

— Mais il devait sûrement avoir des symptômes... Des migraines ?

— Probablement, mais pas nécessairement. Ces tumeurs-là n'ont nulle part où aller. C'est la seule partie du corps qui soit complètement enfermée dans l'os. Donc plus la tumeur grossit, plus la pression à l'intérieur du crâne et sur les tissus cérébraux sains s'intensifie. Cela peut causer de douloureuses migraines qui s'accentuent en position allongée, mais pas toujours. Je vous le répète, la tumeur de Herr Ungerer, malgré sa croissance rapide, était localisée de telle manière que les dommages étaient infligés graduellement. Ce qui signifie que les symptômes pouvaient être moins perceptibles.

— Comme ?

— Des changements de personnalité. Des changements de comportement. Il a pu perdre son odorat, ou bien subitement sentir des odeurs âcres qui n'existaient pas. Il a pu ressentir des picotements le long d'un côté de son corps, ou bien avoir des nausées. Un autre symptôme banal aurait pu être des vomissements subits sans nausée préalable.

Pendant un moment, Fabel réfléchit à ce que Möller venait de lui apprendre. Il se souvint de ce que Maria avait rapporté de sa conversation avec Frau Ungerer, de quelle manière elle avait décrit son changement de personnalité. Comment son appétit sexuel était devenu insatiable ; comment un mari aimant et fidèle était devenu un coureur de jupons libidineux et un fervent pratiquant de l'adultère. Comment il s'était transformé en Barbe bleue. À écouter Maria décrire la cave interdite contenant le coffre, des cristaux de glace s'étaient formés dans les veines de Fabel. Un nouveau lien avec les contes de fées, sinon que Barbe bleue était un conte de Perrault, mais il possédait un équivalent allemand chez les Grimm. Ce tueur connaissait Ungerer. Ou, au moins, il en savait assez pour voir en lui un choix idéal collant à son thème.

— Cela aurait pu se manifester dans le comportement sexuel de la victime ?

Et il expliqua à Möller ce qu'ils savaient du changement dramatique d'Ungerer.

— C'est possible, répondit Möller. S'il y a eu un changement aussi spectaculaire que celui que vous me décrivez, alors je dirais que la relation avec la tumeur n'est pas fortuite mais que ce peut être en effet une conséquence. Nous pensons que le sexe est une affaire physique. Ce n'est pas vrai. Dans l'animal humain, tout se passe là.

Möller tapota sa tempe.

– Changez la structure du cerveau ou sa chimie, et il est fort probable que la tumeur de la victime a changé les deux, et toutes sortes de bouleversements de la personnalité et du comportement peuvent survenir. Donc oui, il est tout à fait possible que cela ait transformé votre homme, marié, axé sur la famille, et sexuellement moral, en un loup libidineux.

Le soleil d'avril brillait joyeusement sur Hambourg quand Fabel prit le chemin du Präsidium. La ville avait l'air lumineuse et fraîche, impatiente de voir l'été venir. Mais il ne perçut rien de tout ça. Il n'était conscient que de la présence sombre et menaçante d'un psychopathe en quête d'une sorte de vérité culturelle et littéraire, un homme qui tuait et mutilait. Il se rapprochait. Il était si proche que Fabel pouvait presque le sentir.

51

En bataillant pour enfiler le costume, Linna Ritter décida qu'elle devenait trop vieille pour ça. Cela faisait bientôt quinze ans que c'était son métier. À trente-quatre ans, cela suffisait. Après tout, c'était un rôle pour des femmes plus jeunes. Elle était de plus en plus obligée de se spécialiser, de satisfaire les goûts les plus bizarres et exotiques de clients particuliers. Le rôle de dominatrice correspondait mieux à son âge. De toute façon, la plupart du temps, cela n'impliquait pas de rapport sexuel : il fallait donner des ordres à un homme d'affaires gras pendant une demi-heure, le fesser s'il tardait trop à obéir pour ensuite lui crier combien il était mauvais et comment il vous mettait en colère pendant qu'il se branlait. Cela payait raisonnablement bien, les risques pour la santé étaient moindres et ses clients, en guise de punition, se chargeaient de faire son ménage à sa place. Ce soir, pourtant, le boulot serait plus dur. Le type qui l'avait réservée lui avait donné un beau paquet de cash en acompte. Puis il avait pris son rendez-vous pour ce soir, avec des instructions précises concernant le costume qu'il lui apporterait. Elle savait, d'après ce foutu déguisement ridicule, qu'elle n'allait pas être le partenaire dominant cette fois. Elle s'était déjà résignée à baiser avec le grand type.

Il était arrivé pile à l'heure et, maintenant, il patientait dans la chambre pendant qu'elle se glissait en se tortillant dans le costume qu'il avait apporté. Le déguisement avait été de toute évidence destiné à une femme faisant une taille ou deux de moins que Lina. Les choses que devaient faire les filles pour vivre ! Elle avait oublié à quel point son client était imposant. Imposant mais calme. Presque timide. Il ne lui poserait pas de problème.

Lina entra dans la chambre et tourna sur elle-même.

— Tu aimes ? demanda-t-elle en s'immobilisant soudain : Oh... je vois, toi aussi, tu as un déguisement spécial...

Il se tenait debout près du lit. Il avait éteint les lumière à l'exception de la lampe de chevet dans son dos qui détourait la moitié de sa silhouette. Tout dans la pièce sembla rétrécie par sa masse sombre. Il portait un petit masque de caoutchouc, comme un masque d'enfant, représentant la gueule d'un loup. Les traits de l'animal étaient déformés tant le minuscule masque était tendu par le visage trop grand. Puis Lina s'aperçut qu'il n'était pas vêtu d'une combinaison moulante comme elle avait pu le penser, mais que son corps tout entier, des chevilles à la gorge, le long des bras jusqu'aux poignets, était couvert de tatouages. Des mots. Tracés en vieille écriture d'avant-guerre. Il était debout, imposant et silencieux, avec ce masque stupide et son corps couvert de tatouages, la lumière dans son dos. Lina avait peur à présent. Puis il parla.

— Je t'ai apporté un cadeau, Gretel, dit-il d'une voix assourdie par le masque de caoutchouc.

— Gretel ? demanda Lina en parcourant des yeux son costume, celui qu'il lui avait apporté. Ce n'est pas un déguisement de Gretel. J'ai mal compris ?

La tête derrière le masque trop petit s'agita lentement. Il tenait une boîte bleu vif fermée d'un ruban jaune.

— Je t'ai apporté un cadeau, Gretel.

— Oh... oh, merci. J'adore les cadeaux.

Lina exécuta ce qu'elle considérait être une révérence coquette avant de prendre la boîte. Elle fit de son mieux pour apaiser le tremblement de ses doigts tandis qu'elle dénouait le ruban.

– Voyons... Qu'est-ce que c'est ? dit-elle en soulevant le couvercle de la boîte pour jeter un œil à l'intérieur.

Quand le cri de Lina fendit l'air, le géant avait déjà traversé la pièce pour la rejoindre.

52

Fabel, debout devant le tableau d'enquête, s'appuya à la table. Il fixait le tableau mais n'y voyait pas ce qu'il voulait, ce qu'il avait besoin d'y voir. Werner, assis sur un coin de la table, était la seule autre personne présente dans la pièce. Ses larges épaules étaient affaissées. La peau pâle de son visage accentuait les couleurs vives de son héma-tome.

– Je pense que tu devrais rentrer chez toi, déclara Fabel. C'est ton premier jour et tu as l'air fatigué.

– Ça va, dit Werner sans grande conviction.

– On se voit demain.

Fabel regarda Werner quitter la pièce avant de se tour-ner de nouveau vers le tableau. Le tueur avait fait référence au fait que Jacob Grimm avait acquis la sagesse du folklore auprès de Dorothea Viehmann. Qu'il avait vécu une expérience similaire. Avec qui ? Qui lui avait raconté ces contes ?

Il parcourut du regard les photos de Weiss, d'Olsen et de Fendrich punaisées au tableau. Des vieilles femmes. Des mères. Weiss avait une mère italienne influente. Il ne savait rien de la famille d'Olsen, mais Fendrich avait entretenu une relation proche avec sa mère jusqu'à la mort de celle-ci. Et elle était décédée peu de temps avant le commencement des meurtres. Weiss et Olsen semblaient maintenant libérés des soupçons de Fabel. Il ne restait donc que Fendrich.

Mais dès qu'on y regardait d'un peu plus près, cela ne collait pas. Fabel observa les photos des trois hommes. Trois hommes aussi différents qu'il était possible de l'être. Et aucun d'eux ne semblait être le tueur. Fabel prit conscience de la présence d'Anna à côté de lui.

— Salut, Anna. Vous avez fini avec Olsen ? demanda-t-il.

Elle secoua la tête avec impatience et brandit la photo de la dernière victime, Bernd Ungerer énucléé.

— Il y a un lien.

Sa voix était tendue par une excitation maîtrisée.

— Olsen a reconnu Ungerer. Il le connaît.

Olsen était toujours assis dans la salle d'interrogatoire mais son comportement, tout son langage corporel, avait changé. Il était maintenant impatient, plus agressif. Son avocat, cependant, avait l'air moins joyeux. Après tout, cela faisait presque quatre heures qu'ils étaient enfermés avec Anna la tenace.

— Vous réalisez, Herr Kriminalhauptkommissar, qu'en essayant de vous aider dans votre enquête, mon client risque de s'incriminer encore plus.

— Écoutons juste ce que Herr Olsen a à nous dire de sa relation avec Herr Ungerer.

— Je n'avais aucune relation avec Ungerer, répliqua Olsen. Je l'ai vu une ou deux fois. Il était représentant. C'était un connard obséquieux.

— Où l'avez-vous vu ? demanda Anna.

— Au Fournil Albertus. Il vendait du matériel italien super sophistiqué. De la merde dernier cri. Cela faisait des mois qu'il tournait autour de Markus Schiller, à essayer de le convaincre d'acheter de nouveaux fours. Schiller et lui s'entendaient vraiment bien, un beau duo de salopards puants. Ungerer invitait toujours Schiller à des déjeuners clients, ce genre de truc. Il s'adressait à la mauvaise personne, à mon avis. C'était la femme de Schiller qui décidait tout. Qui tenait le fric, et, d'après ce que j'en sais, toutes les billes.

— Où et quand exactement avez-vous dit l'avoir vu ?

— Je l'ai juste vu une ou deux fois en passant chercher Hanna au fournil.

— Vous semblez avoir rassemblé pas mal d'informations le concernant si l'on considère que vous l'avez juste vu en passant.

— C'est Hanna qui m'a tout raconté à son sujet. Il lui faisait toujours les yeux doux. Chaque fois qu'il venait. Il était marié et tout ça mais il avait une réputation de coureur de jupons. Une ordure, voilà comment l'appelait Hanna.

— Vous ne lui avez jamais parlé directement ?

— Non. J'aurais bien aimé... avoir une petite discussion avec lui, si vous voyez ce que je veux dire. Mais Hanna m'a dit de laisser tomber. Elle s'était déjà plainte à son patron à propos d'Ungerer, de toute façon.

— Mais Hanna n'avait rien à faire avec lui, au travail ou en dehors ?

— Non. Il lui filait la chair de poule, cette façon qu'il avait de ne jamais la lâcher des yeux. Remarquez, je n'arrive absolument pas à faire la différence entre Ungerer et Markus Schiller. Ce sont tous les deux des cinglés visqueux. Mais Hanna voyait quelque chose, je suppose.

Fabel, qui avait jusque-là laissé Anna mener l'interrogatoire, s'avança sur sa chaise.

— Peter, vous êtes le lien entre trois des cinq meurtres...

Il examina les photos sur la table et plaça les images de Paula Ehlers, Martha Schmidt et Laura von Klosterstadt devant lui.

— Est-ce qu'une de ces personnes vous dit quelque chose ?

Et il mit des noms et des lieux sur les photos.

— Le mannequin. Je la connais. Je veux dire, je sais des choses sur elle, qu'elle est célèbre et tout ça. Mais non. Je ne les connais pas autrement.

Fabel observa Olsen. Soit il disait la vérité, soit c'était un fieffé menteur. Et Olsen n'était pas aussi talentueux. Fabel remercia les deux hommes et fit renvoyer Olsen dans sa cellule.

Il resta ensuite dans la salle d'interrogatoire avec Anna. Ils tenaient un lien. Enfin, ils avaient une piste à suivre. Il éprouvait tout de même de la frustration à ne pouvoir établir une connexion plus avancée, celle qui les rapprocherait de leur proie.

Fabel appela sa mère. Après avoir conversé avec elle pendant quelques minutes, il demanda à parler à Susanne. Il lui expliqua qu'il avait fait envoyer une copie de la lettre à l'institut médico-légal, mais il lui lut le contenu au téléphone en insistant sur la mention du nom de Dorothea Viehmann et la signature du « Frère de contes », expliquant ce que Weiss avait précisé concernant ces deux éléments.

— C'est une possibilité, en effet, dit Susanne. Il se pourrait qu'une mère ou qu'une autre femme plus âgée soit ou ait été une figure dominante de l'entourage du tueur. Mais, de la même manière, la référence au « Frère de contes » pourrait suggérer qu'un frère ait joué un rôle important dans sa vie et qu'il transfère cette ascendance à présent sur Weiss. J'examinerai mieux cette lettre à mon retour mercredi, mais je ne crois pas que j'en tirerai grand-chose de plus.

Elle marqua une pause.

— Tu vas bien ? Tu me sembles fatigué.

— C'est juste le trajet et le manque de sommeil qui finit par me rattraper, dit-il. Tu passes un bon séjour ?

— Ta mère est géniale. Et Gabi et moi apprenons vraiment à nous connaître. Mais tu me manques.

Fabel sourit. C'était bon de manquer à quelqu'un.

— Tu me manques aussi, Susanne. Je te verrai mercredi.

Après avoir raccroché, il se tourna vers Anna qui souriait, l'air de penser : « Oh, trop chou. » Fabel fit mine de l'ignorer.

— Anna, commença-t-il d'un ton songeur, comme si la question qu'il allait poser n'était qu'à moitié constituée. Vous savez de quoi est morte la mère de Fendrich ?

— Oui.

— Comment le savez-vous ?

– Eh bien, parce qu'il me l'a dit. Je n'ai pas vérifié de manière officielle. Je veux dire, pourquoi mentirait-il ?

Anna sembla analyser cette idée. Puis une étincelle dure traversa son regard fatigué.

– Je vais vérifier, chef.

53

Vendredi 23 avril, 7 h 30 – Ohlsdorf, Hambourg.

La veille au soir, Fabel était rentré tard du Präsidium. Il était fatigué. De ce surmenage irritable et sans répit qui vous emporte au-delà de la capacité de dormir. Il avait veillé tard à regarder la télévision, une activité à laquelle il se prêtait rarement. Ludger Abeln, personnalité radiophonique active dans la promotion des langues anciennes, avait dit son bulletin d'informations en Plattdeutsch impeccable dans *Hallo Niedersachsen*. La voix d'Emsländer d'Abeln avait apaisé Fabel : elle lui avait rappelé la maison de son enfance, sa famille, toutes ces voix parmi lesquelles il avait grandi. Il se souvint de quelle manière il avait affirmé à Susanne que Hambourg était dorénavant son Heimat ; que c'était la ville à laquelle il appartenait. Pourtant maintenant, abattu et fatigué au-delà du sommeil, la langue et l'accent de sa région natale s'enroulaient autour de lui telle une couverture confortable.

Après la fin du bulletin, Fabel avait zappé sans but. *Nosferatu le vampire*, de F. W. Murnau, classique muet expressionniste, passait sur 3-SAT. Il était resté assis, captivé par le noir et blanc vacillant de l'écran qui projetait des formes lumineuses sur les murs de son appartement. Le vampire incarné par Max Schreck, Orlok, avançait d'un air menaçant vers lui. Une autre fable effrayante du Bien et du Mal qui avait été élevée au rang des chefs-d'œuvre allemands. Encore une histoire empruntée que les Alle-

mands s'étaient appropriés : Murnau avait plagié sans ver-
gogne l'œuvre de l'auteur irlandais Bram Stoker, qui s'inti-
tulait *Dracula*. Sa veuve était parvenue à obtenir un
jugement contre Murnau. Toutes les copies du film avaient
été détruites en conséquence. Toutes à l'exception d'une.
Et le classique était resté. En regardant le sinistre Orlok
communiquer sa peste de vampire à une ville entière du
nord de l'Allemagne, Fabel se souvint des paroles de la
chanson de Rammstein qu'il avait lues dans l'appartement
d'Olsen : différentes générations, mêmes histoires.

Weiss avait raison. Rien ne changeait. Nous avions
toujours besoin des contes pour nous faire peur, des horreurs imaginées et des peurs véritables. Et il en avait toujours été ainsi.

Fabel était allé se coucher vers deux heures du matin.

Il avait rêvé en continu pendant cette courte nuit.
Comme Susanne l'avait fait remarquer, ses rêves constants
étaient un signe de stress, des batailles de son esprit effréné
pour résoudre des problèmes et des questions, dans sa vie
personnelle comme dans sa vie professionnelle. Mais ce
que Fabel détestait par-dessus tout, c'était de ne pas se
souvenir de ses rêves. Et les songes de la nuit se voilèrent
dès l'instant où il se réveilla pour répondre au coup de fil
d'Anna Wolff, à cinq heures et demie.

– Bonjour, chef. Je sauterais mon petit déj si j'étais
vous. Ce salaud a encore tué.

Anna s'était exprimée avec son habituelle franchise qui
frôlait souvent le manque de respect.

– Au fait, je pense avoir retrouvé les yeux de Bernd
Ungerer. Oh, et j'ai une paire de rab, au cas où...

Plus de la moitié du quartier d'Ohlsdorf est occupée
par un parc qui est l'espace vert le plus important de la
ville : plus de quatre cents hectares plantés d'arbres, de
jardins chouchoutés et de magnifiques pièces de sculpture.
Un endroit où beaucoup d'habitants de Hambourg et de
touristes viennent pour s'imprégner de sa tranquillité ver-
doyante. Mais il remplit également une fonction très par-

ticulière. C'est le plus grand cimetière au monde. Les statues superbement ciselées du Friedhof Ohlsdorf décorent les mausolées, les tombes et les pierres tombales des Hambourgeois. Près d'un demi-million de tombes, soit presque un mort par famille.

Le ciel lumineux, raisonnablement dégagé de nuages, se teintait des premières lueurs de l'aube quand Fabel arriva sur la scène de crime. Un agent de la SchuPo d'Ohlsdorf le conduisit le long de la Cordesallee, la voie principale traversant l'immense Friedhof et qui dépasse le château d'eau pour mener à une grande étendue qui semblait posséder sa propre intégrité. L'espace était bordé d'arbres aux feuilles larges. Des figures de marbre blanc, de bronze et de granit rouge veillaient en silence sur les tombes. Fabel progressa vers l'endroit où le corps avait été découvert. Anna était déjà sur les lieux, tout comme Holger Brauner et son équipe scientifique et technique. Ils échangèrent des sourires, des saluts de scène de crime au petit matin.

Une femme reposait sur le dos comme endormie, les mains jointes sur sa poitrine. À sa tête, une grande statue d'ange féminin baissait les yeux, une main tendue, comme si elle contemplait la femme morte et l'invitait de son geste. Fabel jeta un regard alentour. Toutes les statues représentaient des femmes, tous les noms figurant sur les tombes appartenaient à des défuntes.

– C'est le Jardin des Dames, expliqua Anna.

Un cimetière exclusivement réservé aux femmes. Le tueur s'efforçait de leur dire quelque chose même dans le choix du décor de sa mise en scène. Les yeux de Fabel se posèrent de nouveau sur la femme morte. Sa posture était presque identique à celle de Laura von Klosterstadt. Mais cette femme avait des cheveux sombres et ne possédait pas la beauté de Laura. Et elle n'était pas nue.

– Qu'est-ce que c'est que ce costume ? demanda Anna.

– C'est un costume traditionnel du nord de l'Allemagne. Le genre de tenue portée par les femmes dans un Speeldeel, déclara Fabel en faisant référence aux nombreuses associations de danse folklorique Plattdeutsch qu'on pouvait trouver à Hambourg. Tu sais, comme le Finkwater Speeldeel.

Cela ne parut pas éclairer la chandelle d'Anna.

— Et voilà vos yeux, dit-elle en désignant la poitrine de la femme sur laquelle quatre masses de tissus organiques blanc et rouge étaient posées. On a l'embarras du choix. Plus précisément, nous avons une paire d'yeux en rab.

Fabel examina le corps de la tête jusqu'aux pieds. La femme portait une coiffe rouge traditionnelle, garnie de dentelle blanche et nouée sous le menton. Un châle aux couleurs vives était drapé sur ses épaules et son corsage blanc aux manches amples était contenu dans un corset noir orné de broderies rouges et dorées, taché par les globes oculaires visqueux. Sa jupe rouge descendant jusqu'aux chevilles était pratiquement dissimulée sous un tablier blanc brodé. Elle portait également d'épais bas blancs et des ballerines noires. Un petit panier en osier, contenant une petite miche de pain, était placé près d'elle.

— Tout cela m'a l'air authentique, dit Fabel. Ces costumes sont habituellement fabriqués par les membres d'associations de Speeldeel, ou bien transmis de mère en fille. On a une identité ?

Anna secoua la tête.

— Alors nous allons faire circuler une photo de la femme avec une description précise de sa tenue. Il se peut qu'un membre de ces sociétés de Speeldeel la reconnaisse, elle, ou son costume.

— Vous avez vu la couleur du bonnet ? demanda Anna en tendant un sachet transparent dans lequel se trouvait un autre morceau de papier jaune.

Fabel jeta un œil à l'écriture minuscule dans la lumière pâle du petit matin : « Rotkäppchen ».

— Merde, le Petit Chaperon rouge ! s'exclama Fabel en rendant brusquement le sachet à Anna. Ce salaud va passer en revue tous les contes du recueil si on ne le coince pas rapidement. Les intervalles se réduisent entre chaque meurtre, mais ses petits tableaux sanguinolents ne se simplifient pas. Cela fait un bout de temps qu'il doit préparer tout cela.

– Les yeux, chef, dit Anna. Qu'en est-il des yeux ? On a une paire dont on ne sait pas quoi faire. Ce qui signifie qu'il y a une autre victime dont nous ne savons rien.

– À moins que ce ne soient les yeux de Paula Ehlers et qu'il les ait conservés congelés ou d'une autre manière.

– Non, je ne pense pas, intervint Holger Brauner qui les avait rejoints. Deux paires d'yeux. Humains, extirpés par la force plutôt que de façon chirurgicale. D'après ce que j'en vois, les deux paires sont en cours de dessiccation, mais l'une est plus sèche que l'autre. Cela suggérerait qu'une des deux paires a été prélevée avant l'autre. Mais je ne décèle aucun signe de tentative de conservation, dans la saumure ou par congélation.

– Alors pourquoi n'avons-nous pas trouvé un autre corps ? demanda Anna.

Fabel claqua des doigts.

– Hans l'astucieux... Bon sang, c'est ça, Hans l'astucieux.

Anna avait l'air perdue.

– J'étudie ces satanés contes depuis des jours, poursuivit Fabel. Il y en a tellement qu'il peut fonder ses meurtres sur n'importe lequel des deux cents existants, mais je me souviens de Hans l'astucieux. Je ne sais si c'est censé être le même personnage que dans « Hänsel et Gretel », mais la fille dans « Hans l'astucieux » s'appelle également Gretel. Peu importe. La mère de Hans l'astucieux l'envoie plusieurs fois voir Gretel, chaque fois avec une tâche simple, en gros lui remettre un cadeau. Chaque fois, il rate son coup, il n'arrive pas à donner son cadeau à Gretel et finit par revenir avec quelque chose qu'elle lui a donné. Pour la dernière visite, sa mère lui confie une mission encore plus simple. Elle lui dit : « Hans l'astucieux, pourquoi ne lui lances-tu pas un regard amical ? » En d'autres mots, regarde-la gentiment. Sois gentil avec elle. Mais Hans l'astucieux suit les instructions au pied de la lettre : il va dans un champ, dans une étable, et arrache tous les yeux des vaches et des moutons. Puis il se rend chez Gretel et lui lance tous ces yeux.

– Merde ! s'exclama Anna en regardant le corps. Alors voilà le lien dont vous parliez. De la même manière qu'il a fait coïncider la Belle au bois dormant avec Raiponce dans le meurtre von Klosterstadt, il a mélangé Raiponce à Hans l'astucieux dans le cas de Bernd Ungerer.

– Exactement. Et maintenant voilà le Petit Chaperon rouge.

Fabel baissa les yeux sur le visage de la morte. Il était très maquillé. Une apparence sophistiquée qui contrastait avec le costume traditionnel. Il se tourna vers Brauner, s'adressant à lui d'une voix presque suppliante :

– Holger, n'importe quoi. Je t'en prie. Donne-moi quelque chose qui m'en apprenne plus sur ce type.

Il soupira.

– Anna, je retourne au Präsidium. Venez dans mon bureau dès que vous en avez fini ici.

– D'accord, chef.

Fabel s'engagea sur la Cordesallee en direction de la sortie. Les oiseaux s'en donnaient maintenant à gorge déployée. Il se souvint d'avoir lu quelque part que le Friedhof Ohlsdorf offrait une gamme étonnante de variétés d'oiseaux rares, ainsi que des colonies de chauves-souris qui nichaient dans les mausolées. En fait, le Friedhof était une zone naturelle protégée. Tant de vie dans cet endroit destiné à recevoir les morts. Cette pensée fut anéantie par le cri d'Anna.

– Chef ! chef ! Venez voir ça…, hurla-t-elle en invitant Fabel à la rejoindre à grands gestes.

Il revint sur ses pas en courant. Le corps avait été déplacé de l'endroit où il reposait pour être glissé dans une housse mortuaire. La femme ange regardait toujours vers le bas en pointant du doigt, mais il ne désignait plus la femme assassinée vêtue d'un costume traditionnel. Le doigt de l'ange désignait une plaque de marbre blanc sur laquelle était inscrit un nom.

Emelia Fendrich. 1930-2003.

54

Vendredi 23 avril, 10 h 15 – Port de Hambourg, Hambourg.

Maria, Werner, Henk Hermann et les deux officiers de la SoKo des Crimes sexuels arrivèrent à peu près dix minutes après Anna et Fabel au snack de Dirk Stellamann, sur les docks. Le ciel s'était assombri et l'air était épais et lourd, comme d'une humeur que seul un orage saurait soulager. Autour du chalet d'une propreté immaculée et de sa poignée de tables agrémentées de parasols, une forêt de grues de chantier naval se dressait dans le ciel gris acier. Dirk, un ancien SchuPo de Hambourg, était, comme Fabel, frison et les deux hommes conversèrent brièvement dans leur frysk natal avant que Fabel commande des cafés pour son équipe.

Blottis les uns contre les autres autour de deux tables hautes, ils discutèrent du ciel sans complaisance en se demandant s'ils auraient le temps de finir leurs cafés avant que l'orage n'éclate. Puis Fabel en vint aux affaires sérieuses.

– Qu'est-ce que ça veut dire ? Nous avons une nouvelle victime, tuée de manière identique. Mais nous la retrouvons allongée sur la tombe de la mère d'un de nos suspects, bien que ce ne soit qu'une piste tiède. J'aimerais connaître votre avis.

– Eh bien, dit Anna. Au moins, il m'aura épargné de fouiller dans les archives pour vérifier que la mère de Fendrich est vraiment morte. Les autorités de Friedhof confirment qu'Emelia Fendrich a effectivement été enterrée il y a six mois. Sa dernière adresse est bien celle de son fils, à Rahlstedt.

Henk acquiesça. Rahlstedt était proche du Friedhof, limitrophe d'Ohlsdorf.

— Alors qu'est-ce qu'on fait ? demanda-t-il. Est-ce qu'on interroge Fendrich concernant ce dernier meurtre ?

— Sur quel motif ? dit Anna en grimaçant après avoir bu une gorgée de café trop chaud. Parce que sa mère est vraiment morte et qu'il ne nous a pas menti à ce sujet ?

Henk haussa les épaules pour se défendre du ton sarcastique d'Anna.

— Eh bien, je suppose que ce pourrait être une coïncidence. Mais il n'y a qu'à faire le calcul : deux cent quatre-vingt mille tombes possibles où abandonner le corps, et le cadavre atterrit sur celle de la mère d'un de nos trois suspects. Et on sait que ce type nous parle par le biais du moindre élément utilisé dans ses mises en scène.

— Nous devons au moins nous entretenir avec Fendrich, déclara Maria. Il faut vérifier son alibi une fois que nous serons certains de l'heure du décès.

— Holger Brauner a réussi à extirper une heure présumée de notre estimé légiste, Herr Doktor Möller, quand il est arrivé sur la scène de crime, dit Fabel. Entre vingt heures et minuit la nuit dernière. Et en effet, on a besoin de savoir où se trouvait Fendrich à ce moment. Mais il faut agir de façon très diplomatique. Je ne tiens pas à ce qu'il recommence à se plaindre de harcèlement.

— Je vais m'en occuper, dit Anna.

Tous les regards se tournèrent vers elle.

— Quoi ? Je sais être diplomate.

— D'accord, déclara Fabel en adoptant un ton dubitatif un peu forcé. Mais ne le crispez pas.

— Pourquoi pas ? demanda Henk. Fendrich devrait revenir en haut de notre liste maintenant. Je veux dire, placer le cadavre sur la tombe de sa mère...

— Pas nécessairement, intervint Anna. La disparition de Paula Ehlers a été largement relatée. Ce n'était pas un secret que Fendrich a été interrogé à ce sujet par la police.

On doit garder à l'esprit que notre tueur a très probablement enlevé et tué Paula. Alors il a dû se tenir au courant de l'évolution de l'enquête après l'avoir kidnappée. De toute façon, je peux vous le dire tout de suite, Fendrich n'aura pas d'alibi.

— Pourquoi ? demanda Fabel.

— Parce qu'il ne sait pas qu'il en a besoin d'un. Et parce que c'est un solitaire.

Fabel but son café en regardant le ciel. La feuille gris acier se parsemait maintenant d'hématomes de nuages. Comme chaque fois qu'un orage s'annonçait, la pression de l'air se manifestait dans une douleur lancinante de ses sinus.

— Vous pensez vraiment que Fendrich n'est pas coupable de ce crime, n'est-ce pas, Anna ?

— Je ne pense pas que sa relation avec Paula Ehlers ait été totalement claire. Mais non. Ce n'est pas notre homme.

Fabel se massa les sinus avec le pouce et l'index.

— Je crois que vous avez raison. À mon avis, il nous met volontairement sur une mauvaise piste. Tout ce que fait ce type a un sens. Chaque meurtre relie un conte à un autre. Il danse avec nous mais c'est lui qui mène la danse. Il existe un ordre dans ce qu'il fait. Il est aussi organisé que créatif, et il a tout préparé à l'avance. J'ai le sentiment qu'on approche de la fin. Il a commencé avec Paula Ehlers, à propos de qui il ne nous a rien donné, mais il a utilisé son identité pour son deuxième meurtre, trois ans plus tard. Puis, avec Martha Schmidt, la fille du Blankenese, tout ce qu'il nous a fourni, c'était la fausse identité. Ce n'est qu'après le meurtre de Laura von Klosterstadt que nous avons compris qu'il avait placé Martha Schmidt « en dessous » de Laura. Il nous communique de plus en plus d'informations au fur et à mesure. Il veut que nous devinions quel va être son prochain meurtre, mais il a besoin de temps pour cela. C'est pourquoi il essaie de nous détourner vers Fendrich.

— Et si vous avez tort, chef ? demanda Werner en s'accoudant sur la table du snack. Et si c'était Fendrich

notre type et qu'il veut que nous l'arrêtions ? Et s'il était
en train de nous dire que c'est lui le tueur ?

— Alors Anna apprendra la vérité quand elle ira l'interroger avec Hermann.

— Je préférerais y aller seule, chef, dit Anna.

Henk Hermann n'eut l'air ni surpris ni ennuyé.

— Non, Anna, répondit Fabel. Fendrich est encore un
suspect et vous n'allez pas chez lui seule.

— Ne vous en faites pas, Frau Wolff, dit Henk. Je vous
laisserai parler.

— En attendant, poursuivit Fabel, nous devons analyser les messages que ce type nous envoie.

Une lueur déchira le ciel derrière les nuages, quelque
part vers le nord. Plusieurs secondes passèrent avant que
le grondement du tonnerre ne roule sur eux.

— Je pense qu'on devrait retourner au Präsidium.

À son retour au Präsidium, Fabel fut aussitôt sommé
de se rendre dans le bureau du Kriminaldirektor Horst van
Heiden. Ce n'était pas une surprise. Les journaux faisaient
maintenant leurs gros titres et leurs choux gras du « Tueur
de contes de fées » et Fabel savait que les journalistes et les
photographes commençaient à contourner le service de
presse de la police pour harceler van Heiden directement.
Une équipe de télévision était même allée jusqu'à intercepter le Kriminaldirektor alors qu'il quittait le Präsidium, un
acte inimaginable dix ans plus tôt. Le modèle anglo-saxon
semblait s'affirmer davantage en Allemagne, l'éloignant de
ses valeurs traditionnelles de courtoisie et de respect. Et,
comme toujours, les médias étaient à l'avant-garde du
changement. Van Heiden n'était pas content. Il avait besoin
de trouver un responsable. Fabel rassembla ses forces en
entrant dans le bureau du Kriminaldirektor.

En fin de compte, van Heiden était plus impatient
qu'on lui livre de bonnes nouvelles que furieux. Il rappela
à Fabel de quelle manière il s'était lui-même comporté avec
Holger Brauner sur la dernière scène de crime, le suppliant
presque de lui donner une piste. Van Heiden n'était pas
seul dans son bureau. L'Innensenator Bruno Ganz était

présent, ainsi que le Leitender Oberstaatsanwalt Heiner Goetz, le procureur de Hambourg. Goetz se leva en souriant chaleureusement à Fabel et les deux hommes se serrèrent la main. Fabel avait croisé le fer avec Goetz en plusieurs occasions, principalement parce que le procureur était un homme tenace et méticuleux qui refusait les raccourcis. En dépit de la frustration occasionnelle que Fabel avait ressentie dans sa relation avec Goetz, ils avaient, à eux deux, obtenu de solides condamnations. Il s'était établi entre eux un profond sentiment de respect mutuel, quelque chose qui ressemblait à de l'amitié.

Ganz serra également la main de Fabel mais avec beaucoup moins de chaleur. Ah ah, pensa Fabel, la lune de miel est finie. Sa visite à Margarethe von Klosterstadt avait dû hérisser quelques plumes aristocratiques. Madame avait dû appeler Ganz. Il avait raison.

— Herr Hauptkommissar, commença Ganz avant même que van Heiden n'ouvre la bouche. Je crois que vous avez pris sur vous d'interroger Frau von Klosterstadt ?

Fabel ne répondit pas mais lança un regard interrogateur à van Heiden qui resta muet.

— Je suis certain que vous êtes à même de comprendre que la famille Klosterstadt traverse des moments très pénibles, continua Ganz.

— C'est une période tout aussi pénible pour les Schmidt et les Ehlers. Je suppose que cela ne vous pose pas de problème que je les interroge à nouveau ?

Le visage rougeaud de Ganz gagna en couleur.

— Écoutez, Herr Fabel, je vous ai déjà dit que j'étais un ami de longue date de la famille Klosterstadt.

Fabel l'interrompit.

— Et je dois vous avouer que cela ne m'intéresse absolument pas. Si vous êtes ici en qualité d'Innensenator de Hambourg et que vous désirez discuter de cette affaire en toute objectivité et dans sa globalité, j'en serai enchanté. Mais si vous avez été envoyé par Frau von Klosterstadt qui est défrisée parce que je lui ai posé quelques questions personnelles concernant sa fille, alors je vous suggère de quitter ce bureau dès maintenant.

Ganz fixa Fabel d'un regard proche de la rage. De rage impuissante, parce qu'il ne pouvait nier ce que Fabel venait d'affirmer. Il se leva et se tourna vers van Heiden.

— Ceci est scandaleux, fulmina-t-il. Je ne resterai pas assis à recevoir des leçons de protocole par un de vos officiers subalternes.

— Herr Erster Hauptkommissar Fabel n'est pas ce qu'on peut appeler un officier subalterne, répondit van Heiden.

Ganz attrapa son attaché-case et sortit du bureau en trombe.

— Pour l'amour de Dieu, Fabel ! s'exclama van Heiden. Vous pourriez au moins me faciliter les choses. Cela ne rendra aucun service à la police de Hambourg si vous vous faites un ennemi de l'Innensenator.

— Je suis désolé, Herr Kriminaldirektor, mais j'ai dit la vérité. Ganz a été envoyé ici parce que j'ai découvert que Laura von Klosterstadt avait subi un avortement il y a dix ans, arrangé, il faut le dire, par la saleté au cœur de glace qui lui sert de mère. Elle était enceinte de Leo Kranz, le photographe. Mais avant qu'il devienne célèbre, alors le radar social de Margarethe von Klosterstadt ne l'a pas capté.

— Et c'est important, vous croyez ? demanda Heiner Goetz.

— Pas directement. On peut supposer, pourtant, que le tueur avait une connaissance intime de la famille Klosterstadt. C'est juste que l'histoire de Raiponce implique une grossesse illégitime. Et je me réserve le droit de suivre n'importe quelle piste.

— C'est compris, Herr Fabel, dit van Heiden d'un air sombre. Mais vous pourriez peut-être vous comporter différemment avec vos suspects et avec les politiciens de Hambourg. Peu importe. Qu'avons-nous sur ce dernier meurtre ? Tous les journaux en parlent.

Fabel énonça tout ce qu'ils avaient jusqu'alors, y compris le choix de la tombe par le tueur et pourquoi, selon Fabel, c'était un écran de fumée volontaire.

— Je crois que vous avez raison de ne pas poursuivre Fendrich de manière trop agressive, dit Heiner Goetz. Je me suis renseigné auprès du procureur du Schleswig-Holstein. Il n'y a jamais rien eu de plus contre lui que les soupçons d'un officier de police. Je ne tiens pas à ce que cela finisse par une plainte pour harcèlement devant les tribunaux.

Van Heiden se rassit dans son fauteuil et posa ses mains, doigts tournés vers l'extérieur et bras serrés, sur le vaste plateau de son bureau. C'était une position tendue, comme s'il se préparait à une action physique violente. Il regarda Fabel mais il était ailleurs, en un autre endroit, en un autre temps.

– Quand j'étais gosse, j'aimais les contes de Grimm. *Das singende, klingende Bäumchen*[1], ce genre de chose. Je crois que ce que j'aimais dans ces contes, c'était qu'ils étaient beaucoup plus sombres que les habituelles histoires pour enfants. Plus violents. C'est pour ça que les enfants les aimaient.

Van Heiden s'avança.

– Il faut que vous le trouviez, Fabel. Et vite. Au rythme où tue ce maniaque, nous ne pouvons nous offrir le luxe de prendre des semaines ou des mois pour le coincer. L'escalade est trop rapide.

Fabel secoua la tête.

– Non... Ce n'est pas une escalade, Herr Kriminaldirektor. Ce n'est pas un déchaînement. Tous ces meurtres ont été préparés en détail, il y a peut-être des années de cela. Il œuvre selon un agenda préétabli.

Fabel cessa de parler mais il n'en avait pas fini. Van Heiden comprit le message.

– D'accord, Fabel. On vous écoute.

– C'est juste un sentiment que j'ai. Une autre raison pour laquelle nous devons le coincer rapidement. Je pense que ce que nous avons vu jusque-là n'était qu'un prélude. J'ai le sentiment qu'il progresse vers un accomplissement plus élevé. Un finale. Quelque chose de spectaculaire.

De retour dans son bureau, Fabel sortit son carnet de

---

1. Série pour enfants de la télévision est-allemande, datant de 1957, et s'inspirant de l'univers des contes de Grimm.

croquis. Il tourna la page sur laquelle il avait résumé l'enquête jusqu'à présent pour s'attaquer à une feuille blanche. L'espace immaculé l'invitait à coucher un nouveau processus d'idée sur le papier. Au sommet de la page, il inscrivit les noms de tous les contes qui avaient été évoqués jusque-là par le tueur. En dessous, il écrivit des mots qu'il associait à chaque conte. Comme il l'avait prévu, plus il approchait du dernier meurtre, le Petit Chaperon rouge, plus il écrivait : thèmes, noms, relations. Grand-mère. Marâtre. Mère. Sorcière. Loup. Il était encore à avancer dans sa réflexion quand le téléphone sonna.

— Salut, chef, c'est Maria. Vous pouvez me rejoindre à l'institut médico-légal ? La police fluviale vient juste de pêcher un corps dans l'Elbe. Et, chef, à votre place, j'annulerais mes rendez-vous pour le déjeuner.

Quiconque meurt sans rendez-vous à Hambourg finit à la morgue de l'institut médico-légal. Toutes les morts soudaines pour lesquelles un médecin ne délivre pas de certificat de décès aboutissent là. Un corps qui a été lesté avant d'être jeté dans l'Elbe est un candidat de premier choix pour ce genre de logement.

Dès son entrée dans la morgue, Fabel fut balayé par l'habituelle houle de plomb, mélange de répulsion et de terreur. Il y avait toujours cette odeur. Pas seulement l'odeur de la mort, mais celle du désinfectant, du nettoyant pour sols : un cocktail écœurant qui n'était jamais envahissant mais toujours présent. Un employé conduisit Fabel, Maria et le Kommissar de la patrouille de la police fluviale qui avait trouvé le corps jusqu'au dépôt mortuaire glacial où s'alignaient des placards d'acier. Fabel remarqua avec un certain malaise que le policier du port avait l'air franchement dégoûté, tandis que leur groupe se dirigeait vers l'endroit où l'employé s'était arrêté, une main posée sur la poignée d'un placard. Le flic du port avait, bien entendu, déjà vu le corps quand il avait été repêché dans la rivière. Il ne se réjouissait pas à l'idée de le revoir.

— Celui-ci pue un peu.

L'employé laissa du temps à chacun pour intégrer cet avertissement. Puis il tourna la poignée, ouvrit la porte et tira le plateau métallique. Une vague nauséabonde déferla sur eux.

— Merde ! s'exclama Maria en reculant.

Le Kommissar de la police fluviale se raidit. Quant à Fabel, il lutta pour contenir son dégoût et maîtriser son estomac.

Une homme nu était allongé sur le plateau. Il devait faire dans les un mètre soixante-quinze. Difficile de deviner quelle avait été sa corpulence ou même sa couleur de peau tant son corps s'était distendu et décoloré dans l'eau. La majeure partie de son torse gonflé était couverte de tatouages très complexes qui s'étaient légèrement atténués sur la peau tirée et marbrée. Les tatouages consistaient principalement en motifs et dessins imbriqués. Pas les habituels femmes nues, cœurs, crânes, poignards et dragons. Une profonde découpure courait tout le long du torse bouffi, comme une énorme ride, et la peau trop tendue avait craqué. Les longs cheveux grisonnants étaient coiffés en queue-de-cheval.

Sa gorge avait été tranchée. Fabel pouvait encore distinguer des traces de l'entaille droite et latérale mais, ailleurs, le long de la coupure, la peau et la chair semblaient avoir été déchirées.

La véritable horreur se concentrait sur son visage dévasté. La chair autour des orbites et de la bouche avait été lacérée et pendait en lambeaux. De l'os luisait au travers de la peau violacée. Les dents de la victime se découvraient dans un sourire sans lèvres.

— Mon Dieu... Qu'est-ce qui est arrivé à son visage ? demanda Fabel.

— Les anguilles, répondit le Wasserschutz Kommissar. Elles s'attaquent toujours aux blessures. C'est pourquoi je suppose qu'on lui a enlevé les yeux avant de balancer son corps dans l'eau. Les anguilles ont fait le reste. Elles se sont contentées de trouver le chemin le plus facile pour entrer dans la tête, une source de protéines de premier choix. Même chose pour la blessure à la gorge.

Fabel se souvint d'avoir lu *Le Tambour* de Günter Grass : la description du pêcheur qui utilisait une tête de cheval mort pour pêcher, tirant la tête hors de l'eau, les orbites grouillant d'anguilles. Fabel imagina le moment où le corps avait été hissé hors de l'eau, les anguilles qui s'accrochaient à leur précieuse source de nourriture. Sa nausée s'intensifia. Il ferma les yeux et s'efforça de refouler la sensation qui montait dans sa poitrine, avant de parler :

— La déformation autour du torse. Une idée de sa cause ?

— Oui, répondit le Kommissar. Une corde était nouée très serré autour de son corps. Nous en avons enlevé un bon morceau. Nous pensons qu'un poids était accroché à la corde. Celle-ci a cassé ou le poids s'est détaché. C'est pour cela que le corps est remonté à la surface.

— Et il était comme ça ? Nu ?

— Oui. Pas de vêtements, pas de pièce d'identité. Rien.

Fabel adressa un signe de tête à l'employé de la morgue qui fit glisser le corps dans le placard avant d'en claquer la porte. Le fantôme du cadavre hantait toujours la morgue dans la puanteur de la putréfaction.

— Si cela ne vous dérange pas, dit Fabel aux deux officiers, je pense que nous devrions sortir.

Il précéda Maria et le policier du port vers l'air frais du parking. Personne ne parla avant d'être dehors, et seulement après avoir inspiré à fond.

— Mon Dieu, c'était moche, dit finalement Fabel.

Il ouvrit son téléphone portable pour appeler Holger Brauner. Il lui expliqua leur découverte et lui demanda s'il pouvait procéder à une analyse ADN afin de déterminer si la paire supplémentaire d'yeux qu'ils avaient trouvée dans le Friedhof correspondait au cadavre repêché dans la rivière. Après avoir raccroché, il remercia le policier du port de leur avoir accordé de son temps. Quand ils furent seuls, Fabel se tourna vers Maria.

— Tu sais ce que la corde et le poids veulent dire ?

— Oui, répondit-elle. Nous n'étions pas supposés trouver celui-ci.

– Exactement. Supposons une seconde que les yeux et le corps concordent. Cela réduit cette victime à un simple donneur. Il n'a été tué que pour ses yeux.

– C'est possible.

– Peut-être. Mais est-ce que le fait d'avoir une seconde paire d'yeux « à poser sur Gretel » améliore le tableau ? Pourquoi ne pas avoir utilisé uniquement les yeux d'Ungerer ? Ou, s'il avait besoin de plus d'une paire d'yeux, pourquoi une seule ? Pourquoi pas une demi-douzaine ?

– Où veux-tu en venir ? demanda Maria en fronçant les sourcils.

– Simplement à ça. Je suis revenu au point où j'en étais quand Olsen était notre principal suspect, quand nous avions un mobile qui expliquait pourquoi Grünn et Schiller avaient été tués, mais pas les autres.

Il désigna l'institut médico-légal d'un hochement de tête.

– Cet homme n'est pas seulement mort pour ses yeux. Il a été tué pour une raison précise. C'est un détour que notre tueur a été obligé d'emprunter. Et c'est pour cette raison qu'il ne voulait pas, ou n'avait pas besoin, qu'on retrouve ce corps.

– Pourquoi ? insista Maria, toujours intriguée. Pourquoi devait-il tuer celui-ci ?

– Peut-être cet homme savait-il qui commettait les crimes. Ou encore il détenait une information à laquelle le tueur ne voulait pas qu'on ait accès.

Fabel, les mains sur les hanches, leva son visage vers le ciel gris. Il ferma les yeux et massa de nouveau ses sinus.

– Vois si les types de l'équipe forensique peuvent obtenir une empreinte digitale valable et faire quelques clichés de ses tatouages. Je me fiche qu'on doive rendre visite à tous les tatoueurs de Hambourg... Il faut qu'on sache qui est cet homme.

Sur le chemin du Präsidium, l'orage, qui avait guetté en ruminant dans l'air lourd, éclata.

55

Comme Anna l'avait prévu, Fendrich fut incapable de fournir un quelconque alibi concernant son emploi du temps pour la nuit du dernier meurtre. Il n'avait même pas regardé la télévision, ce qui lui aurait permis de rendre compte des programmes. Non, il avait passé la soirée à lire et à préparer ses cours du lendemain. Anna était maintenant désolée pour Fendrich. Il était complètement bouleversé par la profanation de la tombe de sa mère. Fabel soupçonna Anna d'avoir peut-être été trop loin dans son envie d'apaiser Fendrich : elle lui avait exposé la théorie de son chef selon laquelle le professeur avait été utilisé comme une diversion par le véritable tueur.

Au moins, ils savaient maintenant à qui attribuer les yeux retrouvés sur la dernière victime. Les tests ADN avaient confirmé qu'une paire appartenait à Bernd Ungerer tandis que la seconde correspondait au corps repêché dans l'Elbe. Holger Brauner avait également analysé les cheveux du cadavre de la rivière. Cet examen avait révélé que l'homme tatoué était un consommateur de drogues, sans pour autant suggérer une prise récente. Möller, le légiste, confirma que la cause de la mort était l'unique coup qui avait tranché la gorge. Les poumons n'étaient pas remplis d'eau. La victime était déjà morte quand elle avait été jetée dans l'Elbe.

Et maintenant ils avaient l'autorisation de perquisitionner à deux adresses. La première était l'appartement de Lina Ritter, une prostituée connue dont la disparition avait été signalée par sa sœur. L'accès à son dossier avait confirmé qu'elle était la femme dont le corps avait été déposé, habillé en costume traditionnel, dans le Jardin des Dames du cimetière d'Ohlsdorf.

Le second mandat de perquisition concernait un studio de tatouage dans un coin minable de Sankt Pauli. Il ne leur avait pas fallu longtemps pour trouver cette adresse. On avait demandé à la SchuPo de chaque district de Hambourg de vérifier tous les ateliers de tatouage de leur quartier et de montrer les photos des tatouages jusqu'à ce que quelqu'un les reconnaisse. Un jeune Obermeister plus dégourdi que les autres avait remarqué que ce studio semblait toujours fermé. Il posa quelques questions dans le quartier. Personne ne savait où se trouvait Max Bartmann mais il n'était pas dans son habitude de ne pas ouvrir son local. Son travail était, semblait-il, toute sa vie. De plus, il habitait au-dessus de sa boutique.

L'endroit était minuscule. Une pièce unique munie d'une fenêtre qui aurait dû donner directement sur la rue si les carreaux n'avaient été recouverts par les photos et les dessins vantant les talents du tatoueur. La lumière naturelle se frayait un passage difficile au travers du collage et Fabel dut allumer l'ampoule qui pendait au plafond pour y voir correctement. Il remercia le SchuPo et lui demanda d'attendre dehors. Fabel et Werner restèrent seuls dans le studio exigu. Deux vieux fauteuils en cuir étaient disposés de part et d'autre d'une petite table sur laquelle étaient éparpillés des magazines. Une table de massage était relevée contre un des murs, un tabouret pivotant placé à côté, une lampe d'architecte fixée au bord de la table. Un nœud de câbles qui pendait d'une prise murale menait à une boîte métallique équipée d'un interrupteur et d'un cadran, puis à un appareil de tatouage en aluminium. Trois autres machines étaient installées sur la table. Des flacons d'encre de différentes couleurs, des pochoirs, des aiguilles, une boîte de gants chirurgicaux et des compresses stériles étaient rangés dans le placard mural.

Avant de toucher quoi que ce soit, Fabel sortit une paire de gants en latex de sa poche et les enfila. À l'image de la fenêtre, les murs étaient couverts de motifs de tatouage et de photos de clients satisfaits. Mettre de l'ordre dans toutes ces images pour déterminer si l'une d'elles correspondait aux tatouages de l'homme mort allait prendre des heures. Il n'y avait que deux décorations sans rapport avec le tatouage : un grand poster représentant une vue de montagne et de mer, avec la mention NOUVELLE-ZÉLANDE ; et une note écrite au feutre exposant les règles du studio : non fumeur, interdit aux enfants, ni boisson ni drogue, et du respect.

Fabel examina les photos de plus près. Ce n'étaient pas seulement des gros plans mais aussi des photos de clients souriant à l'objectif, tournant une épaule ou une hanche vers l'appareil pour exhiber les œuvres d'art corporelles. Un même individu était présent sur toutes les photos : un homme mince avec des cheveux grisonnants retenus en une queue-de-cheval. Il avait des traits tirés, des joues émaciées et l'air de quelqu'un qui buvait. Fabel se concentra sur une photo en particulier. Prise en été, certainement. L'homme à la queue-de-cheval portait une veste noire ; il posait avec une grosse femme qui venait de se faire tatouer une fleur sur le sein charnu qu'elle présentait à l'objectif. L'homme était lui aussi couvert de tatouages. Pas aussi colorés que ceux de ses clients. Plutôt des motifs.

– Werner, appela Fabel sans quitter la photo des yeux. Je crois que nous avons trouvé notre homme. Ce n'est pas un client mais le tatoueur en personne.

Le studio comportait une issue dont la porte avait été enlevée pour agrandir l'espace, et remplacée par un rideau de bandes de plastique multicolores. Werner continua de fouiller le studio pendant que Fabel se chargeait d'inspecter le reste des lieux. Il écarta les bandes de plastique pour pénétrer dans une minuscule entrée carrée. Sur sa droite, un cagibi contenait des toilettes et un lavabo. Directement en face de Fabel, un escalier raide qui dessinait deux coudes serrés sur la droite conduisait à l'étage supérieur. Là-haut, trois minuscules pièces. L'une, faisant office de cuisine et de salon, était meublée d'un canapé et d'un fauteuil en cuir. Le fauteuil était du même modèle que ceux du studio mais dans un meilleur état. Il y avait également un vieux téléviseur et une chaîne stéréo. La seconde pièce était la chambre. Si petite qu'elle n'abritait qu'un lit, une bibliothèque le long d'un mur et une lampe posée à même le sol à côté du lit.

Le minuscule appartement déprima Fabel. Il était miteux mais propre. Bartmann l'avait vraisemblablement entretenu. Mais c'était le genre d'espace fonctionnel et sans âme où vit un homme seul. Fabel pensa à son propre appartement, à son mobilier élégant, ses planchers de hêtre et sa vue étonnante sur l'Alster. Ils ne jouaient pas dans la même catégorie. Pourtant cet endroit, qui avait contenu la vie de Bartmann, était quelque part similaire à l'appartement de Fabel. Une comparaison déprimante. Debout dans le logement mort de cet homme mort, Jan Fabel prit une décision concernant sa vie personnelle.

Il regarda sous le lit. Trouva un grand classeur plat qu'il posa sur le lit. Le portfolio contenait des dessins à l'encre, des esquisses au fusain et deux peintures. Les dessins représentaient des sujets sans intérêt, des arbres, des immeubles, des natures mortes, et étaient de toute évidence des études pour tester et améliorer les compétences techniques de l'artiste. Le trait était excellent. Chaque étude était signée des initiales « M.B. ».

Fabel inspecta la bibliothèque. Tout avait rapport au tatouage. On y trouvait des textes savants sur l'histoire de l'art corporel, des livres à moitié pornographiques sur l'art imaginaire et des manuels de matériel de tatouage. Trois livres ressortaient du lot. Et l'un d'entre eux provoqua chez Fabel un petit courant d'excitation qui parcourut son cuir chevelu. *Gebrüder Grimm : Gesammelte Märchen.* Les contes des frères Grimm. Près du recueil, il découvrit deux ouvrages sur les vieilles écritures gothiques allemandes : Fraktur, Kupferstich et Sütterlin.

De vieilles typos allemandes, un exemplaire des contes. Ce n'était pas ce à quoi on pouvait s'attendre dans le studio d'un tatoueur. Un autre meurtre lié aux Grimm et un nouveau corps, mais cette fois un cadavre que la police n'était pas censée découvrir.

Fabel mit les trois livres de côté afin qu'ils soient glissés plus tard dans des sachets de mise sous scellés. Il resta dans la chambre miteuse pendant un moment. Il allait encore devoir déchiffrer la signification exacte de ces ouvrages. Il venait de faire un grand pas qui le rapprochait du tueur. Il ouvrit son téléphone portable et actionna un numéro en mémoire.

– Anna, c'est Fabel. J'ai une requête bizarre. Je veux que vous appeliez Fendrich et que vous lui demandiez s'il a des tatouages...

56

Mardi 27 avril, 14 h 10 – Neustadt, Hambourg.

Weiss s'était montré poli et coopératif au téléphone quand Fabel l'avait appelé chez lui, tout en laissant filtrer un soupçon de patience agacée dans sa voix. Il expliqua à Fabel qu'il était pris une bonne partie de la journée par des signatures et des recherches pour son prochain livre. Il serait dans le quartier de Neustadt et proposa à Fabel de l'y rencontrer aux environs de onze heures et demie.

– Si cela ne vous dérange pas de m'interroger en plein air, avait ajouté Weiss.

Fabel arriva comme d'habitude avec dix minutes d'avance et s'assit sur un banc dans la rue piétonnière de Peterstrasse. Le ciel, balayé des dernières traînées de nuages, affichait un bleu lumineux sans défaut. Fabel regretta d'avoir mis sa veste Jaeger épaisse. Se vêtir de façon appropriée pour la météo changeante était un problème qu'il partageait avec le reste de la population de Hambourg. Et il ne pouvait pas enlever sa veste sans dévoiler son arme de service attachée à sa ceinture. Il choisit donc un banc à l'ombre d'une rangée d'arbres. Peterstrasse était bordée de maisons de ville de style baroque de cinq et six étages, dont les façades surchargées de fenêtres s'élevaient vers des pignons de style hollandais.

Peu après onze heures et demie, l'énorme carrure de Weiss émergea de la grande porte du numéro 36, au coin de Peterstrasse et de Hütten. Fabel connaissait cet immeuble. Il s'y était fréquemment rendu en tant qu'étudiant. Il se leva à l'approche de Weiss et les deux hommes se serrèrent la main. Weiss suggéra d'un geste qu'ils s'installent sur le banc.

— Je suppose que votre prochain livre traite d'un thème littéraire similaire ? demanda Fabel.

Weiss haussa ses épais sourcils d'un air interrogateur. Fabel lui désigna le bâtiment d'où il l'avait vu sortir.

— La Niederdeutsche Bibliotek. J'en conclus que vos recherches portent sur la littérature ancienne du bas allemand. J'y ai passé beaucoup de temps moi aussi à une époque...

— En quoi puis-je vous aider, Herr Kriminalhauptkommissar ?

Le ton de Weiss couvait encore une pointe d'impatiente indulgence. Cela resta sur le cœur de Fabel mais il ne releva pas.

— Il y a trop de coïncidences dans cette affaire pour que je m'y sente à l'aise, Herr Weiss, dit Fabel. Je pense que le tueur a lu votre livre et que cela influence ses agissements.

— Ou il se pourrait également que votre tueur et moi utilisions les mêmes sources, bien que d'une manière radicalement différente. J'entends par là les versions originales des *Contes de l'enfance et du foyer* des frères Grimm.

— Je ne doute pas que ce soit le cas, mais j'ai également le sentiment qu'il y a un..., hésita Fabel qui luttait pour trouver l'expression adéquate, un élément d'interprétation libre chez chacun de vous.

— J'en déduis que, selon vous, il ne colle pas exactement au livre ?

— Oui.

Fabel se tut. Une femme âgée tenant un chien en laisse passa devant eux.

— Pourquoi ne m'avez-vous pas dit que le sculpteur était votre frère ? Que c'est lui l'auteur de la sculpture du loup dans votre bureau ?

— Parce que j'ai pensé que cela ne vous regardait pas. Ou que cela n'avait aucun rapport avec notre discussion.

Ce qui m'amène à vous demander en quoi cela vous regarde. Suis-je un suspect, Herr Fabel ? Souhaitez-vous que je vous rende compte de mon emploi du temps ?

Les yeux de Weiss s'étrécirent, ses épais sourcils obscurcissant les premières étincelles du feu noir.

— Oh, je vois votre raisonnement. Peut-être que la folie est héréditaire, poursuivit-il en inclinant son énorme tête vers Fabel. Peut-être suis-je moi aussi un loup-garou.

Fabel résista à la tentation de reculer et soutint le regard de Weiss.

— Très bien, disons que j'ai des raisons de vous soupçonner. Votre livre paraît et soudain nous avons une série de meurtres qui concordent avec les thèmes spécifiques de votre ouvrage. Ajoutons à cela que ces meurtres vous mettent sous les feux des médias, augmentant l'intérêt porté à votre roman ainsi que ses ventes. Ceci, au moins, justifie que je m'intéresse à vous.

— Je vois... Alors je suis dans le collimateur de la police comme dans celui des médias ?

Le sourire qui étira les lèvres de Weiss manquait de chaleur.

— Si vous me fournissez une liste de dates et d'heures pour lesquelles vous souhaiteriez connaître mon emploi du temps, je vous communiquerai les informations dont vous avez besoin.

— Je vous ai déjà préparé cette liste, dit Fabel en sortant une feuille pliée de la poche intérieure de sa veste. Toutes les dates et heures y figurent. Et, chaque fois que vous en avez la possibilité, il pourrait nous être utile d'avoir un nom de personne capable de corroborer votre emploi du temps.

Weiss prit le papier et le glissa dans sa poche sans y jeter un coup d'œil.

— Je vais m'en occuper. Est-ce tout ?

Fabel se pencha en avant, les coudes appuyés sur les genoux. Il regarda la femme et son chien qui tournaient le coin de la rue dans Hütten.

— Écoutez, Herr Weiss, vous êtes de toute évidence un homme très intelligent. Les coïncidences entre votre livre et ces meurtres ne sont pas les seules raisons de ma présence ici. Je suppose que vous êtes pour moi ce qui se rapproche le plus d'un expert capable d'analyser ce qui pousse ce tueur à agir. J'ai besoin de le comprendre. J'ai besoin de comprendre ce qu'il croit voir dans ces contes.

Weiss se recula contre le dossier du banc, étalant ses grosses mains sur ses genoux. Pendant un moment, il fixa les pavés à ses pieds, comme s'il contemplait les propos de Fabel.

– D'accord. Mais je ne sais pas de quelle manière je peux vous venir en aide. Je ne peux affirmer avoir une idée précise de ses motivations. C'est sa réalité, pas la mienne. Mais, si vous me demandez mon avis, cela n'a rien à voir avec les contes des Grimm. Ce qu'il fait relève de sa propre invention. Comme mon livre... *La Route des contes* n'a rien à voir avec Jacob Grimm, vraiment. Ni avec ces contes. C'est seulement, eh bien, un décor pour ce que j'ai librement inventé.

Weiss désigna la Bürgerhaus baroque devant eux.

– Regardez cette maison. Nous sommes entourés par l'histoire. En pleine saison, Peterstrasse, tout comme Hütten et Neanderstrasse au coin, fourmille de touristes, particulièrement des Américains, qui viennent absorber la splendeur médiévale de ces demeures. Mais, et je me doute que vous ne l'ignorez pas, ce n'est que mensonge. Ces splendides maisons bourgeoises de style baroque ont été construites à la fin des années 60 et au début des années 70. Il n'y a jamais eu de tels édifices auparavant. Ce ne sont même pas des restaurations, ce sont des inventions, des fabrications. Il est vrai qu'elles ont été construites selon d'authentiques plans historiques mais elles n'ont rien à faire ici, dans cet endroit, à cette époque. Ni à n'importe quelle autre époque.

– Où voulez-vous en venir, Herr Weiss ?

– Juste que vous, moi, n'importe qui d'autre connaissant l'histoire de Hambourg sait ça. Mais la majorité des gens n'en ont aucune idée. Ils viennent ici et s'assoient sur ces bancs, tout comme nous, s'imprègnent d'un sentiment de leur histoire, de l'histoire allemande. Et c'est ce dont ils font l'expérience. Ce qu'ils ressentent. C'est leur réalité, parce qu'ils le croient. Ils ne voient pas l'imposture parce qu'il n'y en a pas à voir.

Weiss frotta ses mains sur ses genoux, d'un air frustré, comme s'il bataillait encore pour formuler ses pensées.

– Vous m'avez questionné concernant mon frère. La raison pour laquelle je n'ai pas mentionné qu'il était l'auteur de cette sculpture dans mon bureau est parce que tout cela est encore trop réel pour moi. Trop à vif. J'étais heureux quand Daniel s'est suicidé, et j'ai encore beaucoup de mal à accepter ce sentiment. Il était tellement torturé vers la fin que j'ai été soulagé quand il a mis un terme à son existence. Je vous ai expliqué de quelle manière Daniel croyait être un lycanthrope, un loup-garou. En fait, il y croyait véritablement : c'était une réalité absolue, irréfutable et horrible pour lui. C'était mon frère aîné et je l'aimais profondément. Il était tout ce que je désirais être. Puis, quand j'avais environ douze ans et lui dix-sept, il a commencé à avoir ces crises. Je l'ai vu, Herr Hauptkommissar. J'ai vu mon frère aux prises avec une force invisible qui le déchirait. Ce n'était pas seulement une angoisse mentale qui le faisait crier et hurler, c'était un supplice physique intense. De l'extérieur, il n'était qu'un adolescent victime d'une crise. Mais ce que vivait Daniel, ce qu'il ressentait vraiment physiquement, c'était chaque muscle qui se tordait et s'étirait, ses os qui se courbaient, son corps secoué d'une douleur incroyable tandis qu'il se transformait. Là où je veux en venir, c'est qu'il ressentait tout cela. Tout cela était réel pour lui. Même si cela ne l'était pas pour nous.

Weiss détourna les yeux.

– C'est de là que m'est venue l'idée de mes romans du *Wahlwelten*. J'ai écrit sur Daniel dans le premier. J'ai fait de lui un loup. Pas un loup-garou, mais un roi loup qui était le maître de toutes les meutes de loups du monde. J'ai fait de lui un personnage heureux et libre, libéré de la douleur, dans mon histoire. Et c'est devenu ma réalité.

Weiss se tut. Les yeux sombres étaient emplis de douleur.

– C'est pourquoi vous avez tort quand vous dites que le tueur ne colle pas au livre, aux contes authentiques. Il les suit... parce que c'est son livre. C'est sa réalité.

– Mais il s'inspire des contes des Grimm, et peut-être même de votre livre ?

– Apparemment. Mais c'est son interprétation particulière qui est difficile à deviner. Écoutez, vous vous rappelez que je vous ai montré ma collection d'illustrations ?

Fabel acquiesça.

– Eh bien, pensez au nombre d'interprétations artistiques individuelles des contes de Grimm qu'elle contenait. Et ce n'est qu'une partie des peintures, des dessins, des illustrations et des sculptures inspirés par ces contes. Prenez, par exemple, l'opéra de Humperdinck... Le marchand de sable arrive et jette de la poudre magique sur les yeux de Hänsel et Gretel pour les endormir. Cela n'a rien à voir avec le conte original. L'interprétation de votre tueur, parce qu'il se considère clairement comme un artiste, est aussi subjective et personnelle que ces autres interprétations. Et elles peuvent être tordues. Les nazis se sont approprié les contes des Grimm comme ils l'ont fait avec tous les autres joyaux de notre culture qu'ils pouvaient dévier et corrompre pour coller à leur dessein. Il existe une illustration de livre particulièrement méchante et célèbre d'une Gretel très aryenne poussant la vieille sorcière dans le four. Et la vieille sorcière a les traits stéréotypés du Juif. C'est une œuvre d'art répugnante et, quand on y pense, un présage assez saisissant des horreurs à venir.

– Vous voulez dire que nous n'avons qu'un thème, plutôt qu'un plan ?

Weiss haussa les épaules.

– Ce que je dis, c'est qu'il n'existe aucun moyen de savoir ce qu'il va faire ensuite ou de quelle manière il voit son œuvre évoluer. Mais le matériau sur lequel il s'appuie lui donne un terrain de manœuvre terrible et un choix important de contes à adapter à son programme personnel.

– Que Dieu nous aide, dit Fabel.

57

Les cieux dominant Hambourg, vidés par un nouvel orage purificateur, s'embrasaient avec la fin de soirée. L'appartement de Fabel s'emplissait de cette douce lumière chaude. Il se sentait totalement épuisé. Après avoir jeté sa veste et son holster sur le canapé, il se tint debout pendant un moment à parcourir des yeux son appartement. Son petit royaume. Il l'avait bien meublé, à grands frais même, et c'était devenu une prolongation de sa personnalité. Propre, efficace, presque trop organisé. Il absorba la vue et le mobilier, les livres et les photos, l'équipement électronique coûteux. Mais l'endroit était-il, à la fin de la journée, moins solitaire que l'appartement minable de Max Bartmann au-dessus de son studio dans le quartier de Sankt Pauli ?

Avant de se dévêtir et de prendre une douche, il appela Susanne. Ils n'avaient rien prévu pour le soir et elle fut surprise qu'il l'appelle. Surprise mais heureuse.

— Susanne, j'ai besoin de te voir ce soir. Chez toi, chez moi, en ville, peu importe.

— D'accord, dit-elle. Quelque chose qui ne va pas ?

— Non... Rien du tout. C'est juste que j'ai besoin de te parler.

— Oh, je vois..., dit-elle. Pourquoi ne viendrais-tu pas chez moi ? Pour passer la nuit.

— J'arrive dans une demi-heure.

L'appartement de Susanne se trouvait dans un immeuble majestueux de l'époque Wilhelminische, dans la partie Övelgönne du quartier d'Ostmarschen. Övelgönne bordait l'Elbe, sur l'Elbechaussee, et était situé sur le chemin du Blankenese, tant géographiquement qu'en termes d'attrait. Fabel avait souvent passé la nuit chez Susanne même si, habituellement, c'était elle qui venait dormir chez lui. Elle cherchait à protéger son espace intime plus sciemment que lui. Pourtant, elle lui avait donné une clé.

Susanne l'avait vu arriver et l'attendait à la porte de son appartement. Elle portait le tee-shirt trop grand dans lequel elle dormait. Ses cheveux noirs brillants tombaient sur ses épaules, elle n'était pas maquillée. Il y avait des fois où Fabel se sentait submergé par sa beauté. La regarder, en cet instant, sur le seuil de son appartement, était un de ces moments.

Son appartement était beaucoup plus grand que celui de Fabel. Il était décoré avec goût, avec une touche de style traditionnel absent du minimalisme nordique du logement de Fabel.

— Tu as l'air fatigué, dit-elle en lui caressant le visage.

Elle le précéda dans le salon avant de disparaître dans la cuisine pour revenir avec un verre de vin blanc et une bouteille de bière.

— Et voilà pour toi, une Jever, dit-elle en lui tendant la bouteille. J'en ai un stock spécialement à ton intention.

— Merci. J'en ai besoin.

Il sirota la bière frisonne fraîche. Susanne s'installa sur le canapé près de lui, repliant les jambes sous elle. Le tee-shirt remonta et dévoila la peau soyeuse de sa cuisse.

— De quoi voulais-tu me parler de façon si urgente ? demanda-t-elle en souriant. Non que je ne sois ravie de te voir. Mais j'ai eu l'impression que tu avais envie de parler de cette affaire et tu sais ce que je pense de ces discussions de travail...

Fabel la fit taire en l'attirant contre lui et en l'embrassant longuement sur les lèvres. Quand il la relâcha, il soutint son regard.

— Non, dit-il enfin, je ne suis pas venu discuter de cette affaire. J'ai pas mal réfléchi ces derniers temps. À nous.

— Oh, fit Susanne. Cela m'a l'air inquiétant.

— On ne va nulle part dans notre relation. Je suppose que c'est parce que nous nous en satisfaisons tous les deux, à notre manière. Et peut-être ne désires-tu pas plus que ce que nous vivons.

Il marqua une pause, chercha son regard pour y lire sa réaction. Il n'y vit que de la patience.

— Je me suis pris un coup avec mon mariage. J'ignore ce que j'ai mal fait, mais je suppose que c'est parce que je n'ai pas fait grand-chose pour le garder en vie. Je ne veux pas que cela nous arrive. Je tiens vraiment à toi, Susanne. Je veux que ça marche.

Elle lui caressa la joue en souriant. Sa main était fraîche d'avoir tenu le verre de vin.

— Mais, Jan, tout va bien. Moi aussi, je veux que ça marche.

— Je veux que nous vivions ensemble.

Le ton de Fabel était décidé, presque cassant. Puis il sourit et sa voix se radoucit.

— J'aimerais vraiment qu'on vive ensemble, Susanne. Qu'en penses-tu ?

Susanne, les sourcils arqués, souffla.

— Oh, je ne sais pas. Je ne sais pas trop, Jan. Nous aimons tous les deux avoir notre espace. Nous sommes des personnes résolues. Ce n'est pas un problème pour l'instant, mais si nous vivons ensemble... Je ne sais pas, Jan. Comme tu dis, nous vivons une belle histoire et je ne tiens pas à la faire capoter.

— Je ne pense pas que c'est ce qui se passerait. Je pense que cela la renforcerait.

— J'ai déjà vécu cette expérience.

Susanne balança ses jambes hors du canapé et se pencha en avant, le verre de vin entre les mains.

— Nous avons vécu ensemble pendant un temps. Je ne l'ai pas vu tout de suite, mais c'était un homme qui aimait tout contrôler.

Elle eut un rire amer.

— Moi, une psychologue, et je n'ai pas pu reconnaître un maniaque du contrôle quand j'en avais un en face de moi. Peu importe, ce n'était pas bon pour moi. Je me suis sentie rabaissée. Une moins que rien. J'ai arrêté de croire en moi, j'ai cessé de me fier à mon jugement. Je suis partie avant qu'il ne détruise le peu d'amour-propre qui me restait.

— Tu crois que je suis comme ça ?

— Non... Bien sûr que non, dit-elle en lui prenant la main. C'est juste que j'ai passé tellement de temps à créer un sentiment, disons, d'indépendance.

— Mon Dieu, Susanne. Je ne cherche pas une femme au foyer. Je cherche une partenaire. Je cherche quelqu'un avec qui partager ma vie. Et la seule raison pour laquelle j'en ai besoin, c'est toi. Avant de te rencontrer, je n'y avais pas pensé. Voudrais-tu au moins y réfléchir ?

— Bien sûr, Jan, je le ferai. Je ne te dis pas non. J'ai juste besoin de temps pour y penser, dit-elle en lui adressant un grand sourire. Voici ce que je te propose : tu m'emmènes à Sylt comme tu me le promets depuis des mois. Dans l'hôtel de ton frère. Tu fais ça et je te donnerai ma réponse.

— Marché conclu.

Leur étreinte fut intense. Un sentiment de satisfaction berça Fabel dans un profond sommeil, plus profond que tout ce qu'il avait connu les semaines passées.

Son réveil fut brutal. Quelque chose s'était penché sur lui pour le hisser subitement à la surface. Il était allongé, les yeux grands ouverts, à regarder les ombres au plafond. Susanne dormait près de lui. Quelque chose, au fond d'une petite pièce sombre dans un coin éloigné de son esprit, tapait pour sortir. Il s'assit sur le bord du lit. Qu'est-ce que c'était ? Quelque chose qui avait été dit ? Quelque chose qu'il avait vu ? En tout cas, cela concernait les meurtres : un lien qui s'était inscrit à la périphérie. Il se leva. Dans le salon, il se tint devant les fenêtres. La vue ne pouvait rivaliser avec celle de son appartement. On voyait au-delà du parc jusqu'à l'Elbe, mais le panorama était encadré par les immeubles. Deux ou trois voitures passèrent en contrebas en direction de Liebermann Strasse. Un chien errant traversa la rue et Fabel le suivit des yeux jusqu'à ce qu'il disparaisse.

Une chose qu'il avait entendue. Une chose qu'il avait vue. Ou les deux. Son esprit épuisé, en manque de sommeil, refusait de lâcher prise.

Dans la cuisine, il se prépara une tasse de thé. En prenant le lait dans le réfrigérateur, il vit trois bouteilles de Jever. Il sourit en pensant à Susanne : elle les avait achetées pour lui. Il avait toujours considéré les réfrigérateurs comme un espace intime : leur contenu était aussi personnel que celui d'un portefeuille ou d'un sac à main. Chaque fois qu'il se retrouvait sur une scène de crime, il examinait le réfrigérateur pour se faire une idée de celui ou ceux qui vivaient dans cet endroit. Et aujourd'hui ses bières partageaient cet espace personnel à côté des yaourts de Susanne, de ses fromages favoris du sud de l'Allemagne et des pâtisseries pour lesquelles elle avait un faible.

Il emporta le thé jusqu'au comptoir et en but une gorgée. Susanne entra dans la cuisine en se frottant les yeux.

— Tu vas bien ? demanda-t-elle d'une voix ensommeillée. Encore un mauvais rêve ?

Il se leva pour l'embrasser.

— Non. Je n'arrivais pas à dormir... Désolé de t'avoir réveillée. Tu veux du thé ?

— Ce n'est pas grave et non merci pour le thé, répondit-elle en bâillant. Je voulais juste m'assurer que tu allais bien.

Une énergie sombre traversa Fabel, le pétrifiant sur place. Sa fatigue avait disparu et il était à présent aussi éveillé que possible. Chaque sens, chaque nerf était totalement à l'affût. Il fixa Susanne d'un air vide.

— Ça va ? demanda-t-elle. Jan, qu'est-ce qui ne va pas ?

Il traversa la cuisine et ouvrit la porte du réfrigérateur pour regarder les pâtisseries délicates : une pomme cuite enfermée dans un feuilleté léger. Il se tourna vers Susanne.

— La maison de pain d'épices, dit-il sans s'adresser à elle.

— Quoi ?

— La maison de pain d'épices. Werner m'a dit que nous devrions chercher quelqu'un vivant dans une maison de pain d'épices. Puis j'ai vu tes pâtisseries dans le réfrigérateur. C'est ce qui m'y a fait penser.

— Jan, bon sang, mais de quoi parles-tu ?

Il la prit par les épaules et l'embrassa sur la joue.

— Je vais m'habiller. Il faut que je retourne au Präsidium.

— Mais pourquoi ? demanda-t-elle en le suivant dans la chambre où il s'habilla à la hâte.

— Je l'ai entendu, Susanne. Depuis tout ce temps, il essaie de nous dire quelque chose et je viens de l'entendre.

Fabel appela Weiss depuis sa voiture.

— Seigneur, Fabel, il est presque cinq heures du matin. Qu'est-ce que vous voulez, bon sang ?

— Pourquoi y a-t-il tant d'aliments cuits dans les contes de fées ?

— Quoi ? Bon sang...

— Écoutez, Herr Weiss, je sais qu'il est tard, ou tôt, mais c'est important. D'une importance vitale. Pourquoi y a-t-il autant de références à des aliments cuits, au pain et aux gâteaux, aux maisons de pain d'épices et autres, dans les contes de Grimm ?

— Oh, mon Dieu, je ne sais pas... Cela symbolise tellement de choses.

Weiss avait l'air troublé, comme si on l'obligeait à fouiller dans des archives mentales.

— Des choses différentes dans des contes différents. Prenez le Petit Chaperon rouge, par exemple : le pain tout frais sorti du four pour sa grand-mère est un symbole de la pureté non corrompue de la fillette tandis que le loup incarne la corruption et les appétits rapaces. Ce n'est pas le pain qu'il veut, c'est la virginité de la fillette. Pourtant Hänsel et Gretel, bien qu'ils soient des innocents perdus dans l'obscurité des bois, succombent à leurs appétits et à leur envie quand ils découvrent la maison en pain d'épices. Dans ce cas, la maison représente la tentation du péché. La nourriture cuite peut incarner tant de choses différentes. La simplicité et la pureté. Ou même la pauvreté, les miettes de pain que Hänsel engrange en secret pour que sa sœur et lui retrouvent le chemin de la sécurité. Pourquoi ?

– Je ne peux pas vous en dire plus pour le moment. Mais merci.

Fabel raccrocha et composa immédiatement un autre numéro. Il fallut du temps avant que quelqu'un réponde.

– Werner, c'est Fabel... Oui, j'ai vu l'heure. Tu peux venir tout de suite au Präsidium ? Vois si tu peux joindre Anna et Maria aussi.

Fabel se reprit. Il avait été sur le point de demander à Werner de contacter Paul Lindemann : l'heure tardive et la force des habitudes effaçant pendant quelques secondes la mort de l'officier en service une année plus tôt.

– Et demande à Anna d'appeler Henk Hermann.

Il raccrocha. Tellement de morts. Comment en était-il arrivé à être entouré par tant de morts ? L'histoire avait été son grand amour et il s'était senti attiré par la vie de l'historien comme si ses gènes l'avaient prédestiné à cette trajectoire. Mais il ne croyait pas en la destinée. Non, il croyait dans le caractère cruel et imprévisible de la vie : une vie dans laquelle une rencontre hasardeuse entre une jeune étudiante, la petite amie de Fabel à l'époque, et un moins que rien atteint d'un sévère désordre psychotique s'était conclue par une tragédie. Et cette tragédie avait mis en branle une série d'événements imprévus qui avaient fini par faire de Fabel un policier de la Criminelle, au lieu d'un historien, d'un archéologue ou d'un enseignant.

Tant de morts. Et maintenant il se rapprochait d'un autre tueur.

Il était presque six heures quand tout le monde se rassembla dans la Mordkommission. Personne ne se plaignit d'avoir été sorti de son lit, mais tous avaient le regard trouble. Pas Fabel. Ses yeux brûlaient d'une détermination froide et sombre. Tournant le dos à son équipe, il parcourait de son regard scrutateur les photos du tableau d'enquête.

– Il y a eu des moments où j'ai cru qu'on ne coincerait jamais ce type, déclara Fabel d'une voix tranquille et déterminée. Que nous allions vivre plusieurs semaines d'activité intense et de cadavres empilés et qu'ensuite il disparaîtrait. Jusqu'à sa prochaine fête.

Une pause d'une seconde avant de se tourner vers son public.

– Une journée bien chargée nous attend. J'ai la ferme intention que d'ici ce soir notre tueur soit derrière les barreaux.

Silence et qui-vive.

– Il est intelligent, fou, mais intelligent, continua Fabel. C'est l'œuvre de sa vie et il y a réfléchi jusqu'aux moindres détails. Tout ce qu'il fait a un sens. Tous les détails sont liés entre eux. Mais il y a une connexion que nous avons manquée.

Il abattit sa paume ouverte sur la première photo.

– Paula Ehlers... Voici la photo prise la veille de sa disparition. Qu'est-ce que vous voyez ?

– Une fille heureuse, dit Werner en fixant le portrait, comme pour évoquer une image qu'il ne pouvait y voir. Une fille heureuse à sa fête d'anniversaire...

– Non, intervint Maria Klee en se rapprochant, et examinant la série de photos comme Fabel l'avait fait auparavant. Non... Ce n'est pas ça.

Son regard se riva à celui de son chef.

– Le gâteau d'anniversaire. C'est le gâteau d'anniversaire.

Fabel ne parla pas. D'un sourire, il invita Maria à poursuivre. Elle avança et désigna la deuxième photo.

– Martha Schmidt... la fille trouvée sur la plage de Blankenese. Un estomac vide, hormis les restes d'un frugal repas de pain de seigle.

Elle passa à l'image suivante et sa voix devint plus tendue.

— Hanna Grünn et Markus Schiller... les miettes de pain parsemées sur le mouchoir... et Schiller qui possédait en partie une boulangerie...

Fabel adressa un signe de tête à Anna.

— Appelez le centre de détention de Vierland. Dites-leur que je dois parler de manière urgente à Peter Olsen...

Maria passa au cliché suivant.

— Laura von Klosterstadt ?

— Une autre fête d'anniversaire, répondit Fabel. Une fête fastueuse organisée par son agent, Heinz Schnauber. Certainement par le biais d'un traiteur. Schnauber m'a confié qu'il voulait toujours que Laura sente que c'était sa fête à elle et pas simplement un événement promotionnel. Il aimait lui préparer des petites surprises : des cadeaux... et un gâteau d'anniversaire. Il nous faut le nom du traiteur.

— Bernd Ungerer, ajouta Maria en avançant le long du tableau d'enquête comme si elle était seule dans la pièce à analyser ces informations. Bien sûr, du matériel de restauration. Des fours de boulangerie... Et ici... Lina Ritter, mise en scène en Petit Chaperon rouge, avec une miche de pain toute fraîche dans son panier.

— Les contes, dit Fabel. Nous côtoyons le monde des contes dans lequel rien n'est ce qu'on croit. Tout a un sens, un symbolisme. Le grand méchant loup n'a rien à voir avec les loups et tout à voir avec nous. Avec les gens. La mère représente tout ce qui est généreux et bon dans la nature. La marâtre est l'autre face de la pièce, tout ce qui, dans la nature, est malveillant, méchant et mauvais. Et l'aliment cuit : le caractère sain, simple et honnête du pain, la tentation lascive des mets délicats cuits. C'est un thème que l'on retrouve dans tous les contes de Grimm.

— Chef, appela Anna, la main sur le combiné du téléphone. L'agent de justice n'était pas très content mais j'ai Olsen en ligne.

Fabel s'empara du combiné.

— Olsen, voici une chance de vous disculper de tous ces meurtres. Vous vous rappelez qu'on a parlé d'Ungerer, le représentant ?

— Oui...

— De quelle manière Hanna vous a dit qu'il la regardait ?

— Quoi... je sais pas... Ah oui, qu'il la mangeait des yeux.

Oui, pensa Fabel, et il avait été énucléé et ces yeux avaient atterri sur un autre corps.

— Y avait-il quelqu'un d'autre dans la boulangerie qui était attiré par Hanna ?

Olsen s'esclaffa.

— La majeure partie du personnel masculin, probablement.

— Mais y avait-il un homme en particulier ? insista Fabel avec impatience. Quelqu'un qui l'aurait ennuyée ?

Silence à l'autre bout du fil.

— Je vous en prie, Herr Olsen, c'est extrêmement important.

— Non... Non, je crois que son chef, Herr Biedermeyer, le chef boulanger, était très strict à ce propos. Elle s'était même plainte auprès de lui concernant Ungerer. Il lui avait dit qu'il en parlerait à Frau Schiller.

Fabel demeura silencieux à son tour.

— C'est ce que vous vouliez savoir ? demanda Olsen d'un ton hésitant. Est-ce que cela me blanchit ?

— Peut-être... Probablement. Je vous rappellerai, dit Fabel avant de raccrocher. Anna, contactez la KriPo de Kassel. Essayez de savoir si Martha Schmidt a assisté à une fête d'anniversaire ou à une réception dans les semaines précédant son enlèvement.

— D'accord, chef, mais étant donné son environnement familial, c'est peu probable. Je ne crois pas que ses parents aient été assez organisés ou assez intéressés pour accepter une invitation et l'accompagner à une fête.

— Ce qui est triste, Anna, c'est que c'est probablement Martha toute seule qui s'en est occupée. C'était elle, l'adulte responsable dans cette famille.

Fabel soupira, touché par l'image d'une Martha Schmidt dépenaillée arrivant seule et sans cadeau à une fête d'anniversaire.

– J'aimerais également que vous contactiez la famille Ehlers, ils vous connaissent, et que vous leur demandiez d'où venait le gâteau d'anniversaire de Paula.

Puis, à Maria Klee :

– Maria, je veux que tu appelles Heinz Schnauber, l'agent de Laura von Klosterstadt, et qu'il te dise à quel traiteur il a fait appel pour la fête. Encore une fois, je veux savoir d'où provient le gâteau.

58

Fabel tenait les réponses dont il avait besoin. Ou une partie des réponses. La police de Kassel avait été jusque-là incapable de confirmer si oui ou non Martha Schmidt s'était rendue à une fête d'anniversaire avant son enlèvement. Anna avait également découvert que la mère de Martha n'était pas revenue à son domicile après avoir identifié le corps de sa fille. Cela ennuya Fabel que la Mordkommission apprenne par une force de police éloignée qu'Ulrike Schmidt s'était suicidée alors qu'elle se trouvait encore à Hambourg : il aurait dû recevoir cette information de la Polizeidirektion impliquée. Une fois dissipé l'agacement provoqué par le manque de communication au sein de la police, il se rappela combien Anna avait été dure envers Ulrike Schmidt, la considérant simplement comme une droguée égoïste et sans cœur. Après tout, elle avait été une mère, à sa manière.

Anna avait contacté les Ehlers, qui avaient confirmé que le gâteau d'anniversaire de Paula avait été confectionné au Fournil Albertus. L'enquête de Maria avait révélé que Heinz Schnauber avait commandé un énorme gâteau décoré pour la fête de Laura von Klosterstadt. Ce n'était pourtant pas le traiteur qui s'en était chargé. Heinz Schnauber avait personnellement passé la commande auprès d'une boulangerie spécialisée qui avait livré le gâteau directement. Le Fournil Albertus.

La demoiselle de l'accueil du Fournil Albertus était de toute évidence perturbée par l'irruption soudaine d'un si grand nombre de policiers. Quand Fabel lui présenta son insigne ovale de la Kriminalpolizei en demandant si Frau Schiller était là, elle se contenta d'opiner.

Des officiers de la SchuPo étaient postés à l'entrée principale de la boulangerie, ainsi qu'aux issues de secours et à la rampe de livraison. Anna Wolf et Henk Hermann attendaient au niveau de la boulangerie. L'air était lourd des odeurs de pâte et de pain chaud mais quand Fabel, Werner et Maria pénétrèrent dans le bureau de Vera Schiller, ils trouvèrent l'ambiance dure et fonctionnelle d'une administration industrielle. Et le bureau de Markus Schiller dégageait une impression de récent abandon. Vera Schiller se leva, une rage incandescente dans le regard.

— Qu'est-ce que cela signifie ? Je veux savoir pourquoi vous faites irruption ici... dans mon bureau...

Fabel leva la main avant de s'exprimer d'une voix posée, empreinte d'une autorité tranquille :

— Frau Schiller, nous avons des questions très importantes à vous poser ainsi qu'à votre personnel. Je sais que la période est assez pénible. Ne rendez pas les choses plus difficiles qu'elles ne le sont déjà.

Vera Schiller se rassit mais demeura tendue. Le feu sombre brûlait toujours dans ses yeux.

— N'allez pas croire que vous savez quoi que ce soit à mon sujet, Herr Kriminalhauptkommissar. Vous ne me connaissez absolument pas.

Fabel s'assit en face d'elle.

— C'est possible. Mais il y a une chose dont je suis certain : sept meurtres ont été commis... peut-être même huit. Chacun d'eux plus horrible que le précédent, celui de votre époux inclus. Et chacun de ces meurtres est lié au Fournil Albertus.

— Comment cela ? demanda Vera Schiller comme traversée par une décharge électrique. Qu'entendez-vous par là ?

— Laura von Klosterstadt. Vous avez dû lire les détails de son assassinat dans les journaux. Et pourtant vous avez omis de nous informer que vous aviez confectionné le gâteau de sa fête d'anniversaire.

— Je ne sais pas de quoi vous parlez. Nous n'avons pas fait de gâteau pour sa réception. Je m'en souviendrais.

Fabel lui communiqua les dates. Elle pianota sur le clavier d'un ordinateur installé sur son bureau.

— Non. Rien. Vous pouvez vérifier par vous-même, dit-elle en faisant pivoter l'écran vers Fabel.

— C'est ici, déclara Fabel en pointant du doigt vers une entrée du tableau affiché à l'écran. La commande est au nom de Heinz Schnauber. Il était l'agent de Laura von Klosterstadt.

Vera Schiller fixa le nom.

— Oh oui, un gros gâteau. Une commande spéciale. Plus une livraison de pâtisseries et de petits pains. Je m'en souviens, mais il ne m'a pas dit que c'était pour les Klosterstadt.

— Qui ne vous l'a pas dit ? demanda Fabel.

Mais il avait déjà en tête les mains énormes travaillant avec une délicatesse surprenante.

— Herr Biedermeyer, bien sûr. Notre chef boulanger, précisa-t-elle en ouvrant un tiroir de son bureau pour en sortir un lourd classeur.

Elle le feuilleta et consulta encore une fois l'écran avant de faire courir un ongle vernis rouge le long d'une colonne.

— Oui... C'est ici... Herr Biedermeyer a effectué la livraison en personne. Il fait les choses à fond.

Fabel jeta un regard à Maria et à Werner par-dessus son épaule.

— Je peux consulter votre registre de livraisons ? demanda-t-il à Frau Schiller.

Elle soutint son regard pendant un moment, mais la colère avait disparu. Elle tourna le classeur vers Fabel. Il sortit son carnet de notes de sa poche et vérifia la date de la disparition de Martha Schmidt. Puis il feuilleta le classeur jusqu'à la date qu'il cherchait. Un frisson courut sur sa nuque.

— Herr Biedermeyer prend du temps sur ses activités pour effectuer des livraisons comme celle-ci ? demanda-t-il en désignant une autre entrée du registre.

— Oui. Eh bien, dans ces cas-là, oui. Le Konditorei Wunderlich est un de nos gros clients. Herr Biedermeyer veille à ce qu'ils se sentent bien considérés.

— Et le Konditorei Wunderlich se trouve à Kassel ?

Werner et Maria se dirigeaient déjà vers la porte.

— Oui. Pourquoi ?

— Est-ce que Herr Biedermeyer utilise une de vos camionnettes pour effectuer ces livraisons ?

— Parfois. Oui. Pourquoi me posez-vous ces questions sur Herr Biedermeyer ?

— Herr Biedermeyer est présent aujourd'hui ?

— Il est au niveau production...

Avant que Frau Schiller ait le temps de finir sa phrase, Fabel avait bondi de son siège et dévalait les escaliers à la suite de ses officiers.

Exactement comme dans le souvenir de Fabel lors de leur première entrevue, Biedermeyer, penché en avant, disposait un petit motif floral sur un gâteau. Cette opération paraissait d'une délicatesse impossible pour ses énormes mains. Les fleurs de sucre étaient minuscules et fragiles entre son index et son pouce massifs. En voyant le groupe de policiers approcher, il se redressa, un sourire bon enfant sur le visage. Anna et Henk se détachèrent du groupe et entreprirent d'évacuer l'espace de production. Biedermeyer observait la scène avec amusement.

— Bonjour, Herr Kriminalhauptkommissar. Excusez-moi un instant, je dois terminer ce décor.

Encore une fois, l'index et le pouce pincèrent une fleur et la placèrent sur le gâteau. Il répéta le même geste et, redressant sa gigantesque carrure, recula d'un pas pour apprécier son œuvre en s'exclamant : « Et voilà ! » Puis il se tourna vers Fabel.

– Désolé de vous faire attendre, mais il fallait que je finisse.

Son sourire, amical, était presque chaleureux.

– J'aime que les choses soient bien faites. Les finir correctement. Qu'elles soient parfaites. Dans un travail comme le mien, c'est le détail qui compte.

Il regarda les deux officiers avant de revenir à Fabel.

– Mais je crois que j'en ai déjà fait la preuve, non ? Avez-vous apprécié mon œuvre, Herr Hauptkommissar ? Vous a-t-elle distrait ?

La main de Fabel sortit son pistolet de son holster. Il ne le brandit pas, le gardant au côté, prêt. Biedermeyer jeta un regard vers l'arme et secoua la tête, d'un air déçu.

– Pas besoin de ça, Herr Fabel. Aucun besoin. J'ai fini mon œuvre. J'ai accompli tout ce que j'avais prévu de faire.

– Herr Biedermeyer, commença Fabel, mais l'autre leva la main, comme un agent de la circulation stoppant des voitures.

Biedermeyer souriait toujours, mais sa taille et sa corpulence, menaçantes, contredisaient son expression.

– Maintenant, Herr Fabel, vous savez que ce n'est pas mon véritable nom, n'est-ce pas ? Après tout ce que vous avez vu ?

– Alors quel est votre véritable nom ?

– Grimm..., déclara Biedermeyer avant de s'esclaffer comme s'il avait été obligé d'expliquer quelque chose d'une simplicité éblouissante à un enfant. Je suis Frère Grimm.

Fabel perçut les bruits d'armes qu'on sortait de leurs étuis.

– Franz Biedermeyer, vous êtes en état d'arrestation pour les meurtres présumés de Paula Ehlers, Martha Schmidt, Hanna Grünn, Markus Schiller, Laura von Klosterstadt, Bernd Ungerer, Lina Ritter et Max Bartmann. Toute déclaration que vous ferez pourra être utilisée contre vous.

Fabel rangea son pistolet dans son étui après avoir vérifié que Werner et Maria couvraient Biedermeyer. Il saisit les poignets de Biedermeyer, le faisant pivoter pour le menotter dans le dos. En le touchant, il prit encore plus conscience de sa masse et sa puissance. Les poignets étaient épais, solides. Au grand soulagement de Fabel, il ne manifesta aucune résistance.

En accompagnant le chef boulanger jusqu'aux véhicules qui attendaient à l'extérieur, ils passèrent devant Vera Schiller. Elle posa son regard sombre sur Biedermeyer comme on lui faisait monter l'escalier. Il s'arrêta. Le sourire disparut de ses lèvres.

– Je suis désolé, lui dit-il d'une voix tranquille.

Elle eut un rire de mépris. Biedermeyer se remit en marche. Frau Schiller posa la main sur le bras de Fabel qui fit signe à Anna et Henk d'escorter Biedermeyer avec Werner. Quand il se tourna vers Vera Schiller, il y avait du défi dans le regard de celle-ci. Sa voix était froide et cassante.

– J'aimais mon mari, Herr Fabel. J'aimais beaucoup Markus.

Malgré la dureté de son expression, une larme surgit au coin de son œil et coula le long de sa joue.

– Je voulais que vous le sachiez.

Ils firent monter Biedermeyer à l'arrière de la voiture de Fabel. Tassé sur la banquette, il donnait l'impression d'avoir été plié sans ménagement pour rentrer dans cet espace inadapté. Werner, assis à côté de lui, semblait petit en dépit de sa grande taille.

Avant de démarrer, Fabel se tourna vers leur prisonnier.

– Vous avez dit que votre œuvre était finie. Pourquoi avez-vous dit ça ? Je sais que vous n'avez pas accompli tout ce que vous aviez planifié. J'ai suivi les liens, les contes... Vous en avez encore au moins un à mettre en scène...

Biedermeyer sourit. Les ridules autour de ses yeux se creusèrent plus profondément. Fabel songea encore une fois au sourire de son frère, Lex. Cette pensée le fit frissonner.

– Soyez patient, Herr Kriminalhauptkommissar. Soyez patient.

59

Vendredi 30 avril, 13 h 30 – Polizeipräsidium, Hambourg.

Fabel, Maria et Werner patientaient dans la salle d'interrogatoire. Ils avaient discuté de leur stratégie au préalable. Chacun cherchait quelque chose à dire, une plaisanterie même, pour briser le silence qui régnait maintenant. Mais aucun d'eux n'y parvint. Fabel et Werner étaient assis à la table équipée du magnétophone et du micro, Maria était appuyée contre le mur.

Ils attendaient qu'on leur amène un monstre.

Des pas approchèrent. C'était médicalement impossible mais Fabel aurait juré sentir sa tension sanguine monter. Sa poitrine était oppressée : l'excitation, la terreur et la détermination se mélangeaient en une émotion qui n'avait pas de nom. Les pas s'arrêtèrent puis un SchuPo ouvrit la porte. Deux autres policiers en tenue introduisirent Biedermeyer menotté. Ils paraissaient insignifiants à côté de sa masse.

Biedermeyer s'assit en face de Fabel. Seul. Il avait refusé son droit à être représenté. Les deux SchuPo montaient la garde en silence derrière lui, contre le mur. Le visage de Biedermeyer avait toujours l'air détendu, aimable, agréable. Un visage qui inspirait la confiance ; un homme avec qui on aurait discuté dans un bar. Il montra ses mains, les retournant pour exposer les anneaux en fer, la tête légèrement penchée sur le côté.

– S'il vous plaît, Herr Fabel, vous savez que je ne

représente aucun danger pour vous ou vos collègues. Je n'ai pas non plus le désir de m'échapper.

Fabel fit signe à un des SchuPo qui avança et ôta les menottes avant de reprendre sa position près du mur. Fabel mit le magnétophone en marche.

– Herr Biedermeyer, avez-vous enlevé et tué Paula Ehlers ?

– Oui.

– Avez-vous enlevé et tué Martha Schmidt ?

– Oui.

– Avez-vous tué...

Biedermeyer leva la main. Toujours ce désarmant sourire bon enfant.

– Je vous en prie. Je pense que, pour gagner du temps, il vaudrait mieux que je fasse la déclaration suivante. Moi, Jacob Grimm, frère de Wilhelm Grimm, rapporteur de la langue et de l'âme des peuples allemands, avoue avoir pris les vies de Paula Ehlers, Martha Schmidt, Hanna Grünn, Markus Schiller, Bernd Ungerer, Laura von Klosterstadt, de la pute Lina, je suis désolé, je ne connais pas son nom, et du tatoueur Max Bartmann. Je les ai tous tués. Et j'ai pris plaisir à chaque seconde de chacun de ces meurtres. J'admets librement les avoir tués, mais je ne suis coupable de rien. Leurs vies étaient sans importance. La seule importance que ces individus ont eue se trouvait dans leur mort... et ces vérités universelles et intemporelles qu'ils ont exprimées au travers de leur mort. En vie, ils ne valaient rien. En les tuant, je leur ai donné un sens.

– Herr Biedermeyer, pour le rapport, nous ne pouvons accepter de confession au nom d'un autre que le vôtre.

– Mais je vous ai donné mon véritable nom. Je vous ai donné le nom de mon âme, pas la fiction qui existe sur ma pièce d'identité.

Biedermeyer soupira, puis sourit, encore une fois comme s'il cédait à un enfant.

– Si cela peut vous contenter : Moi, Frère Grimm, connu de vous sous le nom de Franz Biedermeyer, admets avoir tué toutes ces personnes.

— Est-ce que quelqu'un vous a aidé à commettre ces meurtres ?

— Mais bien sûr ! Naturellement.

— Qui ?

— Mon frère... Qui d'autre ?

— Mais vous n'avez pas de frère, Herr Biedermeyer, dit Maria. Vous êtes enfant unique.

— Bien sûr que j'ai un frère.

La gentillesse de son visage fit place à quelque chose d'infiniment plus menaçant. Une expression de prédateur.

— Sans mon frère, je ne suis rien. Sans moi, c'est mon frère qui n'est rien. Nous nous complétons.

— Qui est votre frère ?

Retour du sourire indulgent.

— Mais vous le connaissez, bien sûr. Vous l'avez déjà rencontré.

Fabel eut un geste d'incompréhension.

— Vous connaissez mon frère, Wilhelm Grimm, sous le nom de Gerhard Weiss.

— Weiss ? s'exclama Maria dans le dos de Fabel. Vous affirmez que l'écrivain Gerhard Weiss est votre complice dans ces meurtres ?

— Tout d'abord, ce ne sont pas des meurtres. Ce sont des actes de création. Il n'y a rien de destructif dans ces actes. Ce sont les incarnations de vérités qui existent depuis des générations. Mon frère et moi sommes les rapporteurs de ces vérités. Il n'a rien commis avec moi. Il a collaboré. Comme nous l'avons fait il y a deux siècles.

Fabel s'appuya contre le dossier de sa chaise et fixa Biedermeyer : le visage aimable, usé par les sourires, qui contrastait avec la menace émanant de sa gigantesque stature. C'est pour cette raison que tu portais un masque, pensa Fabel. C'est pour cette raison que tu cachais ton visage. Il imagina la silhouette terrifiante d'un Biedermeyer masqué. La terreur à l'état pur que ses victimes avaient dû éprouver avant de mourir.

— Mais la vérité, n'est-ce pas, Herr Biedermeyer, c'est que Gerhard Weiss ne sait rien de tout ça. Excepté la lettre que vous avez envoyée à son éditeur, il n'y a eu aucun contact réel et tangible entre vous.

Nouveau sourire de Biedermeyer.

— Non, vous ne comprenez pas, n'est-ce pas, Herr Kriminalhauptkommissar ?

— Peut-être pas, en effet. J'ai besoin que vous m'aidiez à comprendre. Mais d'abord, j'ai une question importante à vous poser. Peut-être la plus importante de la journée : où se trouve le corps de Paula Ehlers ?

Biedermeyer se pencha en avant, les coudes appuyés sur la table.

— Vous aurez votre réponse, Herr Fabel, je vous le promets. Je vous dirai où trouver le corps de Paula Ehlers. Et je vous le dirai aujourd'hui... mais pas tout de suite. D'abord je vais vous expliquer de quelle manière je l'ai trouvée et pour quelle raison je l'ai choisie. Et je vous aiderai à comprendre le lien particulier qui existe entre mon frère Wilhelm, que vous connaissez sous le nom de Gerhard Weiss, et moi. Puis-je avoir un verre d'eau ?

Fabel adressa un signe de tête à l'un des SchuPo qui remplit un gobelet en carton à la fontaine, puis le posa devant Biedermeyer. Ce dernier le vida d'un coup. Le bruit qu'il fit en buvant résonna dans le silence de la salle d'interrogatoire.

— J'ai livré le gâteau au domicile des Ehlers la veille de la fête d'anniversaire de Paula, deux jours avant que je ne l'enlève. Sa mère s'est dépêchée d'aller cacher le gâteau avant que Paula ne rentre de l'école. Je partais dans la camionnette quand j'ai vu Paula au coin de la rue, qui se dirigeait vers sa maison. J'ai pensé : « Quelle chance ! J'ai livré ce gâteau à temps, elle a failli le voir. » C'est alors que Wilhelm s'est adressé à moi. Il m'a dit que je devais enlever cette fille et la tuer.

— Wilhelm était dans la voiture avec vous ? demanda Werner.

— Wilhelm est toujours avec moi, où que j'aille. Il est resté silencieux si longtemps. Depuis mon enfance. Mais j'ai toujours su qu'il était là. À me regarder. À planifier et

Craig Russell

à écrire mon histoire, ma destinée. Mais j'étais si heureux d'entendre de nouveau sa voix.

– Qu'est-ce que Wilhelm vous a dit ? demanda Fabel.

– Il m'a dit que Paula était pure. Innocente. Elle était encore préservée de la corruption et de la saleté de notre monde. Wilhelm m'a dit que je pouvais m'assurer qu'elle demeure ainsi, que je pouvais la sauver de la déchéance en l'endormant d'un sommeil éternel. Il m'a dit qu'il fallait que je finisse son histoire.

– La tuer, vous voulez dire ? demanda Fabel.

Biedermeyer haussa les épaules. Le vocabulaire du crime lui importait peu.

– Comment l'avez-vous tuée ?

– La plupart du temps, je commence mon travail tôt le matin. Cela fait partie du métier de boulanger, Herr Fabel. Pendant la moitié de ma vie, j'ai regardé le monde autour de moi se réveiller lentement pendant que je préparais le pain, l'aliment le plus ancien et le plus indispensable à la vie, pour le jour à venir. Même après toutes ces années, j'aime le mélange de la première lumière du jour et de l'odeur du pain cuit.

Il marqua une pause, provisoirement perdu dans la magie du souvenir.

– Peu importe. En fonction de mes horaires, je finis souvent tôt et j'ai une grande partie de l'après-midi pour moi. J'ai profité de cette liberté pour observer les mouvements de Paula le jour suivant, des déplacements qui n'étaient pas habituels, parce que c'était son anniversaire et que je n'avais aucune occasion de l'enlever. Mais le lendemain était un jour d'école et, alors que je la guettais, l'occasion s'est soudain présentée à moi quand elle a traversé la rue principale entre l'école et sa maison. Il fallait que je me décide rapidement. J'avais très peur de me faire prendre, mais Wilhelm m'a parlé. Il a dit : « Enlève-la maintenant. C'est bon, tu ne risques rien. Prends-la maintenant et finis son histoire. » J'avais peur. J'ai dit à Wilhelm que j'avais peur, que ce que je m'apprêtais à faire était mal et que je serais puni. Mais il m'a dit qu'il me ferait un signe. Quelque chose qui me prouverait que c'était la bonne chose à faire et tout se passerait bien. Et c'est ce qu'il a fait, Herr Fabel. Il m'a envoyé le signe qu'il contrôlait ma destinée, la destinée de cette fille, notre destinée à tous. C'était dans sa main, vous voyez. Elle le tenait dans sa main en marchant : un exemplaire de notre premier volume de contes. Alors je l'ai fait. C'était si rapide. Et si facile. Je l'ai enlevée dans la rue, puis je l'ai enlevée au monde et son histoire était finie.

Une sorte de mélancolie gagna ses énormes traits. Il revint brutalement au présent de l'interrogatoire.

– Je ne vais pas entrer dans les détails déplaisants, mais Paula n'a quasiment rien su de ce qui lui est arrivé. Comme j'espère que, vous le savez, je ne suis pas un pervers. J'ai terminé son histoire parce que Wilhelm me l'a ordonné. Il m'a dit de la protéger du mal de ce monde en l'enlevant. Et c'est ce que j'ai fait aussi vite et avec le moins de douleur possible. Je suppose que, même après tout ce temps, les détails de sa mort se révéleront à vous quand vous retrouverez le corps. Je tiendrai ma promesse et je vous dirai exactement où la trouver. Mais pas encore.

– La voix de Wilhelm. Vous avez dit ne pas l'avoir entendue pendant longtemps. Quand l'avez-vous entendue auparavant ? Avez-vous déjà tué ? Ou même blessé quelqu'un avant Paula Ehlers ?

Le sourire disparut. Cette fois, une tristesse douloureuse emplit le visage de Biedermeyer.

– J'aimais ma mère, Herr Fabel. Elle était belle et intelligente et elle avait de beaux cheveux blond vénitien. C'est tout ce que je me rappelle d'elle. De ça et de sa voix quand elle chantait pour moi alors que j'étais au lit. Pas sa voix quand elle me parlait. Je ne m'en souviens pas, mais je me rappelle ses chansons. Et ces jolis et longs cheveux qui sentaient la pomme. Puis elle a cessé de chanter. J'étais trop jeune pour comprendre, mais elle est tombée malade et je l'ai vue de moins en moins. Puis elle n'était plus là. Elle est morte d'un cancer quand elle avait trente ans. J'en avais quatre.

Il se tut. Il attendait des commentaires, de la commisération, de la compréhension.

– Continuez, dit Fabel.

– Vous connaissez l'histoire, Herr Fabel. Vous avez dû lire les contes quand vous me pourchassiez. Mon père s'est remarié. Avec une femme dure. Une fausse mère. Une femme cruelle et méchante qui m'obligeait à l'appeler *Mutti*. Mon père ne s'est pas remarié par amour mais par esprit pratique. C'était un homme très pratique. Il était premier officier sur un navire marchand et passait des mois loin de la maison. Il savait qu'il ne pouvait s'occuper de moi tout seul. Alors j'ai perdu une mère superbe et j'ai gagné une méchante marâtre. Vous voyez ? Vous voyez déjà ? C'est ma marâtre qui m'a élevé et, au fur et à mesure que je grandissais, sa méchanceté faisait de même. Puis, quand *Papi* est mort d'une crise cardiaque, je suis resté seul avec elle.

Fabel acquiesça, l'invitant à poursuivre. Il connaissait déjà l'étendue de la folie de Biedermeyer. Elle était monumentale. Un édifice gigantesque et pourtant complexe de psychose construite avec minutie. Assis là, dans l'ombre de cette énorme démence, Fabel ressentit une crainte qui n'était pas dépourvue d'un obscur respect.

– C'était une femme terrible et redoutable, Herr Fabel.

Le visage de Biedermeyer exprimait un sentiment de la même teneur que celui du Kommissar.

– Dieu et l'Allemagne, c'était tout ce qui importait pour elle. Notre religion et notre nation. Les deux seuls livres qu'elle autorisait à la maison étaient la Bible et les *Contes de Grimm*. Tout le reste n'était que pollution. Pornographie. Elle m'a également pris tous mes jouets. Ils me rendaient oiseux, selon elle. Mais il y en avait un que j'avais caché : un cadeau que mon père m'avait fait avant de mourir... Un masque. Un masque de loup. Ce petit masque est devenu mon unique acte de rébellion secrète. Puis, un jour, j'avais environ dix ans, j'ai emprunté une bande dessinée à un ami. Je l'ai emportée en douce dans la maison et je l'ai cachée, mais elle l'a trouvée. Heureusement, ce n'était pas la même cachette que celle de mon masque de loup. Mais c'est là que ça a commencé. C'est là qu'elle a commencé. Puisque je voulais lire, eh bien, j'allais lire. J'allais lire quelque chose de pur, de noble et de vrai. Elle m'a donné l'exemplaire des *Contes de Grimm* qu'elle possédait depuis son enfance, et m'a ordonné que je devais commencer par apprendre par cœur « Hänsel et Gretel ». Puis elle me l'a fait réciter. Je devais me tenir debout, à côté d'elle, et réciter tout le conte, au mot près.

Biedermeyer jeta à Fabel un regard implorant. Quelque chose de l'enfant qu'il avait été transparaissait dans son visage.

– Je n'étais qu'un garçon, Herr Fabel. Rien qu'un garçon. Je me suis trompé. C'était évident. L'histoire était tellement longue. Alors elle m'a battu. Elle m'a battu avec une canne jusqu'à ce que je saigne. Puis, chaque semaine, elle me donnait une nouvelle histoire à apprendre. Et, chaque semaine, je me prenais une raclée. Parfois si violente que je perdais connaissance. Et, en plus des coups, elle me parlait. Elle ne criait jamais, elle restait toujours calme. Elle me disait que je ne valais rien. Que j'étais un monstre : que je devenais grand et moche parce que j'avais en moi toute cette méchanceté. J'ai appris la haine. Je la haïssais. Mais bien plus que ça, je me haïssais.

Il s'interrompit, triste. Il tendit son gobelet d'un air interrogateur. On le lui remplit une nouvelle fois et il but une gorgée d'eau avant de continuer.

– Mais les contes m'apprenait des choses. J'ai commencé à les comprendre en les récitant. J'ai appris un truc très utile pour les mémoriser plus facilement... Je regardais au-delà des mots. J'essayais de comprendre le message qu'ils contenaient, je voyais que les personnages n'étaient pas vraiment des personnes, mais plutôt des symboles, des signes. Les forces du bien et du mal. J'ai vu que Blanche-Neige et Hänsel et Gretel étaient comme moi, prisonniers du même mal incarné par ma marâtre. Cela m'aidait à mémoriser les histoires et je fis de moins en moins d'erreurs. Ma marâtre avait de moins en moins d'excuses pour me battre. Mais ce qu'elle perdit en régularité, elle le gagna en sévérité...

Puis, un jour, j'ai commis une faute. Un seul mot. Une phrase dans le désordre. Je ne me souviens plus de ce que c'était, mais elle m'a battu et encore battu. Le monde entier a basculé. C'était comme un tremblement de terre dans ma tête et tout s'est mis à trépider dans tous les sens. Je me rappelle avoir pensé que j'allais mourir. Et j'étais content. Vous pouvez imaginer ça, Herr Fabel ? Onze ans et heureux de mourir. Je suis tombé à terre et elle a cessé de me frapper. Elle m'a ordonné de me relever et je pouvais sentir qu'elle avait peur d'être allée trop loin cette fois-là. Mais j'ai essayé d'être un bon garçon. Je voulais vraiment lui obéir et j'ai essayé de me relever, mais je n'ai pas pu. Je ne pouvais tout simplement pas. Je sentais le goût du sang dans ma bouche, dans ma bouche et dans mon nez, et je le sentais battre dans mes oreilles. *Maintenant*, j'ai pensé. C'est maintenant que je vais mourir.

Il se pencha en avant. Ses yeux étaient avides et intenses.

— C'est à ce moment précis que je l'ai entendu. C'était la première fois que j'entendais sa voix. Au début, j'ai eu peur. Je suis sûr que vous pouvez imaginer. Mais sa voix était forte, gentille et douce. Il m'a dit qu'il était Wilhelm Grimm et qu'il avait écrit ces histoires avec son frère. « Tu n'es plus tout seul, m'a-t-il dit. Je suis là. Je suis celui qui raconte les histoires et je vais t'aider. » Et c'est ce qu'il a fait, Herr Fabel. Il m'a aidé avec ces histoires que je devais réciter à *Mutti* en guise de punition. Après ça, après cette première fois où je l'ai entendu, je ne me suis plus jamais trompé d'un seul mot. Parce qu'il me soufflait ce que je devais dire.

Un petit rire lui échappa, comme si lui seul comprenait une plaisanterie inaccessible aux autres personnes dans la pièce.

— Je suis devenu trop grand pour que *Mutti* continue à me battre. Je crois qu'elle a même commencé à avoir peur de moi. Mais sa cruauté subsistait et elle se servait des mots à la place de sa canne. Chaque jour, elle me répétait combien je ne valais rien. Qu'aucune femme ne voudrait de moi, parce que j'étais un monstre mauvais et hideux, et parce que j'étais si méchant. Mais toujours la voix de Wilhelm m'apaisait, m'aidait. Il me rassurait chaque fois qu'elle m'insultait. Puis il a cessé de me parler. Je savais qu'il était là, mais il a simplement cessé de me parler et je suis resté seul avec le poison haineux de ma marâtre.

— Mais il est revenu pour vous ordonner de tuer Paula Ehlers ? demanda Fabel.

— Oui... Oui, exactement. Et je savais qu'il continuerait à me parler si je faisais ce qu'il m'ordonnait. Mais elle était trop forte, *Mutti*. Elle a découvert à propos de Paula. Elle m'a dit qu'on allait m'enfermer. Qu'elle devrait vivre avec cette honte. Alors elle m'a obligé à disposer du corps de Paula avant que je ne puisse revivre une histoire au travers d'elle.

— Merde ! s'exclama Werner avec incrédulité. Votre belle-mère savait que vous aviez enlevé et tué une écolière ?

— Elle m'a même aidé à cacher le corps... mais nous y reviendrons plus tard. Pour le moment, je veux que vous compreniez : j'avais une vocation et elle l'a contrariée. J'ai été forcé de cesser de faire ce que Wilhelm m'ordonnait. Alors il a cessé lui aussi de me parler. Ensuite, ma marâtre a été réduite au silence pour de bon, il y a de ça trois mois.

— Elle est morte ? demanda Fabel.

Biedermeyer secoua la tête.

— Une attaque. Qui lui a fermé le clapet. Lui a fermé le clapet et l'a paralysée et l'a envoyée à l'hôpital. C'était fini. Elle ne pouvait plus me faire de mal ni m'insulter ou m'empêcher de faire ce à quoi j'étais destiné. Ce que je devais faire.

— Laissez-moi deviner, dit Fabel. La voix dans votre tête est revenue et vous a ordonné de tuer de nouveau ?

— Non. Pas à ce moment-là. Wilhelm est resté muet. Puis j'ai vu le livre de Gerhard Weiss. Dès que j'ai commencé à le lire, j'ai su qu'il était Wilhelm. Qu'il n'avait pas besoin de me parler dans ma tête. Tout était là, dans ce livre. Dans *La Route des contes*. C'était sur cette route que nous avions voyagé ensemble un siècle et demi plus tôt. Et c'était sur cette route que nous devions continuer à voyager. Et la nuit où j'ai commencé à lire ce livre, la voix douce de

Wilhelm m'est revenue, au travers de ces pages superbes. Je savais ce que je devais faire. Mais je savais également qu'il fallait que je joue le rôle que j'avais joué auparavant : la voix de la vérité et de la fidélité. Wilhelm, ou Gerhard Weiss si vous voulez, était obligé de changer des choses pour plaire aux lecteurs. Mais pas moi.

— C'est alors que vous avez tué Martha. Vous avez fini son histoire, dit Fabel.

— J'étais libéré de ma marâtre et j'avais retrouvé mon frère de contes, Wilhelm. Je savais que le moment était venu. Tout mon chef-d'œuvre était planifié : une série de contes qui mèneraient à l'accomplissement de ma destinée. À la fin heureuse de mon histoire. Mais d'autres histoires devaient être accomplies avant la mienne. Et la fille de Kassel, Martha, fut la première. J'effectuais une livraison là-bas et je l'ai vue. J'ai pensé tout d'abord que c'était Paula, qu'elle s'était réveillée d'un sommeil magique. Puis j'ai compris qui elle était. C'était un signe de Wilhelm. Exactement comme l'exemplaire des contes que Paula avait tenu à la main. C'était un signe pour que je finisse son histoire et pour qu'elle joue un rôle dans le conte suivant.

— Vous l'avez gardée en vie. Vous l'avez cachée pendant deux ou trois jours avant de « finir son histoire ». Pourquoi ?

Biedermeyer regarda Fabel d'un air déçu.

— Parce qu'elle devait être une personne du Peuple souterrain. Elle devait être gardée sous terre. Elle avait très peur, mais je lui ai assuré que je ne lui ferais rien. Il n'y avait aucune raison d'avoir peur. Elle m'a parlé de ses parents. J'étais désolé pour elle. Elle était comme moi. Elle était prisonnière d'un conte dans lequel les parents l'avaient abandonnée dans le noir. Dans les bois. Elle ne savait pas ce qu'était l'amour, alors j'ai fini son histoire en faisant d'elle une Enfant échangée et en la donnant à des parents qui l'aimeraient et prendraient soin d'elle.

Werner secoua la tête.

— Vous êtes fou. Dément. Vous le savez, n'est-ce pas ? Tous ces innocents que vous avez assassinés. Toute cette douleur et cette peur que vous avez causées.

Le visage de Biedermeyer s'assombrit brusquement. Ses traits se tordirent de mépris. C'était comme un orage soudain et imprévu qui surgissait et Fabel jeta un regard entendu aux deux SchuPo près du mur. Ils se redressèrent, prêts à intervenir.

— Vous ne comprenez pas, n'est-ce pas ? Vous êtes trop stupide pour comprendre, lança Biedermeyer d'une voix légèrement plus aiguë, mais dans laquelle sourdait une profonde menace. Pourquoi ne voulez-vous pas comprendre ?

Il agita les mains, parcourant la pièce du regard pour englober l'environnement.

— Tout ceci... Tout ceci... Vous ne croyez pas que c'est vrai, n'est-ce pas ? Ce n'est qu'une histoire, pour l'amour de Dieu. Vous ne voyez donc pas ? Ce n'est qu'un mythe... un conte de fées... une fable.

Il lança un regard éperdu vers Fabel, Werner et Maria, ses yeux frustrés cherchant la compréhension dans les leurs.

— Nous ne le croyons seulement que parce que nous y sommes. Parce que nous sommes dans l'histoire... Je n'ai pas vraiment tué ces personnes. J'ai compris que tout n'était qu'une histoire quand j'étais enfant. Personne ne pouvait être aussi malheureux que moi. Personne n'était plus triste et plus seul que moi. C'est ridicule. Ce jour-là, le jour où ma marâtre m'a battu, et que tout mon monde s'est mis à trembler, Wilhelm ne m'a pas seulement aidé à mémoriser ces histoires que je devais réciter, il m'a expliqué que cela ne m'arrivait pas réellement. Rien de tout ça ne m'arrivait réellement. Ce n'était qu'une histoire qu'il inventait. Vous vous rappelez ? Il m'a dit qu'il était celui qui racontait les histoires. Vous voyez, je suis son frère parce qu'il m'a intégré dans son histoire comme étant son frère. Ce n'est tout simplement qu'un conte.

Il acquiesça d'un air entendu. Fabel se rappela les explications d'Otto concernant le principe que Gerhard Weiss avait développé : le bavardage pseudo-scientifique sur la fiction qui devenait réalité dans tout l'univers. Des conneries. Des conneries dont ce monstre triste et pathétique avait cru chaque mot. Avait vécu chaque mot.

— Et les autres ? demanda Fabel. Parlez-nous des autres meurtres. Commençons par Hanna Grünn et Markus Schiller.

— Paula incarnait tout ce qui était bon et généreux dans le monde, comme le pain tout frais sorti du four. Hanna, elle, représentait ce qui était devenu fétide et infect... C'était une femme perdue, légère, vaine et vénale.

Le sourire de Biedermeyer rayonnait de la fierté de l'artisan qui présente son plus beau travail.

— J'ai vu qu'elle avait faim d'autre chose. Elle avait toujours faim de plus. C'était une femme mue par le vice et l'envie. Elle usait de son corps comme d'un outil pour obtenir ce qu'elle désirait, et pourtant elle est venue se plaindre auprès de moi à propos du représentant, Ungerer, qui la lorgnait et lui faisait des remarques déplacées. Je savais qu'il fallait mettre un terme à son histoire, alors je l'ai guettée. Je l'ai suivie, comme je l'avais fait pour Paula, mais plus longtemps, en tenant un journal précis de ses mouvements.

— Et c'est comme ça que vous avez découvert qu'elle avait une liaison avec Markus Schiller ? demanda Fabel.

— Je les ai suivis dans les bois à plusieurs reprises. Alors tout est devenu évident. J'ai relu *La Route des contes*, ainsi que les textes originaux. Wilhelm venait de m'adresser un nouveau signe, vous comprenez ? Les bois. Ils seraient Hänsel et Gretel...

Fabel l'écouta relater ses autres crimes. Il expliqua comment il avait planifié de s'occuper ensuite du représentant, Ungerer, mais il y avait eu confusion au sujet du gâteau d'anniversaire de Schnauber, et Biedermeyer avait dû se charger personnellement de la livraison. C'est alors qu'il avait vu Laura von Klosterstadt. Il avait vu sa beauté hautaine et ses longs cheveux blonds. Il savait qu'il avait devant lui une princesse. Mais pas n'importe quelle princesse, une Belle au bois dormant. Alors il l'avait endormie à jamais et avait volé une mèche de ses cheveux.

— Puis j'ai fini l'histoire d'Ungerer. C'était un porc lubrique et dégoûtant. Il reluquait toujours Hanna et même Vera Schiller. Je l'ai suivi pendant deux jours. J'ai vu la saleté et les putes avec lesquelles il se vautrait. Je me suis arrangé pour tomber sur lui par hasard à St Pauli. J'ai ri de ses blagues dégoûtantes et de ses remarques obscènes. Il voulait aller boire un verre mais je ne voulais pas qu'on nous voie ensemble en public, alors j'ai prétendu connaître deux femmes à qui on pouvait rendre visite. Si les contes démontrent quoi que ce soit, c'est combien il est facile de détourner les autres du droit chemin pour les entraîner dans l'obscurité des bois. Cela a été facile avec lui. Je l'ai emmené... eh bien, je l'ai emmené dans une maison que vous visiterez bientôt, en lui assurant que les deux femmes s'y trouvaient. Puis j'ai pris un couteau, je l'ai enfoncé et tourné dans son cœur noir et corrompu. Il ne s'y attendait pas et cela n'a duré qu'une seconde.

— Et vous avez pris ses yeux ?

— Oui. J'ai choisi Ungerer pour jouer le rôle du fils du roi dans « Raiponce ». J'ai arraché ses yeux lubriques et vicieux.

— Et Max Bartmann, le tatoueur ? demanda Fabel. Vous l'avez tué avant d'assassiner Ungerer mais il n'a joué aucun rôle dans vos contes. Et vous avez tenté de dissimuler son corps pour de bon. Pourquoi l'avez-vous tué ? Juste pour ses yeux ?

— D'une certaine façon, oui. Pour ce que ses yeux avaient vu. Il savait qui j'étais. Maintenant que j'étais libre d'accomplir mon œuvre, il allait voir des reportages à la télévision, lire des articles dans les journaux. Il finirait par faire le lien. Alors j'ai dû conclure son histoire.

— De quoi parlez-vous ? demanda Werner avec impatience. Comment savait-il qui vous étiez ?

Biedermeyer bougea si rapidement qu'aucun des officiers présents n'eut le temps de réagir. Il se leva d'un bond et expédia sa chaise vers le mur, faisant s'écarter les deux SchuPo derrière lui. Ses énormes mains s'envolèrent vers son énorme torse. Les boutons de sa chemise sautèrent et le tissu se déchira alors qu'il bataillait pour se défaire de son vêtement. Enfin il se tint, tel un colosse, son corps immense et massif au centre de la salle d'interrogatoire. Fabel leva la main et les deux SchuPo qui s'étaient précipités reculèrent. Werner et Fabel étaient debout et Maria s'était élancée elle aussi. Tous les trois se tenaient dans l'ombre de la carrure gigantesque de Biedermeyer. Tous fixaient le corps du géant.

— Nom de Dieu..., murmura Werner.

Son torse était entièrement recouvert de mots. Des milliers de mots. Son corps en était noir. Des histoires avaient été tatouées sur sa peau en caractères Fraktur noirs, aussi petits que le support de la peau humaine et que le talent du tatoueur le permettaient. Les titres étaient clairs : « Le Petit Chaperon rouge », « Blanche-Neige », « Les Musiciens de Brême »...

— Mon Dieu ! fit Fabel, qui ne pouvait détacher les yeux des tatouages.

Les mots semblaient bouger, les phrases se tordre, avec chaque mouvement de son corps, chaque respiration. Fabel se rappela les livres trouvés dans le minuscule appartement du tatoueur : celui sur les anciennes typos gothiques allemandes, sur Fraktur, et Kupferstich. Biedermeyer resta debout en silence pendant un moment. Puis, quand il reprit la parole, sa voix retrouva une résonance profonde et menaçante.

— Maintenant vous voyez ? Maintenant vous comprenez ? C'est moi Frère Grimm. C'est moi qui suis la somme de tous les contes et fables de notre langue, de notre pays, de notre peuple. Il devait mourir. Il avait vu cela. Max Bartmann avait contribué à cette création et il l'avait vue. Je ne pouvais le laisser en parler. Alors je l'ai tué et je lui ai pris ses yeux afin qu'il puisse jouer un rôle dans le conte suivant.

Tous restèrent debout, tendus, à attendre.

— Le moment est venu, dit Fabel. Maintenant vous devez nous dire où se trouve le corps de Paula Ehlers. Cela ne colle pas. Le seul autre corps que vous avez dissimulé est celui de Max Bartmann, et c'était parce qu'il ne faisait pas vraiment partie de vos petites mises en scène. Pourquoi n'avons-nous pas encore découvert le corps de Paula ?

— Parce que nous sommes revenus au point de départ. Paula est ma Gretel. Je suis son Hänsel. Elle a encore son rôle à tenir.

Son visage se fendit d'un sourire. Mais il ne ressemblait à aucun sourire que Fabel ait vu sur le visage habituellement aimable et amical de Biedermeyer. C'était un sourire d'une froideur lumineuse et terrible qui emprisonna Fabel dans son projecteur.

— « Hänsel et Gretel » était le conte que ma marâtre me faisait réciter le plus souvent. Il était long et difficile et je me trompais toujours. Alors elle me battait. Elle frappait mon corps et mon esprit jusqu'à me donner le sentiment qu'ils étaient brisés à tout jamais. Mais Wilhelm m'a sauvé. Wilhelm m'a ramené dans la lumière avec sa voix, avec ses signes et ensuite avec ses nouveaux écrits. La première fois où j'ai entendu sa voix, il m'a dit qu'un jour je serais capable de me venger de ma méchante sorcière de marâtre, que je serais délivré de son emprise, tout comme Hänsel et Gretel se sont vengés de la vieille sorcière pour se libérer.

Biedermeyer inclina sa masse et les mots s'étirèrent et se tordirent sur sa peau. Fabel refréna l'envie de reculer.

— C'est moi qui ai fait cuire le gâteau de Paula, poursuivit Biedermeyer d'une voix froide et ténébreuse. J'ai cuit et décoré le gâteau de Paula. Je fais des extras pour des petites réceptions en dehors de mon travail au fournil. J'ai installé une boulangerie tout équipée dans mon sous-sol, y compris un four professionnel. Le four est très très grand et il a fallu une dalle en ciment pour le supporter.

Le trouble transparut sur le visage de Fabel. On avait envoyé une unité de SchuPo au domicile de Biedermeyer, un appartement en rez-de-chaussée dans Heimfeld-Nord. Ils avaient confirmé qu'il était vide. Ils n'avaient rien trouvé d'inhabituel, à l'exception d'une des deux chambres aménagée pour pouvoir accueillir une personne âgée ou handicapée.

— Je ne comprends pas, dit Fabel. Votre appartement ne comporte pas de sous-sol.

Le sourire froid de Biedermeyer s'élargit.

— Ce n'est pas là que j'habite. C'est seulement l'endroit que j'ai loué pour convaincre les médecins que je pouvais prendre soin de *Mutti*. Ma véritable maison est celle où j'ai grandi, celle que je partageais avec la vieille carne. Rilke

Strasse, Heimfeld. Près de l'autoroute. C'est là que vous la trouverez... C'est là que vous trouverez Paula Ehlers. Dans le sol, là où *Mutti* et moi l'avons enterrée. Sortez-la de là, Herr Fabel. Sortez ma petite Gretel des ténèbres et nous serons tous les deux libres.

Fabel adressa un geste aux SchuPo qui saisirent les bras sans résistance de Biedermeyer et les maintinrent dans son dos avant de le menotter une nouvelle fois.

— Vous la trouverez là-bas..., cria Biedermeyer à Fabel quand ce dernier quitta la pièce avec son équipe.

Le géant éclata de rire.

— Et pendant que vous y êtes, est-ce que vous pourriez éteindre le four ? Je l'ai laissé allumé ce matin.

60

La maison était située à la lisière de la forêt domaniale, près de l'endroit où l'A7 la traversait. Grande et ancienne, elle était déprimante à regarder. Probablement construite dans les années 1920, elle manquait de caractère, mais était entourée d'un grand jardin laissé à l'abandon. La bâtisse en elle-même était négligée depuis longtemps : la peinture extérieure terne, tachée, s'effritait comme sous l'effet d'une maladie de peau.

Elle rappelait à Fabel la villa dans laquelle Fendrich et sa mère avaient vécu. Elle avait la même apparence perdue et déplacée, comme plantée dans un décor et une époque qui ne lui allaient pas. Même sa situation, avec les cimes des arbres à l'arrière et l'autoroute tout à côté, semblait incongrue.

Ils étaient venus à deux voitures, accompagnés d'une unité de SchuPo. Fabel, Werner et Maria se dirigèrent directement vers la porte d'entrée et sonnèrent. Rien. Anna et Henk Hermann, qui se trouvaient derrière eux, firent signe aux SchuPo qui s'approchèrent avec un bélier. La porte était solide, le chêne était devenu presque noir au fil des années. Il fallut trois coups de bélier pour faire exploser le bois autour de la serrure. Le battant claqua contre le mur du vestibule.

Fabel et les autres échangèrent un regard avant d'entrer. Ils avaient tous conscience de se trouver sur le seuil d'une folie exceptionnelle et chacun se préparait à affronter le pire.

Cela commença dès le vestibule.

L'intérieur était sombre et lugubre. Une porte vitrée séparait le vestibule du couloir. Fabel l'ouvrit avec précaution, bien qu'il n'eût à craindre aucun danger. Biedermeyer était à présent enfermé dans une cellule. Pourtant il ne l'était pas. Sa colossale présence planait dans cette maison. C'était un grand couloir étroit et haut de plafond, éclairé par trois ampoules. Fabel appuya sur l'interrupteur et le couloir s'emplit d'une lumière austère.

Les murs étaient couverts d'un patchwork de photos et de feuilles de papier jaune collées au plâtre, chacune d'elles couverte d'une écriture minuscule à l'encre rouge. Fabel les examina : tous les contes de Grimm se trouvaient là. Tous écrits de la même main obsessionnelle et sans aucune erreur. Une folie parfaite. Entre les feuilles manuscrites étaient des feuilles imprimées extraites d'éditions des œuvres des frères Grimm. Et des images. Des centaines d'illustrations de contes. Fabel reconnut plusieurs reproductions d'originaux qui figuraient dans la collection de Weiss. Et il y en avait d'autres, de l'époque nazie, identiques à celles que l'auteur lui avait décrites. Anna Wolff s'était immobilisée pour en observer une, datant des années 1930 : la vieille sorcière y était représentée avec les traits caricaturaux des Juifs, le dos bossu ; elle alimentait le feu sous le four tout en jetant un œil avide et myope vers le blond et nordique Hänsel. Dans le dos de la sorcière, une Gretel tout aussi nordique s'apprêtait à pousser la vieille femme dans le four. Fabel n'avait jamais vu d'illustrations plus répugnantes. Il n'avait aucune idée de ce qu'Anna pouvait ressentir.

Ils progressèrent le long du couloir qui desservait plusieurs grandes pièces et un escalier montant à l'étage. Toutes les pièces étaient vides de mobilier mais les collages déments de Biedermeyer s'y étaient répandus ainsi que sur le mur longeant l'escalier, s'étalant sur les parois comme l'humidité ou la moisissure. Il y avait une odeur. Fabel ne parvenait pas à la définir, mais elle était tapie dans la maison, s'accrochait aux cloisons, aux vêtements des policiers.

Fabel entra dans la première pièce sur leur gauche et invita Werner à inspecter celle d'en face. Maria continua le long du couloir et Anna et Henk grimpèrent l'escalier. Fabel découvrit un plancher sombre et poussiéreux, mais aucun meuble ni signe d'occupation.

– Chef, appela Anna, venez voir ça.

Fabel monta à l'étage, suivi de Werner. Anna se tenait sur le seuil d'une chambre. Contrairement aux autres, celle-ci avait de toute évidence été habitée. Les murs, comme ceux du couloir, étaient recouverts d'une épaisse couche de pages manuscrites, d'images et d'extraits de livres. Un lit de camp et une table de chevet occupaient le centre de la pièce. Mais ce n'était pas ce qui retint l'attention de Fabel. Deux murs de la pièce étaient garnis d'étagères. Et les étagères étaient remplies de livres. Fabel s'approcha. Non. Pas des livres. Un seul livre.

Biedermeyer avait dû passer des années, et dépenser tout son argent, à acquérir diverses éditions des *Contes de Grimm*. Des exemplaires de bibliophilie côtoyaient de récentes parutions en format poche ; des reliures à titres dorés jouxtaient des volumes de mauvaise qualité ; en plus des centaines d'éditions allemandes correspondant à près de deux siècles de parution, on trouvait également des exemplaires en français, anglais et italien, des titres en alphabet cyrillique, en idéogrammes chinois et japonais.

Fabel, Werner, Anna et Henk restèrent sans voix pendant un moment.

– Je crois que nous ferions mieux de fouiller le sous-sol, déclara enfin Fabel.

– Je pense l'avoir trouvé, ou du moins le passage qui y mène, déclara Maria depuis le seuil de la chambre.

Elle les précéda dans l'escalier et dans le couloir du rez-de-chaussée. Ils entrèrent dans ce qui était, ou avait été, la cuisine, une pièce spacieuse avec une gazinière adossée à un mur. Sa propreté et le léger bourdonnement électrique du grand réfrigérateur neuf suggéraient que, comme la chambre-bibliothèque de l'étage, elle était utilisée. Il y avait deux portes. L'une, ouverte, donnait dans le garde-manger. L'autre était cadenassée.

– Je suppose qu'elle conduit au sous-sol, déclara Maria.

– Et mène à Paula..., ajouta Anna.

Werner sortit de la cuisine pour gagner la porte d'entrée, où les deux SchuPo montaient la garde. Il revint une minute plus tard avec un pied-de-biche.

– On y va, fit Fabel en faisant un signe de tête vers la porte verrouillée.

Une fois la serrure forcée et la porte ouverte, l'odeur décelée plus tôt s'accentua de manière significative. Des marches descendaient dans les ténèbres. Werner tâtonna à la recherche d'un interrupteur. Ils perçurent le bruit des néons s'éveillant à leurs pieds. Fabel précéda son équipe dans le sous-sol.

C'était une boulangerie. Une véritable boulangerie en état de marche. Biedermeyer y avait installé un énorme four italien. Le chariot à plateaux stationné devant aurait pu accueillir des douzaines de miches. Au contraire du reste de la maison, tout ici était propre. Une table de travail en acier inoxydable poli et un pétrin brillaient sous les néons. Fabel inspecta le sol de ciment. Paula était enterrée là-dessous.

Cette odeur. L'odeur de brûlé. Biedermeyer lui avait demandé d'éteindre le four, parce qu'il l'avait laissé allumé le matin en partant. Fabel avait cru à une plaisanterie, mais le géant avait apparemment mis quelque chose à cuire avant de se rendre au Fournil Albertus, pensant certainement qu'il serait de retour en milieu d'après-midi.

Le monde se ralentit autour de Fabel. L'adrénaline monta brutalement en lui, et il progressa beaucoup plus vite en cet instant qu'il ne l'avait jamais fait au cours de toute cette enquête. Il se tourna pour regarder ses collègues, tous debout, les yeux baissés sur le sol de ciment comme s'ils s'efforçaient de voir Paula au travers. Pas Paula, Gretel. Les yeux de Fabel se posèrent de nouveau sur le chariot à plateaux qui aurait dû se trouver à l'intérieur du four. Pas à l'extérieur. Et rien ne requérait une cuisson de toute une journée.

— Oh, Seigneur, dit-il en tendant la main vers le torchon sur la table de préparation. Oh, mon Dieu, non...

Il enroula le torchon autour de la poignée du four et tira la porte.

Une vague de chaleur et de puanteur écœurante le submergea, se répandant dans le sous-sol transformé en boulangerie. C'était la puanteur prégnante et suffocante de la viande rôtie. Fabel recula, portant le torchon à son nez et à sa bouche. Son univers se replia des milliers de fois sur lui-même jusqu'à ce qu'il n'en reste plus rien, excepté lui-même et l'horreur sous ses yeux. Il n'entendit pas Henk Hermann vomir, ni le cri étouffé de Maria, ni même les sanglots d'Anna. Il n'avait conscience que de ce qu'il voyait. Dans le four.

Un grand plateau métallique était posé au fond. Sur le plateau, ligoté en position fœtale, reposait le corps presque nu, à moitié cuit, d'une vieille femme. Presque tous ses cheveux avaient disparu, n'en restaient que quelques boulettes calcinées collées au cuir chevelu rôti. La peau était noircie et fendillée. La chaleur avait desséché et tiré les tendons, ratatinant encore plus le corps sur lui-même.

Fabel contempla le cadavre. C'était le chef-d'œuvre de Biedermeyer : le conte final de Frère Grimm qui bouclait la boucle.

La conclusion de « Hänsel et Gretel » : la vieille sorcière jetée dans son propre four.

Remerciements

J'ai pris beaucoup de plaisir à raconter cette sombre histoire. Je voudrais remercier tous ceux qui m'ont aidé et ont rendu cette aventure plus plaisante encore :

Tout d'abord, mon épouse, Wendy, qui s'est passionnée depuis le début pour *Contes barbares*. Son soutien et ses commentaires concernant le premier jet m'ont aidé à en faire un meilleur roman. Mes enfants, Jonathan et Sophie, ma mère, Helen, grande lectrice de thrillers, et ma sœur Marion. Remerciements particuliers à Bea et Colin Black, à Alice Aird et Tony Burke, et à Holger et Lotte Unger pour leur amitié, leur soutien et leurs conseils inestimables.

J'exprime mon infinie reconnaissance envers mon agent, Carole Blake, dont l'énergie, le dévouement et le dynamisme ont fait de la série Jan Fabel un succès international, ainsi que Oli Munson et David Eddy de l'agence littéraire Blake Friedmann. Paul Sidey, mon éditeur, a toujours défendu mon travail et je le remercie pour tout le temps, les efforts et les pensées consacrés à ce livre. Merci également à mes comptables, Larry Sellyn et Elaine Dyer, qui m'ont conseillé et soutenu pendant ma carrière d'écrivain.

Encore une fois, grands remerciements à l'excellent Dr Bernd Rullkötter, mon traducteur allemand, qui a travaillé étroitement avec moi sur les versions anglaise et allemande de *Contes barbares*. Merci, Bernd, pour ton intérêt et ton aide.

Remerciements particuliers aux personnes suivantes qui m'ont soutenu et aidé de façon bénévole et enthousiaste. Je dois une profonde reconnaissance à *Erste Haupt-kommissarin* Ulrike Sweden, de la police de Hambourg, pour avoir lu la première version de mon roman et corrigé les inexactitudes techniques, ainsi que pour toutes les informations, l'aide et les contacts qu'elle m'a fournis ; la journaliste Anja Sieg qui a lu mon manuscrit pour s'assurer que les détails concernant la Frise orientale étaient corrects et a fait une foule d'autres commentaires inestimables ; le docteur Anja Lowit, qui a également lu et commenté la première version ; Dirk Brandeburg et Birte Hell, de la brigade criminelle de Hambourg ; Peter Baustian, du poste de police de Davidwache, et Robert Golz, du Polizeipräsidium de Hambourg ; Katrin Frahm, mon professeur d'allemand, qui a fait un travail merveilleux en élevant mon niveau ; Dagmar Förtsch, du GLS Language Service (et consul honoraire de la République Fédérale d'Allemagne à Glasgow), pour son soutien et son aide enthousiastes ; Udo Röbel, ancien rédacteur en chef de *Bild* et aujourd'hui, lui aussi, un auteur de romans policiers, pour son enthousiasme et son amitié ; Menso Heyl, rédacteur en chef du *Hamburger Abendblatt*, pour l'intérêt qu'il porte à mon travail et pour m'avoir envoyé chaque jour par courrier un exemplaire de son journal afin que je sois tenu au courant de l'actualité de Hambourg.

Et remerciements très particuliers à mon éditeur allemand, Marco Schneiders, pour son enthousiasme et son dévouement.

Je manifeste ma gratitude à tous ceux, chez mes éditeurs en Angleterre, en Allemagne et ailleurs dans le monde, qui ont contribué de façon positive à la série Jan Fabel.

Et, bien sûr, à toute la population de Hambourg : *ich bedanke mich herzlich.*

Composition réalisée par PCA - 44400 Rezé
Impression réalisée sur CAMERON
par BRODARD ET TAUPIN
La Flèche
en avril 2007

Imprimé en France
Dépôt légal : 87126 – 05/07
N° d'édition : 01
N° d'impression : 41407

RELIURE LEDUC INC.
450-460-2105